Александра МАРИНИНА

ЗАКОН ТРЕХ ОТРИЦАНИЙ

ЭКСМО
2003

УДК 882
ББК 84(2Рос-Рус)6-4
М 26

Разработка серийного оформления
художников *Г. Саукова, В. Щербакова*

Серия основана в 1993 году

Маринина А. Б.

М 26   Закон трех отрицаний: Роман. — М.: Изд-во Эксмо,
2003. — 432 с. (Серия «Черная кошка»).

ISBN 5-699-02595-2

Насте Каменской не повезло — она попала в аварию. Скоро ее выпишут из
госпиталя, но сломанная нога все болит и болит, так что Настя передвигается с
большим трудом. Она решает обратиться к специалисту, использующему нетрадици-
онные методы лечения. Но когда Настя звонит по нужному телефону, выясняется,
что этот специалист убит. А тут еще одна неприятность. После госпиталя Насте негде
жить: ее квартира занята неожиданно нагрянувшими родственниками. Так Настя
оказывается на даче у знакомого, где совершает лечебные прогулки и развлекает себя
обсуждением с коллегами подробностей очередного громкого убийства молодой
кинозвезды. И вдруг она с ужасом обнаруживает, что за ней кто-то следит...

УДК 882
ББК 84 (2Рос-Рус)6-4

Глава 1

Мимо шли ноги и почему-то не останавливались. Сначала торопливо прочмокали по размокшей октябрьской грязи изящные лакированные ботиночки на скошенных каблучках и с длинным узким «клоунским» носиком, неся свою владелицу к домашним уютным хлопотам. Потом вальяжно и неслышно прошествовали четыре мохнатые лапы, с чувством высокомерного достоинства влекущие за собой пару растоптанных грязных сапог, в далеком прошлом именовавшихся женскими демисезонными сапожками. Еще одна четверка лап, на сей раз маленьких, бело-черных, промелькнула с надрывным мяуканьем в противоположном направлении, явно спасаясь от больших и мохнатых. Были и другие ноги, в ботинках и туфлях, в кроссовках и сапожках. В брюках, джинсах, колготках. Одни проходили далеко, другие совсем близко. Но не остановился никто. Никто почему-то не хотел в двенадцатом часу ночи стоять под моросящим ледяным дождем и пристально разглядывать грязь во дворе между металлическими коробками гаражей. Все хотели домой, к теплу, еде и остаткам телевизионных радостей. Да и этих «всех» было немного, основная масса обитателей жилого массива в центре Москвы давно уже вернулась домой.

Тело убитой женщины лежало на мокрой, покрытой жалкими клочками жухлой травы земле, отчаянно одинокое, никем не замеченное и никому не нужное. А ведь еще два часа назад это была живая женщина, веселая, остроумная, любимая друзьями и огромным числом людей, которым она помогала. Отчего-то так случилось, что именно сегодня никто не забеспокоился и не кинулся ее искать, не забил тревогу, не поднял на ноги милицию. Впрочем, ничего необычного в этом не было, ведь женщина эта жила одна и дома ее никто не ждал. А если кто и звонил настойчиво по ее домашнему телефону, то ничуть не удивлялся тому, что она не снимает трубку. Она никогда не отвечала на звонки во время работы. Работала она чаще всего дома, в экстренных случаях — и поздно вечером, и даже по ночам.

Правда, в последние два месяца в ее квартире жил молодой парень, приходившийся ей каким-то многоюродным племянником. Но и он не ждал и не искал свою родственницу. Ему было все равно. Он был пьян.

* * *

— В пятницу будем вас выписывать, — хмуро закончил беседу лечащий врач.

— И потом что? — глупо спросила Настя Каменская. — Сразу на работу?

— Что, не терпится? — впервые за все время на его лице проступило нечто похожее на усмешку.

— Да нет, я не в том смысле... — Настя смешалась и не сразу нашла нужные слова. — Просто нога очень болит. И с палкой на работу ходить неудобно, а возить меня некому.

— Никто вас на работу и не пустит. Как минимум месяц нужен на реабилитацию. Будете понемногу ходить, увеличивая нагрузку. Ну и массаж, физиопроцедуры, это уж само собой. Я вам перед выпиской сделаю все назначения.

Она испытала одновременно облегчение и стыд. Как хорошо, что еще целый месяц можно не ходить на работу! И как стыдно и противно, что она этому радуется.

Однако перспектива скорой выписки ставила перед Настей почти неразрешимую проблему. Собственно, проблема как таковая существовала уже три недели, но, пока

Настя лежала в госпитале, о ней можно было не думать. Дело в том, что три недели назад в Москву совершенно неожиданно нагрянули родственники из маленького провинциального городка — муж, жена и двое детей. Старшему ребенку, двенадцати лет от роду, требовалась срочная и сложная операция, которую могли успешно сделать только в столичной клинике. Обезумевшие от горя и страха супруги подхватили заболевшего сына, а заодно и пятилетнюю дочь, которую не с кем было оставить, и ринулись в Москву, рассчитывая на гостеприимство Настиных родителей. И надо же такому случиться, что Настины мать и отчим еще летом затеяли какой-то сверхсложный ремонт с целью превратить двухкомнатную квартиру в трехкомнатную. Мастера клялись и божились, что уложатся в два месяца, и доверчивые хозяева с легким сердцем переехали к друзьям, выразившим готовность предоставить им свою городскую квартиру, поскольку сами они все лето жили на даче. Однако наступил сентябрь, потом октябрь, а ремонт все продолжался. И если для Настиных родителей и их друзей такая ситуация выглядела всего лишь как временное неудобство, то для приехавших с больным ребенком родственников это оказалось сродни катастрофе. Платить за гостиницу они не могли. Стоит ли объяснять, что поселились они у Насти в однокомнатной квартире, в то время как ее муж Алексей временно вернулся в Жуковский к своим родителям. Случилось это тогда, когда сама Настя уже валялась в госпитале со сломанной ногой.

И вот теперь надо возвращаться... Куда? В крошечную «однушку», где и без нее не протолкнуться? Ехать к Лешке в Жуковский и сваливаться обузой на его стареньких больных родителей, которые сами нуждаются в уходе? Она ведь еле ходит, в час по чайной ложке, да и то с палкой. И потом, как она будет ездить из Жуковского в поликлинику на массажи и процедуры, которые зловеще пообещал ей доктор? Из дома и обратно можно доехать на такси, накладно, конечно, но их бюджет выдержит, если не каждый день. А из пригорода как добираться?

Вообще-то Настя Каменская не предполагала, что проблема обретет такую остроту. Когда родственники поселились в ее квартире, она была уверена, что после выписки будет жить с мужем именно в Жуковском, и перспектива поездок на электричке ее нисколько не пугала. Просто она не ожидала, что к моменту выхода из больницы почти не сможет ходить. Ей казалось, что пусть с палкой, пусть не быстро, но она сможет передвигаться без особых трудностей. Ан нет, сломанная нога упорно не желала выздоравливать. Она болела так отчаянно, так неистово и самозабвенно, что врачи только диву давались. Уж чем только Настю не лечили, чего только не придумывали госпитальные хирурги, но упрямая нога не поддавалась. Ей даже советовали обратиться к каким-нибудь целителям или знахарям, может, помогут. Правда, советы эти исходили не от врачей, а от сочувствующих из числа больных и их родственников. Они наперебой рассказывали о невероятных исцелениях, приворотах, снятиях порчи и прочих чудесах, вызывавших у самой Насти стойкую недоверчивую неприязнь. Настя, закончившая в свое время физико-математическую школу и юридический факультет университета и проработавшая больше пятнадцати лет в уголовном розыске, получила жесткое атеистическое воспитание и верила только в традиционную медицину, да и то не безгранично, ибо понимала, что и медицина может далеко не все.

Да, с ногой надо что-то делать... Для решения возникшей проблемы было только два пути: либо искать жилье где-то в Москве, желательно поближе к поликлинике, либо искать способ максимально быстро уменьшить нестерпимые боли, возникающие при ходьбе, чтобы получить возможность самостоятельно передвигаться, и тогда можно жить с Лешей в Жуковском. О том, чтобы снять квартиру, и речи нет, такие расходы они не потянут. Сейчас у них с мужем трудная в финансовом смысле полоса. Да и кто сдаст квартиру всего на месяц? Наищешься. А выпишут уже в пятницу, то есть через три дня.

Конечно, Настя была человеком разумным и понимала, что неразрешимых проблем нет, есть неприятные решения. Можно жить в одной комнате с родителями больного мальчика и его пятилетней сестренкой. Можно одолжить денег и ездить из Жуковского и обратно на такси в течение месяца или столько, сколько будет нужно, пока нога не опомнится и не даст возможность более или менее нормально ходить. Можно попробовать все-таки найти квартиру, которую сдадут на короткий срок. Понятно, что это будет дорого, но опять же можно взять деньги в долг, хоть это и претит Насте и противоречит ее правилам. Одним словом, решения у проблемы были, надо только выбрать наименее неприятное.

В таких вот размышлениях и провела она время от утреннего обхода до пяти часов вечера, когда стали приходить посетители. Сама она сегодня никого не ждала, Лешка приезжал вчера и теперь появится только в четверг, ему сложно выбираться каждый день из своего Подмосковья, да и работы у него выше головы. Мама собиралась прийти в среду, то есть завтра. Если только кто-то из ребят с работы заглянет, но это вряд ли, свободного времени у сыщиков немного, а она ведь не на смертном одре, чувствует себя почти прекрасно. Только вот ходить не может.

Первой, как обычно, в палате появилась тихая интеллигентная пенсионерка Изольда Валериановна, ежедневно навещающая свою двоюродную сестру — сотрудницу паспортно-визовой службы. Изольду любили все обитатели трехместной палаты, а также медсестры, санитарки и даже врачи. Вопрос о том, чем же она заслужила такое отношение, оставался открытым, по крайней мере для самой Насти, которая просто каждой клеточкой своего тела ощущала: вот открылась дверь, вошла Изольда Валериановна, и вместе с ней в узкую длинную палату вошел праздник. И не было это связано ни с цветами, ни с конфетами, ни с прочими вкусностями, которые обычно стараются принести в больницу, ни с деньгами, небрежно или, наоборот, смущенно засовываемыми в карманы белых халатов медперсонала. Это не было связано ни с чем эдаким материальным, что можно было бы пощупать, понюхать, съесть или каким-то иным образом использовать в целях получения чисто физических радостей. Моложавая, аккуратно и недорого одетая Изольда Валериановна вся целиком состояла из улыбки, радости и любви к окружающим, и было все это богатство таким нежным, мягким и ненавязчивым, что сопротивляться его силе оказывалось невозможным. Во всяком случае, Настя Каменская чувствовала именно так.

Несмотря на то, что Изольда приходила все-таки к своей сестре, она ухитрялась разговаривать одновременно со всеми, а не только с больной родственницей. При этом настроение у троих обитателей палаты могло быть совершенно разным, от радостно-приподнятого до уныло-подавленного, однако же Изольде Валериановне каким-то совершенно непостижимым образом удавалось соответствовать душевному состоянию каждого.

Через полчаса после появления Изольда уже знала, с какой проблемой столкнулась Настя, хотя сама Настя вроде бы и не собиралась ни с кем свои дела обсуждать и тем более просить совета.

— Вы заметили, Настенька, какой у вас интересный перекос в рассуждениях? — оживленно улыбаясь, заметила Изольда.

— Какой перекос? — не поняла Настя.

— У вас есть тысяча и один вариант на тему того, как вам устроиться, чтобы переждать, пока вы сможете нормально передвигаться. И ни одного варианта по поводу того, как сделать так, чтобы нога побыстрее перестала болеть. А ведь корень проблемы именно в том, что нога сильно болит. Вы же, вместо того чтобы решать именно эту проблему, пытаетесь приспособиться к ней и покорно ждать, пока она сама как-нибудь решится. Вы полагаете, что это правильно?

Насте хватало ума, чтобы понимать, что это, конечно же, неправильно. Но как же ей лечить эту чертову ногу, если даже сами врачи пожимают плечами в недоумении и не понимают, отчего боли, несмотря на все принимаемые меры, так и не делаются слабее. Образование-то у нее хоть и высшее, но все-таки не медицинское.

— Почему бы вам не обратиться к чему-нибудь нетрадиционному? Надо пробовать разные методы, раз уж традиционная медицина вам не помогает.

— В бабок и привороты я не верю, — резко выпалила Настя, стараясь, чтобы на лице не проступила гримаса брезгливости.

Уж сколько этих «бабок», «потомственных колдуний» и «ясновидящих» она перевидала, занимаясь раскрытием преступлений, — не перечесть! И каждый раз вышеупомянутые персонажи появлялись в уголовных делах не в самом привлекательном виде. Будучи человеком здравым, Настя отдавала себе отчет, что, наверное, действительно существуют настоящие целители, но их очень немного, зато ловких мошенников и подражателей — видимо-невидимо, и в поле зрения уголовного розыска попадают именно они, оттого и впечатление такое складывается, что все это — сплошная липа.

— Я тоже не верю, — согласно кивнула Изольда и снова улыбнулась. — Я верю только собственному опыту. Есть специалист, который мне помог. И некоторым моим знакомым тоже помог. Если хотите, могу дать телефон.

Обижать Изольду не хотелось, поэтому телефон Настя послушно записала, точно зная, что никогда по этому номеру не позвонит. Однако искрящаяся доброжелательностью пенсионерка на этом не успокоилась.

— Зачем же вы прячете бумажку? — проницательно удивилась она, глядя, как Настя засовывает листочек с номером телефона в тумбочку. — Вы хотите попробовать вылечиться или нет?

— Хочу, — покорно вздохнула Настя, понимая, что отвертеться теперь никак не удастся.

— Тогда звоните. Прямо сейчас и звоните, у вас же есть мобильный телефон. Если никто не подойдет к телефону, включится автоответчик. Скажите, что вам нужна консультация, и оставьте свой телефон, Галина Васильевна вам обязательно перезвонит, она человек очень ответственный и никогда не оставляет людей без помощи.

Ладно, может, все еще обойдется малой кровью и этой Галины Васильевны и впрямь не окажется дома, а уж потом Настя как-нибудь выкрутится. Какая-то вялая она стала за время пребывания в госпитале, совершенно утратила способность к активному сопротивлению, даже не может сказать «нет, спасибо, не нужно» милейшей Изольде Валериановне. Или дело не в Настиной слабости, а в силе самой Изольды?

Додумать до конца она не успела, потому что в трубке уже после второго гудка раздался мужской голос:

— Слушаю вас.

— Добрый вечер, — машинально произнесла Настя, — я могу поговорить с Галиной Васильевной?

— Простите, кто ее спрашивает и по какому вопросу?

Голос показался Насте смутно знакомым, но процесс распознавания тембра и интонаций отошел на второй план, заслоненный быстрым потоком соображений. Почему этот мужчина разговаривает как секретарь в приемной большого начальника? Это что, рабочий телефон? Вернее, телефон в офисе? Почему в офисе? У Галины Васильевны целительство поставлено на широкую ногу, как промышленное производство? Или она вообще где-то работает, а целительством занимается в свободное от основной службы время? Почему у нее секретарем работает мужчина? Мужчина-секретарь при женщине-начальнице — сочетание более чем странное, она же не министр и не депутат. Или все-таки депутат? Этого только не хватало!

— Я по поводу консультации, — пробормотала Настя, судорожно пытаясь скоординировать то, о чем она думала, с тем, что говорит.

— Консультация какого рода? — настырно продолжал допрашивать ее мужчина, с каждым словом все глубже пропихивая в ее сознание свой голос, почему-то знакомый.

— У меня после перелома сильные боли в ноге, и мне сказали, что Галина Васильевна могла бы мне помочь.

— Представьтесь, пожалуйста.

— Каменская Анастасия Павловна. — Она уже не могла скрыть раздражения. Позвонила, чтобы сделать приятное очаровательной пенсионерке, а нарвалась на настоящий допрос. Да еще голос этот... Где же она его слышала?

— Аська, ты, что ли? А я слышу — голос вроде знакомый, но думал, что померещилось. Ты меня тоже не узнала, да?

Господи, Коля Селуянов! А он-то что там делает, в этой приемной у крутой начальницы? Неужели сменил розыскную работу на коммерческую зарплату?

— Коля? — недоверчиво переспросила она.

— Ну я, а кто же еще! Ты чего звонишь сюда?

— Так я же сказала — нога у меня болит. А ты что там делаешь?

— Работаю, — Селуянов вздохнул, но как-то странно. Как-то слишком выразительно.

— Это я поняла, — усмехнулась Настя. — Кем? Старшим помощником? Или начальником охраны?

— Да иди ты! — Коля внезапно рассердился. — Работаю я милиционером. Произвожу осмотр жилища потерпевшего.

Насте сразу перестало быть смешно.

— Кража? — коротко спросила она, на всякий случай понизив голос.

— Если бы. Убили твою Галину Васильевну.

Она бросила торопливый взгляд на Изольду, но та была увлечена разговором с сестрой и с другой соседкой по палате — молоденькой девушкой, дочкой какого-то министерского чиновника. Хотя Настя готова была голову дать на отсечение, что Изольда Валериановна внимательно слушает ее телефонные переговоры.

— Коль, ты говорить можешь или попозже созвонимся?

— Пока могу.

— Тогда я сейчас в коридор выйду. Подожди, ладно?

Легко сказать «сейчас выйду». А сделать? Телефон пришлось сунуть в карман штанов от спортивного костюма, потому что одной рукой справиться пока не получалось. Палка, как назло, укатилась под кровать, и доставать ее пришлось, исполняя сложные акробатические этюды. Теперь одной рукой держим палку, другой опираемся на спинку кровати. Так, теперь несем осторожненько хромоногое тело в сторону двери, стараясь не попискивать от боли. Хорошо, что в коридоре нашлось свободное сидячее место прямо рядом с палатой.

— Але, — задыхаясь от произведенных усилий, произнесла она. — Коля, ты еще здесь?

— Да куда я денусь с подводной лодки, — безнадежно пошутил Селуянов. — Ну, рассказывай, кто такая Галина Васильевна и зачем ты ей звонишь.

— Я понятия не имею, кто она такая, мне ее телефон только что дали, сказали, что она может помочь с ногой. Целительница, что ли, или около того.

— А кто дал телефон?

— Тетка одна, пенсионерка. Родственница моей соседки по палате.

— Как зовут?

— Изольда Валериановна, фамилии не знаю. Хочешь с ней побеседовать?

— Может быть. Не сейчас. Потом решу.

Фразы стали короткими и безличными, и Настя поняла, что разговаривать Коле неудобно. Или начальство приехало, или еще какие обстоятельства возникли.

— Ты до сих пор в госпитале или уже дома?

— В госпитале.

— На мобильнике?

— Да.

— Я перезвоню, хорошо?

— Конечно.

Настя снова сунула телефон в карман и откинулась на мягкую дерматиновую спинку казенного диванчика. Возвращаться в палату ей не хотелось, ведь придется сказать Изольде о том, что ее знакомую целительницу убили. Расстроится, бедняжка... Впрочем, сказать все равно придется, избежать встречи с доброжелательной дамой Настя никак не сможет.

* * *

— Вы можете гарантировать, что ситуация будет развиваться именно так, как вы мне тут расписали?

Чуйков старался говорить насмешливо и выглядеть соответственно, но не был уверен, что у него получается то, что надо. Ему ужасно, почти до сердечной боли хотелось поверить этой загадочной красавице, ведь, если она не врет и не ошибается, его фирма одним махом решит множество финансовых проблем. А проблемы эти таковы, что приходится уже прикидывать, как лучше потонуть, сразу или помучиться. О том, чтобы выплыть, и речи нет. Во всяком случае, не было, пока эта дамочка не появилась в кабинете генерального директора в первый раз около недели тому назад. Появилась и с места в карьер сделала предложение, настолько странное, что Чуйков сразу не сориентировался и попросил время, чтобы его обдумать. Она легко согласилась и сказала, что придет через неделю. И вот пришла. Но до чего хороша — глаз не оторвать! Явилась бы она не с деловым предложением, а с каким-нибудь... мягко говоря, интимным, он бы ни секунды не сомневался. Хотя жена регулярно советует ему почаще смотреться в зеркало, дабы не терять объективности в оценке собственной привлекательности, Чуйков упорно продолжал любые проявления интереса к своей особе со стороны женщин считать искренними. Да и в зеркале ничего такого особенно отталкивающего он не видел. Ну плешь. Ну пивное брюшко. Ну рост не самый, можно сказать, баскетбольный. Ну и что?

Однако вопрос (с нужной, как он надеялся, интонацией) Чуйков задал и теперь ждал ответа. А с ответом красавица отчего-то не спешила. То ли пыталась сформулировать его поточнее, то ли испытывала чуйковское терпение. Тем не менее смотрела серьезно и без улыбки.

— Я, господин Чуйков, гарантий дать не могу. Я рассчитываю на прогнозируемость поведения задействованных в комбинации людей. Но люди иногда совершают вовсе не такие поступки, каких мы от них ждем. Поэтому задуманное может получиться не в полном объеме или не получиться вовсе. Но вы-то что при этом теряете? Ровно ничего. Зато, если все получится, вы приобретете все.

— Как это я ничего не теряю? — Чуйков попробовал взвиться, но и это получилось у него не слишком убедительно, ведь дамочка права, на все сто процентов права. Даже на двести. Что ему терять, коль все равно тонет? — А имя? А репутация? По-вашему, это ничего не стоит? Этим можно пожертвовать во имя сомнительной комбинации?

— Дорогой Игорь Васильевич, у вас были и имя, и репутация. И что, вам это помогло? У вас прекрасный офис с хорошей мебелью и вышколенный персонал, и внешне вы, похоже, в полном шоколаде, но вы-то сами прекрасно знаете, что творится с вашими финансами. Не сегодня-завтра вы пойдете ко дну. А может быть, уже идете. У вас ноги еще не мокрые? А мне кажется, вода уже по щиколотку стоит.

Чуйков против воли рассмеялся. У нее есть чувство юмора, у этой неизвестно откуда свалившейся на его голову красоточки. И если все получится, то, может быть... Как ее зовут? Она вроде говорила в прошлый раз... Ах да, Ксения. Без отчества и без фамилии. Так можно ей верить или нет? Конечно, он ничего не теряет, вопросов нет. Но если она подослана кем-то? Если во всей предложенной ею комбинации есть какое-то второе дно? Дурак он распоследний, целую неделю попросил на размышления и за эту неделю так и не просчитал все варианты. С замами своими советовался, и вроде они даже к каким-то выводам пришли, но не окончательно, хотели еще раз собраться сегодня, чтобы принять окончательное решение. Почему сегодня? Почему не вчера? Ведь Чуйков же договорился с ней встретиться через неделю, получается — как раз сегодня. На что рассчитывал-то? На то, что таинственная посетительница, как все женщины, забывает о назначенных сроках и всюду опаздывает? Попросить у нее еще день отсрочки, что ли? Да нет, несолидно как-то, что он, маленький? Генеральный директор как-никак, а не мальчик на побегушках. Да и соблазн велик, что уж скрывать. Одним махом со всеми проблемами расправиться.

— Хорошо, — решительно произнес он, — будем считать, что мы договорились.

— Еще нет, — снова взгляд прямой и без улыбки. — Какие у меня гарантии, что вы выполните свою часть в этой комбинации? Я свое дело сделаю, все пройдет так, как я планирую, а вы? Как я могу быть уверена, что вы не испугаетесь и доведете дело до конца?

— Почему я должен испугаться? Вы предлагаете мне что-то незаконное?

— Напротив. То, что вы должны будете сделать, более чем законно. И более чем правильно. Именно поэтому на вас начнут давить, и давить сильно, чтобы вы этого не делали. Вы же понимаете, чтобы удержать человека от незакон-

17

ных действий, достаточно пригрозить ему разоблачением. Чтобы удержать его от совершенно законных и правильных поступков, нужно иметь в запасе очень веские аргументы. Вы сможете им противостоять? Не струсите?

Чуйков не был уверен в своих силах. Но не признаваться же в этом вслух, да еще такой женщине!

Он отрицательно покачал головой и улыбнулся. Ничего говорить не стал. Дескать, разве тут нужны слова? Все же очевидно.

— Что от меня сейчас требуется? — Он снова стал деловитым и собранным.

— Мне нужно встретиться с вашим самым умным и доверенным заместителем. Желательно с тем, кто ведает финансовыми делами.

Чуйков нажал кнопку селектора и попросил секретаршу вызвать одного из двух своих замов и принести кофе. Почему-то, когда деловая часть встречи осталась позади, ему смертельно захотелось получше разглядеть ноги прекрасной посетительницы.

* * *

— Ты когда-нибудь слышала такое слово: кинезиология?

Коля Селуянов аппетитно хрустнул яблоком и энергично зажевал, вероятно, полагая, что теперь Настя пустится в длинные и подробные объяснения, а он сможет минут пять, а лучше — десять, помолчать и поесть.

— Кинезиология? — переспросила она. — В первый раз слышу. Откуда ты взял этот термин?

— Щас, — невнятно прошепелявил Коля набитым ртом, — прожую и скажу.

Они сидели в процедурном кабинете, куда их пустила дежурная медсестра. Коля явился в госпиталь в десять вечера, когда никаких посетителей в отделении и в помине не было, и легко уговорил медсестру дать ему возможность «пообщаться с коллегой». Селуянова в отделении знал весь медперсонал, ведь за последние десять лет ему пришлось лежать с различными травмами не то пять раз, не то семь. А уж скольких товарищей по работе ему пришлось здесь навещать — не перечесть.

— В общем, так. — Он огляделся в поисках подходящего места, куда можно было бы засунуть огрызок яблока, ничего, кроме контейнера для использованных перевязочных материалов, не нашел и, горестно вздыхая, выбросил объедок еще недавно такого красивого фрукта в форточку. — С трупом твоей Галины Васильевны мы проваландались сегодня весь день. Тело обнаружили собачники во время утреннего выгула. Убили ее, судя по всему, там же, где нашли труп, во всяком случае, эксперты так заявляют. Живет она, то есть жила, в соседнем доме, через этот двор ходила постоянно — так ближе к остановке троллейбуса.

— Как ее убили? — перебила Настя.

— Два удара ножом, оба в область легких.

— То есть били в спину? — уточнила она.

— Получается, что так. Сумочки при убитой не оказалось, так что можно говорить об убийстве с целью ограбления. А коль сумочки нет, то и документов нет никаких. Сечешь проблему?

— Да уж, — усмехнулась Настя. — Но, судя по тому, что в пять часов вечера ты уже был у нее дома, личность вы установили довольно быстро.

— Ну, не так быстро, как хотелось бы, — заскромничал Селуянов, — но ты хвали меня, хвали, больше-то никто не похвалит, а доброе слово — сама знаешь... Но ты мне все-таки объясни, Аська, почему мужики и бабы так по-разному устроены, а? Вот возьми среднестатистического мужика: как минимум шесть карманов — два в брюках, еще четыре — в пиджаке или в куртке, и в каждом кармане что-то полезное лежит. Пока из мужика все вытрясешь — замуча-

19

ешься! И всегда есть шанс, что если деньги отобрали, то хоть паспорт или какой-никакой документишко при нем останется. А вы, то есть дамы? Все пихаете в одну сумку, все яйца в одну корзину складываете, сумку у вас рванут — и все, вы же остаетесь голые и босые, без денег, без документов, без записных книжек, без визитных карточек, без ключей от квартиры, без мобильника. Вот и устанавливай после этого вашу личность.

— Ты философствовать будешь или про дело говорить? — смеясь, спросила Настя, мысленно прикладывая Колины слова к себе самой и понимая, что если у нее отобрать сумку, то она-то уж точно останется, как он выразился, голая и босая. Сколько бы карманов ни оказалось в ее одежде, они постоянно были пустыми.

— Очень мне нужно с тобой про дело говорить! — фыркнул Селуянов. — Будто мне на работе про это самое дело поговорить не с кем. И потом, что толку с тобой говорить, мы же не вместе работаем. Я просто потрепаться пришел, потому что Валюшка в командировку уехала и дома меня никто не ждет. Ну и насчет этой кинезиологии спросить, а вдруг ты знаешь, что это за хрень такая. Я уж и в словаре смотрел, в Большом энциклопедическом, там нет такого слова.

— А ты-то его откуда взял?

— Да у Галины Васильевны, покойницы, царствие ей небесное. На ее визитной карточке прямо так и написано: психотерапевт, кинезиолог. Вместе с ней в квартире проживает родственник, что-то типа племянника на сильно разведенном киселе, так он тоже толком не знает, чем его тетушка занималась. К ней клиенты на дом приходили. Запрется, говорит, с ними в комнате часа на два, а то и на три, и ничего не слышно.

— А он подслушивал?

— Надо думать. Ты бы видела этого племянника! Тот еще козлище. Двадцать три года, работать не хочет, учиться не хочет, ничего не хочет, окромя как водку пить и иные удовольствия от жизни получать. Он сам-то из Пскова, его к тетке, я так понял, на перевоспитание отправили. То есть приехал он вроде бы с целью получить профессию и найти работу, потому как в его родном городе с рабочими местами проблема. Но на самом деле сидел он на теткиной шее и в ус не дул, а коль она его не гнала и обратно домой не отсылала, стало быть, ей понятно было, что не ради работы и профессии его в Москву наладили, а ради того, чтобы она на него повлияла в лучшую сторону при помощи этой своей психотерапии.

— Или кинезиологии, — вставила Настя.

— Или кинезиологии, — согласился Селуянов и удрученно добавил: — Знать бы еще, что это такое. Мы сегодня несколько подруг и знакомых потерпевшей опросили, и про кинезиологию тоже спрашивали — и ни одна не знает точно. Говорят, что-то из области эзотерики. Ну, ты сама понимаешь, что мы в племянничка вцепились мертвой хваткой, вот до вечера и промурыжились.

— И что оказалось?

— Господи, Ася, да если бы что-нибудь интересное оказалось, разве я бы сейчас здесь сидел? Я бы уже раскрытие по горячим следам с ребятами отмечал. Галина Васильевна-то, покойница, умной женщиной была и понимала, что такое пьющий молодой парень без царя в голове, который к тому же частенько остается один в ее квартире. Она дома только деньги на текущие расходы держала, все остальное рассовала по подругам. Ячейку в банке арендовала, ювелирку там хранила, а ключ от ячейки — тоже подруге на хранение. Так что никакой выгоды от ее убийства племяннику не было.

— А что с квартирой? Кто ее унаследует?

— Вот-вот, я тоже об этом подумал. Аська, ты не поверишь, но ее никто не унаследует.

— Как это? — удивилась Настя.

— Квартира не приватизирована. И в случае смерти квартиросъемщика отходит государству, поскольку в ней никто, кроме самой потерпевшей, не прописан. Во как! То есть убивать ее за квартиру тоже смысла никакого. Более того, пока тетка жива, парню есть где жить, а после ее смерти ему придется уматывать в родные пенаты, что в его планы, по-моему, не входит. В общем, похоже, племянничек этот ни при чем. Мы уж и про дружков его подумали, ведь он же с кем-то пьет и хороводится, а среди этой публики гиганты мысли редко встречаются. Вполне могли подумать, что раз тетка состоятельная, то при ней могут оказаться и деньги, и цацки. Могли даже самого племянничка в известность не поставить о своих благих намерениях, просто выследили Галину Васильевну и ограбили. Кстати сказать, на ней ни одного ювелирного изделия не оказалось, ни колечка самого захудалого, ни сережек, ни цепочки на шее, ни крестика. Сегодня даже самые малосостоятельные граждане хоть что-нибудь да носят, ну хоть серебряную цепочку. А на теле убитой — ничего. Так что ограбили ее вчистую, старательно, не только сумку забрали, но и с трупа все мало-мальски ценное сняли. Мы в этом направлении, конечно, еще покопаемся, связи племянника отработаем, но, чует мое сердце, ничего не нароем. Ася, — он внезапно сменил тему, — у тебя еще чего-нибудь поесть не найдется? С утра не жрал ничего, только вот твои три яблока.

— Сейчас принесу, — кивнула она, — только придется подождать, я теперь медленнее черепахи передвигаюсь.

Она потянулась к палке и собралась принимать вертикальное положение. Коля смотрел на нее с сочувствием, но без жалости.

— Давай-давай, — подбадривал он, пока Настя ковыляла к двери, — тебе полезно ходить, надо ногу разрабатывать, ты уж мне поверь, я сам сколько раз через это проходил. Знаю, что больно, но надо. Так что терпи.

— Еще одно слово, — угрожающе прошипела она, не

оборачиваясь, — и я вернусь. Или уйду и останусь в палате до утра. А ты будешь умирать мучительной голодной смертью.

Настя выгребла из тумбочки и сложила в пакет две упаковки печенья, плитку шоколада и бутылку питьевого йогурта. Конечно, это не еда для голодного опера, но хоть что-то... Ему бы мяса сейчас, сочненький такой кусок, и картошечки, и салатик, и хлебушка побольше, однако, как говорится, чем богаты.

Ковыляя по больничному коридору в сторону процедурки, Настя Каменская сообразила, у кого можно спросить про кинезиологию. Если, как сказал Селуянов, это что-то из области эзотерики, то об этом наверняка знает Павел Дюжин.

* * *

Ленинградское шоссе оказалось забито транспортом, и дорога из аэропорта Шереметьево превратилась для Валерия Риттера в нешуточное испытание. Каждые десять минут ему звонила мать и с тревогой требовала отчета о дорожной ситуации и о том, в каком месте он находится и как скоро прибудет домой. Валерий старался не сердиться и не раздражаться, он понимал, что мать, при всей ее выдержке и хладнокровии, находится, что называется, на пределе: Ларка опять наглоталась чего-то или нанюхалась и бродит по квартире, бессмысленно улыбаясь и совершая какие-то непредсказуемые действия. Мать всегда боялась, когда невестка находилась в подобном состоянии, ей казалось, что Лариса, впав в транс, может выкинуть что угодно, даже за нож схватиться и напасть на свекровь. И сколько бы Валерий ни объяснял ей, что в состоянии кайфа наркоманы не опасны, что они всех любят и им хорошо, Нина Максимовна упорно стояла на своем:

— Никогда не знаешь, что может прийти в голову человеку, находящемуся в измененном состоянии. И потом, кайф может в любой момент пройти, а вдруг у нее начнется ломка? Что я буду с ней делать?

С каждым звонком напряжение в голосе матери нарастало, Валерий уже готов был бросить машину вместе с водителем-охранником и мчаться домой резвой рысью на своих двоих.

— Мамуля, ну потерпи, я прошу тебя, — монотонно талдычил он в трубку, стараясь не сорваться на крик, — здесь жуткие пробки, я ничего не могу с ними сделать.

Наконец в районе метро «Динамо» движение стало посвободнее — многие машины сворачивали с Ленинградки, чтобы попасть на Третье транспортное кольцо. И все равно дорога от аэропорта до дома заняла у Риттера два с половиной часа вместо обычных сорока минут.

Дверь квартиры распахнулась, едва он вышел из лифта: мать нетерпеливо ждала его, сидя в просторном холле. Валерий с тоской подумал, что Нина Максимовна заняла эту стратегическую позицию неспроста. Она готовилась бежать из дома, если Ларка все-таки... Господи, даже подумать об этом страшно.

— Где она? — быстро спросил он, коротко обняв мать.

— В гостиной. Распахнула все окна и балконную дверь. Чувствуешь, как тянет холодом? А ей тепло!

Не обращая внимания на дрожащие в глазах матери слезы, Валерий рванул по длинному коридору в сторону самой просторной комнаты. Так и есть! Лариса стояла в длинном шелковом пеньюаре на подоконнике и задумчиво смотрела в небо, совершая при этом плавные, изумительно красивые, но совершенно недвусмысленные движения руками. Широкие рукава то съезжали к плечам, то опускались, закрывая тонкие кисти. Еще мгновение — и она полетит!

Валерий на цыпочках подкрался к жене, ловко обхватил обеими руками и поставил на пол.

— С ума сошла? — сердито проговорил он, переводя дыхание. — Ты что вытворяешь?

— Ой, Лерочка, — глупо и радостно улыбаясь, запела-заголосила Лариса, — Лерочка моя приехала, Лерочка моя золотая, серебряная, бриллиантовая!

Он терпеть не мог это дурацкое «Лерочка», и жена знала об этом, но, находясь под воздействием препаратов, пренебрегала всем, в том числе и желаниями и просьбами мужа. Валерий ласково взял ее за голову, приподнял лицо, заглянул в глаза. Зрачки — как крохотные булавочные головочки. Губы сухие. Щеки бледные до синюшности. Он не мог ненавидеть ее, как ни старался. Он очень ее любил. Очень. И твердо верил, что она одумается, возьмет себя в руки, что все наладится, как только придет настоящий успех, как только она перестанет терзаться мыслями о собственной никчемности. Лариса знает, что талантлива, и Валерий это тоже знает, но ведь она — женщина и, в отличие от многих мужчин-творцов, нуждается в признании. Мужчины (не все, конечно, но многие) умеют долгие годы жить в статусе непризнанных гениев, для них неважно мнение окружающих, им вполне достаточно самим осознавать собственную гениальность. С женщинами не то. Они (опять же не все, но многие) нуждаются во внешних оценках. Им нужно со стороны слышать, как хорошо они выглядят, как удачно подстриглись, как замечательно смотрится на них новый костюмчик, как они умны и талантливы. Если они не получают подтверждения извне, то быстро начинают сомневаться и в собственной красоте, и в собственном уме. И, разумеется, в таланте.

Нет, не мог Валерий Риттер злиться на жену. Он делал все, что мог, чтобы ее талант получил признание, чтобы о ней заговорили, чтобы ее дарование не вызывало ни у кого сомнений. Но, вероятно, того, что он предпринимал, пока было недостаточно, потому что нужной степени признания Лариса не получала. Какой именно «нужной»? А такой, чтобы она успокоилась, перестала комплексовать по поводу своей бездарности и прекратила то и дело принимать наркотики, при помощи которых глушила черные мысли о бессмысленности собственного существования.

— Ну что ты на меня так смотришь? — звонко щебетала Лариса, прижимаясь к мужу и стараясь спрятать лицо. — Не смотри на меня так...

— Как?

— Как инквизитор. Со мной все в порядке. Честное слово.

Это тянулось уже два года — все два года с момента свадьбы, и Валерий хорошо усвоил, что бессмысленно даже пытаться устраивать скандалы и выволочки человеку, который «в кайфе». Он все равно ничего не поймет и не усвоит, только силы зря терять. Поэтому он не начал выговаривать Ларисе все, что думал о ее пристрастии к наркотикам, не пытался взять с нее очередное обещание «больше так не делать», не лез к ней с идиотскими вопросами о том, зачем она опять... ведь в прошлый раз она обещала... и ему казалось, что она все поняла... а она...

В этом не было смысла. В этом не было и не могло быть цели. Риттер понимал, что сейчас, пока Лариса, мягко говоря, не вполне адекватно воспринимает реальность, сделать ничего невозможно. Ей хорошо, она радуется жизни, и даст какие угодно обещания, и будет отрицать любые факты вплоть до самых очевидных. Потом, когда «это» пройдет, она кинется в мастерскую и станет работать как в угаре день и ночь, иногда по нескольку дней подряд не появляясь дома. Потом творческий угар пойдет на спад, Лара по-прежнему будет работать, но уже не так оголтело, ночевать будет, как и положено примерной жене, в супружеской постели, спать до полудня, долго пить кофе, а вечером возвращаться из мастерской как с работы — в семь часов. Потом в пять. Потом в четыре. Потом, в один прекрасный день, она вообще перестанет выходить из дома, и тогда в течение ближайшей недели наступает «это». Оно может длиться два-три дня, но может и пару недель.

В перерывах между приступами «этого» (Валерий не мог придумать подходящего термина и ограничивался местоимением) Лариса была прелестным шаловливым котенком, влюбленным в живопись и в процесс создания картин, но совершенно не приспособленным к жизни и не имеющим ни малейшего представления о том, как решаются самые простые житейские и бытовые проблемы. Она была в полном смысле слова неземным существом — воздушным, тонким, чистым и очень, очень далеким от реальности. Хрупкая, с чуть смугловатой кожей, с тонюсенькой талией и маленькой грудью, Лариса походила на стеклянную статуэтку, с которой можно только осторожно смахивать пыль специальной пушистой метелочкой, но ни в коем случае не брать в руки и не переставлять с места на место. Сам Валерий, широкоплечий, коренастый, с могучими ручищами, казался себе рядом с женой если не слоном, то по крайней мере медведем. Она такая нежная, такая беззащитная, такая молоденькая и такая талантливая! И кто же защитит ее, поддержит и выведет в большой мир, если не он, удачливый и богатый владелец известной на всю Москву и далеко за ее пределами консалтинговой фирмы Валерий Риттер. Двадцатипятилетняя Лариса была на восемь лет младше мужа и казалась ему совершенным ребенком, которому надо помогать, но которого нельзя наказывать.

Мать накрыла ужин в столовой, сама расставила приборы и принесла из кухни фарфоровую супницу с чихиртмой — грузинским супом из баранины. Валерий понял, что домработницу Римму она отпустила, как только поведение невестки стало выглядеть сомнительным. Нина Максимовна всегда так поступала, в ней необыкновенно сильны были невесть откуда взявшиеся барские замашки, не позволяющие считать помощницу по хозяйству членом семьи. Римма — прислуга, низший слой. Не хватало еще, чтобы она узнала, что молодая жена хозяина — наркоманка! Хозяева в глазах прислуги должны быть божествами, существами высшего порядка, живущими в башне из слоновой кости. У них, то есть у хозяев, должны быть непонятные прислуге, сложные и возвышенные проблемы, а вовсе не такие, с какими сталкивается любой обычный человек.

Лариса, как и всегда при «этом», от ужина отказалась, под действием таблеток у нее напрочь пропадал аппетит.

— Лерочка, я пойду почирикаю, ладно? Ты не обижаешься?

— Конечно, иди.

Второй особенностью «этого» была наплывающая волнами необыкновенная общительность, чередующаяся с периодами сонливой молчаливости. Лариса могла часами висеть на телефоне, болтая с приятельницами о какой-то чепухе, и точно так же могла часами молча и неподвижно сидеть на полу в кабинете Валерия, прислонив голову к его коленям и подремывая, пока он занимался делами, разбирал бумаги, набрасывал схемы, обсуждал по телефону рабочие вопросы.

На данный момент, по-видимому, имел место период общительности, и Лариса упорхнула в другую комнату чирикать по телефону.

— Валерий, сколько еще это будет продолжаться? — спросила мать, сидя напротив него за овальным обеденным столом. — Лариса нуждается в лечении, а ты ничего не предпринимаешь.

Она говорила мягко и негромко, но Валерий не обманывался: мать вне себя, и только хорошее воспитание удерживает ее от истерики.

— Нинуля, — вздохнул он, — я понимаю, как тебе тяжело бывает с Ларой, но я уже тысячу раз объяснял тебе: от наркомании невозможно вылечиться насильственно. Пока человек сам не захочет, с ним никто ничего не сделает, ни самый лучший врач-нарколог, ни шаман, ни экстрасенс.

Это всем известная истина, об этом даже в газетах пишут. Для того чтобы Лара захотела вылечиться, нужно убрать источник душевной боли, потому что именно эта боль заставляет ее пить таблетки и нюхать всякую дрянь. Я делаю все, что могу, поверь мне, ты же сама видишь, сколько сил и денег я вкладываю в то, чтобы раскрутить Лару. И не моя вина, что не все получается, как я хочу. Или ты считаешь, что я виноват?

— Ну что ты, сынок, — мать тепло улыбнулась, — ты ни в чем не виноват. Просто я подумала, что, может быть, посоветоваться со специалистами по раскрутке художников. Может быть, есть какие-то особенности, которых ты не знаешь, и потому у тебя не получается так быстро, как тебе бы хотелось? Ты вкладываешь в Лару огромные деньги, но, может быть, ты вкладываешь их как-то не так? Или не в то?

Не проходило дня, чтобы Риттер хотя бы раз не подумал о том, как ему повезло с матерью. Чего стоит только это троекратно повторенное «может быть»! И всего в четырех фразах. Нина была вся в этом. Она никогда не навязывала сыну своего мнения, даже когда он был совсем маленьким. Она предоставляла ему полную свободу принятия решений, предварительно на понятном ребенку языке разложив по полочкам все возможные последствия того или иного выбора. Она объясняла, что, переусердствовав с мороженым, он может заболеть ангиной, и тогда они не пойдут в воскресенье в зоопарк, но если он откажется от очередной порции, то не получит вожделенного сладкого удовольствия, зато зоопарк ему гарантирован. Выбор же оставался за ним.

Нина Риттер, молодая и третья по счету жена известнейшего художника Станислава Риттера, имела высшее педагогическое образование и возможность не работать. И то, и другое она обратила на пользу делу воспитания сына Валерия, всегда была рядом и стала его первым другом, первым учителем и первым помощником. Между женой и мужем лежала пропасть длиною в тридцать лет, между матерью и сыном этих лет было всего двадцать, и в их семье никогда не было троих. Двое и один — вот как расставились силы. С одной стороны — светский, высокомерный, знаменитый и обласканный властями отец, с другой — молодая жена и маленький сынишка.

— Валерий, — и в этом тоже была вся мать, которая никогда не называла сына всякими уменьшительными «Валерочками» и тем более так ненавистным ему именем «Лерочка», — я хотела бы поговорить с тобой о твоей сестре. Ты как? Может быть, ты устал? Тогда поговорим завтра.

И это тоже было в характере Нины Максимовны: никогда не заводить серьезных разговоров, не поинтересовавшись предварительно, настроен ли ее сын эту проблему обсуждать.

— Зачем же завтра? — Валерий промокнул губы накрахмаленной салфеткой и поднялся из-за стола. — Поговорим сейчас. Пойдем в кабинет. Мне нужно сделать несколько срочных звонков.

— Иди, — Нина Максимовна улыбнулась, — я пока уберу со стола. Сделаешь свои звонки, и возвращайся.

Холеные руки матери с тщательно наманикюренными пальцами запорхали над столом, собирая посуду. Нина прекрасно умела все делать сама и с молодости была отменной кулинаркой, однако сколько Валерий себя помнил, столько в доме была домработница. Он даже не задавался вопросом: зачем, если мама все умеет, тем более что мама не работает и свободного времени у нее более чем достаточно. Домработница была, потому что была, и все. Так было положено. Так было принято.

Валерий вошел в кабинет и увидел давно ставшую привычной картину: Лара спала, сидя на полу и положив руки и голову на мягкий диванчик. Тут же на полу, рядом с ней, валялась телефонная трубка. Жена обожала «чирикать» не в спальне, а именно в его кабинете, который сама же и декорировала и обставляла сразу после свадьбы. «Я вложила сюда столько души, — говорила Лариса, — что для меня твой кабинет теперь самое уютный уголок во всей квартире. Спальня — слишком интимное место для трепа с подружками, висеть на телефоне в гостиной — манерно, а в кабинете — в самый раз. Я здесь как будто к себе возвращаюсь». Валерий не совсем понимал, почему беседовать по телефону с приятельницами, сидя в гостиной, жена считала манерным, но в целом объяснение принимал и не возражал. Нравится ей у него в кабинете — и слава богу, пусть хоть часами щебечет, лишь бы была счастлива.

Теперь Лара крепко спала, периоды возбуждения сменялись торможением, и это тоже стало привычным. Валерий осторожно поднял с пола трубку, уселся за письменный стол, включил компьютер, просмотрел почту. Позвонил своему первому заму, отдал неотложные распоряжения, даже не особо стараясь понижать голос — Лара все равно ничего не слышит: насколько острым бывало ее возбуждение от наркотиков, настолько же глубоким был сон. Пушкой не разбудишь.

Он помнил, что мать ждет его для какого-то разговора, но все сидел и сидел за столом, не сводя глаз со спящей жены. Что он делает не так? Чего недодумывает, не просчитывает? Почему все его усилия до сих пор не принесли желаемого результата, и Лара продолжает отчаянно глушить свою боль таблетками и чем там еще, потому что не может заставить людей, а главное — саму себя поверить в свой талант? Валерий вернулся из поездки, во время которой занимался не только своим бизнесом, но и нашел двух ценителей живописи, чье слово имело весьма существенный вес в среде галерейщиков и специалистов. Договорился с ними о том, что каждый из них купит по одной картине Ларисы, денег дал на покупку. От них требовалось только одно: делать рекламу полотнам молодой художницы. Уж если эти люди купили картины, значит, они того стоят. Подобные операции Риттер проделывал уже не в первый раз, он и галерейщикам платил немалые суммы, чтобы те выставляли в своих салонах работы Лары. Платил критикам и журналистам, чтобы писали хвалебные статьи. Платил организаторам выставок, директорам фондов. Платил, платил, платил... Ему казалось, он все продумал. Но результата пока не было. Разумеется, Риттер был в своем деле далеко не новичком и отчетливо понимал разницу между музыкой, литературой и живописью. Музыканта и писателя можно раскрутить быстро, за полгода-год, с художниками все не так, ведь живопись — искусство особое, самое сложное для восприятия, и на то, чтобы вокруг какого-нибудь имени возник ажиотаж, нужно очень много времени. Очень много.

Но у него времени не было. Каждый новый период «этого» наносил вред здоровью Ларисы, ее психике, угрожал ее жизни. Ждать слишком долго Валерий не мог.

Оторвавшись от своих грустных мыслей, он вышел к матери, которая ждала его в гостиной. Крупная, царственная, красивая, ухоженная, в свои пятьдесят три года выглядящая хорошо если на сорок пять, а то и меньше (при хорошем макияже), она после смерти мужа даже и не помышляла о новом браке, хотя от претендентов на руку и сердце отбоя не было. «Мы с тобой богатые наследники, — с усмешкой объясняла она сыну, — и теперь и за тобой, и за мной будет идти настоящая охота. Мы должны быть очень осторожны, чтобы не попасть в глупое положение».

— Я закончил с делами, — объявил Валерий, садясь в кресло напротив матери. — Так что там с Анитой? Какие-то проблемы?

— Боюсь, что да, — вздохнула Нина. — Ты не заметил, что она в последнее время стала будто бы избегать нас?

— Разве? — он удивленно вскинул брови. — Нет, не заметил. Тебе, верно, показалось.

— Я не совсем точно выразилась. — В голосе Нины Максимовны заметно проступила неуверенность, словно она боялась подобрать неверные слова. — Анита избегает бывать у нас в присутствии Лары. Она не говорит об этом прямо, но я-то заметила. И если ты напряжешься и припомнишь последние несколько месяцев, ты не сможешь со мной не согласиться.

Валерий нахмурился. Да, кажется, мать не так уж и не права. Если вспомнить... Вот Анита у них дома, они пьют чай втроем — он, Нина и сестра, звонит Лара из мастерской и сообщает, что закончила работать и минут через тридцать будет дома, Анита посматривает на часы, делает вид, что торопится, и ровно через двадцать минут уходит. А ведь до звонка Ларисы даже и речи не было о том, что Аните нужно куда-то по делам.

Вот Анита договаривается с ним о встрече, но, узнав, что брат придет с женой, тут же словно внезапно вспоминает о чем-то неотложном, и встреча переносится на другое время.

Вот Анита пришла поздравить Нину с днем рождения, а Ларисы не было в тот момент... А вот она приехала к ним на дачу, а Лариса в тот раз оставалась в городе... А вот снова они сидят в гостиной, смотрят какой-то фильм по телевизору, щелкает замок в прихожей — пришла Лариса, и Анита тут же начинает прощаться...

Да, если вспомнить, то все получается именно так, как говорит мать. Что же случилось? Какая кошка пробежала между женой и единокровной сестрой, дочерью отца от предыдущего брака?

— У тебя есть объяснение? — спросил Валерий, отчего-то избегая глядеть на мать.

Нина покачала головой:

— Нет. Я думала, может быть, объяснение есть у тебя? В любом случае эта ситуация меня тревожит. Анита так много сделала для всех нас, я теперь не представляю нашей жизни без нее. И мне не хотелось бы, чтобы из-за Лары между нами...

— Нина, ну при чем тут Лара? — раздраженно перебил Валерий. — Лара — совершенный ребенок, она ни при каких условиях не может встать между нами и Анитой. Она дитя, понимаешь? Невинное, простодушное дитя во всем, что не касается живописи. Я думаю, дело не в Ларе, а в самой Аните. Я в ближайшее же время поговорю с ней. Уверен, что все разъяснится и окажется какая-нибудь ерунда.

— Дай бог, чтобы ты был прав, сынок. Но мысли у меня не очень-то приятные.

— Какие мысли, мама? Что ты себе напридумывала?

— Со временем скажу.

— Мама! Говори немедленно! — потребовал Валерий. — Что произошло? Я чего-то не знаю?

— Сынок, не дави на меня. Либо я окажусь права и ты сам обо всем узнаешь, либо я ошибаюсь, и тогда я со смехом тебе все расскажу и попрошу прощения за то, что подозревала Лару.

— Нина!...

Он собрался было высказать матери свое негодование, ведь нельзя же так, честное слово! Напустить туману, заговорить о каких-то подозрениях, а потом спрятаться в кусты и прикрыться обещаниями со временем все объяснить. Такой стиль общения допустим между чужими людьми, между посторонними, но между близкими, родными... Это уж слишком. Да и в чем можно подозревать Ларку? В том, что она ворует деньги из сумочки матери или Аниты? С наркоманами это случается сплошь и рядом, но только в том случае, если они нуждаются в деньгах. А Лариса в них не нуждается, Валерий всегда дает ей большие суммы. Впрочем, как знать, может, она глотает что-то запредельно дорогое, и ей даже этих сумм не хватает.

Все это промелькнуло в голове мгновенно, но Риттер не успел ничего сказать, потому что зазвонил телефон.

— Ларису позовите, — лениво потребовал женский голос, показавшийся Валерию вульгарным и не совсем трезвым.

— Она спит. Ей что-нибудь передать? — Он машинально отметил, что голос этот ему не знаком. Новая подружка?

— Скажите, что я звонила.

— Кто — вы? У вас имя есть? — сердито спросил он.

— Она сама знает. — Голос хохотнул, и его обладательница повесила трубку.

Мать смотрела на сына пристально, тревога выплескивалась из ее глаз и заполняла собой, казалось, все пространство огромной гостиной.

— Опять Ларису спрашивали? — Она не то спрашивала, не то утверждала.

— Почему опять? — К раздражению от разговора с матерью прибавилось и раздражение от этого вульгарного голоса, и Валерий уже не пытался его скрывать. — По-моему, за весь вечер это был первый звонок. И, по-моему, Нина, у тебя теперь каждое лыко встанет в строку.

Но мать словно и не замечала его настроя. Или считала нужным не замечать?

— И опять незнакомый голос?

— Незнакомый, — нехотя подтвердил он.

— Женский?

— Да, женский. И что из того?

— И опять не назвалась?

— Да! — он наконец взорвался. — Она не назвалась! И что из этого следует? Только то, что у Ларки появилась новая приятельница, незнакомая с правилами хорошего тона, вот и все! Она часто сюда звонит? И что, это, по-твоему, преступление? Почему я должен в чем-то подозревать жену только на том основании, что у нее появилась знакомая не из высшего света? Твой доморощенный аристократизм, Нинуля, уже переходит всякие границы! Прости за резкость, но жизнь с отцом тебя развратила, ты никогда не работала, ты почти тридцать лет вращалась в высшем обществе и даже представления не имеешь о том, что отсутствие воспитания вовсе не означает отсутствия порядочности. На свете огромное количество добрых и честных людей, которые не умеют правильно общаться по телефону, а ты их всех готова априори записать в преступники. Уйми, наконец, свой снобизм и оставь Ларку в покое!

Валерий был уверен, что мать рассердится, немедленно прекратит разговор и уйдет к себе. Она почти никогда не повышала голос и не опускалась до нудных и тягостных выяснений отношений, она просто печально улыбалась и замыкалась в холодном молчании. Печаль в этих случаях была призвана демонстрировать ее разочарование тем, что собеседник оказался таким недалеким и невоспитанным.

Но мать, вопреки ожиданиям, не поднялась и не ушла. И даже не замолчала.

— Прости, сынок, я заставила тебя нервничать. Но дело в том, что ты целыми днями на работе, а я все время дома. И могу тебе сказать, что сегодняшний звонок — не исключение из правил. В последнее время Ларе постоянно звонят разные незнакомые мне женщины, и ни одна не называет своего имени. Раньше такого не было. Получается, что у твоей жены именно в последние месяцы появилось множество новых подружек, и все как одна невежливы. Откуда они взялись? И почему одновременно с появлением этих таинственных, дурно воспитанных подружек Анита начала избегать Лару? Я прошу тебя только об одном: подумай об этом.

Раздражение все еще не улеглось, но словам матери все-таки удалось пробиться сквозь него и дойти до сознания. Валерий понял, что в отношении матери, пожалуй, погорячился. Конечно, она строила из себя крутую аристократку, и это обстоятельство всегда вызывало у Риттера снисходительную насмешку, но все-таки... Факты есть факты. Во-первых, их надо проверить и уточнить. И во-вторых, их надо обдумать.

Глава 2

В свое время должно было пройти несколько месяцев, чтобы Настя Каменская перестала считать Павла Дюжина сумасшедшим. Она познакомилась с Павлом, когда еще работала в главке у Заточного, и долго не могла взять в толк, как среди офицеров милиции оказался человек, свято верящий в то, что есть комнаты и кабинеты, в которых «плохо», и что «помещения надо чистить». При этом Дюжин не только верил в это, но и активно претворял свои убеждения в жизнь. Настя отлично помнила, как он, впервые попав в ее служебный кабинет, заявил, что не сможет здесь работать и не станет, пока не очистит его, после чего притащил какую-то рамочку, свечу, воду и газеты и производил разные манипуляции до тех пор, пока состояние помещения не стало удовлетворять его загадочным требованиям. Настя тогда, помнится, специально интересовалась у Заточного, зачем он взял на работу этого ненормального, а генерал ответил, что каждый человек имеет право на своих тараканов, если они не мешают служебной деятельности. Как говорится, царапина на двери на ходовые качества автомобиля не влияет. А мозги у капитана Дюжина хорошие и для аналитической работы вполне пригодные, с чем Настя не могла не согласиться. Однако же ей потребовались значительные интеллектуальные и душевные усилия, чтобы примириться с особенностями Дюжина, и не просто примириться, а открыть для себя и принять давно всем известную истину о том, что все люди разные и не обязаны быть похожими друг на друга. Да, Павел такой, какой есть, и надо радоваться тому, что он такой, и любить его таким, и принимать, и не считать психом ненормальным только лишь на том основании, что он не похож на большинство окружающих, в том числе и на саму Настю.

Она позвонила Павлу на следующий же день после разговора с Колей Селуяновым. Дюжин уже год как снял погоны и ушел вместе с генералом Заточным в какую-то крупную коммерческую структуру, где с успехом применял навыки аналитической работы, занимаясь отслеживанием финансовых потоков.

— Паша, ты знаешь, что такое кинезиология?

— Конечно, — ответил Дюжин, не задумываясь.

— Это что, какая-то наука?

— Да нет, скорее практика. Ну и наука тоже. Почему ты интересуешься?

— Да тут потерпевшая одна... — Настя замялась, она разговаривала по телефону, сидя в больничном коридоре, мимо сновали врачи и медленно двигались больные, и ей не хотелось вслух произносить страшное слово «убийство». — У нее на визитной карточке указано, что она кинезиолог. Ты мне можешь поподробнее рассказать, что это за штука такая?

— Я так понимаю, что у самой потерпевшей ты уже спросить не можешь, — усмехнулся Павел. — Хорошо, давай встретимся. Где и когда?

— Понимаешь, я сейчас в госпитале. Если бы ты мог сюда приехать, было бы славно.

— В госпитале?! Что случилось?

— А, ерунда. Ногу сломала, но я уже ходячая, меня через два дня выписывать будут. Так ты приедешь?

— Конечно, прямо сейчас.

— С работы сбежишь? — рассмеялась Настя. — Начальство не заругает?

— Так у меня начальник-то кто? Заточный. Поэтому даже не сомневайся, меня отпустят к тебе по первому требованию. У вас там как, пускают посетителей?

— Вообще-то с четырех до восьми, но на оперсостав это не распространяется, так что ко мне пускают всегда. Ко мне вчера даже в десять вечера с работы приходили.

Дюжин примчался в госпиталь уже через час. За этот час Настя буквально голову сломала, пытаясь придумать, где бы найти в отделении место для разговора наедине. Днем такое место найти было трудно, поэтому она, превозмогая ужас перед неминуемой болью, натянула теплую куртку и, вооружившись палкой, выползла из корпуса в парк. Куртку ей привез Чистяков еще дней десять назад, когда врач сказал, что ей нужно будет начинать разрабатывать ногу и можно выходить на улицу, но Настя так ни разу ее и не надела. И на свежий воздух вышла за все время пребывания в госпитале в первый раз.

Метрах в десяти от выхода из корпуса стояла скамейка — последний оплот. Дальше ей не уйти, нет сил больше терпеть боль. С Павлом она не разминется, он не сможет пройти в корпус никаким другим путем, только мимо нее. Настя устроилась поудобнее, пристроила палку так, чтобы она не свалилась в мокрую от дождя грязь, глубоко вдохнула сырой, пропитанный выхлопными газами воздух. Уже среда. Послезавтра выписка. А вопрос так и висит нерешенным. Сегодня придет мама, но с ней Настя даже разговаривать на эту тему не станет: мама разволнуется, расстроится, начнет сама себя укорять за то, что ремонт в ее квартире так затянулся, и в результате родственники осели у дочери. Правда, узнав, что в пятницу Настю отправляют домой, мама может сама задаться вопросом: а как, собственно, ее дочь будет существовать дальше? Хорошо бы, чтобы к моменту маминого появления в госпитале уже нашлось готовое решение, которое останется только довести до сведения матушки, сопроводив сияющей улыбкой и уверениями, что все образовалось как нельзя лучше.

Погруженная в мысли, Настя заметила Дюжина только тогда, когда он подошел к ней вплотную.

— О чем мечтаешь, красавица? — весело спросил он.

— О жилье, — честно брякнула Настя, не успев перестроиться.

— И в чем проблема?

Выслушав Настины причитания на тему временных трудностей с местом проживания, Павел широко улыбнулся:

— Могу предложить роскошный вариант. Тебя он должен устроить на все сто. Только не говори сразу «нет», сначала выслушай.

— Давай, — загорелась Настя.

Господи, неужели проблема может разрешиться вот так просто, одним махом? Она голову сломала в поисках решения, а нужно всего-то было позвонить Паше Дюжину. Интересно, что он сейчас предложит?

— Есть пустая дача...

— Нет! — тут же выкрикнула она.

— Настя, мы же договорились, — с упреком сказал Дюжин.

— Нет, Паша, дальше я и слушать не хочу. Никаких дач, никаких загородов. Я этого не вынесу.

— Да почему же? Ты что, никогда на даче не жила?

— Не жила, только в гости ездила, и то редко. В нашей семье дачи отродясь не было. Все эти холодные дома, которые надо протапливать, сортиры на улице, магазины за три километра, отсутствие телефона, непролазная грязь на улице — нет, это не для меня. Тем более с ногой, которая еле ходит. Мне нужно будет в Москву через день ездить на процедуры, а электричка небось раз в два часа ходит, битком набитая, и добираться до нее придется сто лет. Нет, нет и нет.

— Понятно, — вздохнул Павел. — Теперь выслушай меня до конца, поскольку свое «нет» ты уже сказала и повторять его нет смысла. Дом топить не нужно, в нем есть отопление, горячая вода и нормальный санузел. Телефон тоже есть, с московским номером. Магазин в трехстах метрах, причем можно договориться с владельцем, и продукты будут доставлять на дом. В поселке почти все так делают. Дальше. Есть коммерческий медпункт с докторами и медсестрами, он обслуживает всех, кто платит, никакого полиса не требуют. Что-то вроде частной поликлиники для жителей поселка. Опять же, поскольку народец в поселке избалованный, медицинские услуги оказываются на дому, у них даже есть специальный транспорт, чтобы привозить аппаратуру для физиопроцедур. Дальше. Грязи непролазной на улице нет, все чисто и аккуратно. Электрички ходят каждые десять-пятнадцать минут, но они тебе вряд ли понадобятся. Чего тебе в Москве-то делать? Скажи своему благоверному, чтобы завез туда книжек побольше и видеокассет, и живи потихоньку, наслаждайся жизнью, гуляй, ногу лечи.

— А там что, и видик есть? — недоверчиво спросила Настя.

— Там даже «тарелка» есть для приема спутникового телевидения. У тебя, Настюха, устаревшие представления о дачах. Конечно, летняя лачуга на шести сотках в ста пятидесяти километрах от Москвы — это не для тебя в данном случае. А симпатичный загородный домик в десяти километрах от Кольцевой дороги в поселке с развитой инфраструктурой и собственной охраной — это же совсем другое дело.

Да, пожалуй, над этим имеет смысл подумать. И лифта нет, что немаловажно. А то как сломается, так она со своей ногой замучается спускаться и подниматься. И хорошо еще, если со второго-третьего этажа, а если с пятнадцатого? И в поликлинику на процедуры не придется ездить через всю Москву. И продукты на дом приносят. Живут же люди! Интересно, какую плату потребуют хозяева дачи за месячную аренду? Может, у Насти еще и денег не хватит, а она тут размечталась!

— Нисколько, — пожал плечами Дюжин. — Какие деньги, ты что? Живи, сколько надо.

— Легко ты чужими домами распоряжаешься, — ехидно заметила Настя.

— Почему чужими? Это мой дом.

Вот так, приехали. Всего год как ушел со службы в органах, а уже загородный домик завел. Странно, что кто-то еще работает, носит погоны. При таком раскладе доблестные органы внутренних дел должны бы, по идее, состоять из одних вакансий и полных придурков, которых больше никуда не берут. Придурков, конечно, полно, кто спорит, но ведь и толковые ребята есть, хорошие профессионалы, преданные делу. К сожалению, значительно больше толковых профессионалов, делу не преданных, и это позволяет им много зарабатывать и очень неплохо жить.

Зато мама совсем не расстроится, узнав, что Настя будет жить не в квартире, до потолка забитой родственниками, а за городом. Наконец-то ребенок поживет на природе, подышит свежим воздухом! Одним словом, сплошные плюсы и никаких минусов.

— Ну что, Настюха? Решено?

— Решено, — с облегчением кивнула Настя. — Теперь давай про кинезиологию.

Объяснял Павел очень подробно, но не сказать чтобы очень понятно. Вернее, объяснял-то он доходчиво, только Настя не все понимала. И слова вроде бы все были знакомыми, а все равно непонятно. Вот, к примеру, разве может нормальный опер понять, как это: прикасаешься к человеку, мысленно задаешь вопрос: «Есть проблема?», получаешь сигнал-ответ: «Есть». Или не получаешь сигнала, стало быть, проблемы нет. Казалось бы, что проще — задал вопрос, получил ответ. А все равно непонятно.

Дальше все было более или менее уяснимо. Все психологические проблемы, которые сидят в людях и мешают им нормально жить, были классифицированы специалистами психологами и психоаналитиками и сведены к определенным формулировкам. Например, «Меня не любят» или «Я загнан в угол». Для каждой такой формулировки разработана формула-антагонист, которая противостоит запрятанной вглубь проблеме. До этого места Настя еще понимала, но дальше...

А дальше кинезиолог, продолжая поддерживать физический контакт с пациентом, начинает мысленно переводить негатив в позитив, то есть убирает негативно окрашенную проблему и замещает ее позитивно окрашенным отношением. Да, конечно, Настя неоднократно слышала о том, что мысль материальна. Но не до такой же степени! Мысленно задать вопрос, получить сигнал-ответ, потом переводить негатив в позитив — нет, это решительно не укладывалось в ее голове. Так не бывает.

— Паш, а ты сам-то в это веришь? — ей трудно было скрыть сомнения.

— Я, Настюха, не верю, я знаю. Точно знаю.

— Откуда? — продолжала допытываться Настя.

— Из собственного опыта. Я обучался кинезиологии.

— Ты?! И что... ты вот... все это умеешь?

— Умею. Я бы не стал тебе рассказывать, если бы не знал точно.

— Покажи! — потребовала она.

— Что тебе показать?

— Ну... это вот... про что ты мне рассказывал. Возьми меня за руку, задай вопрос, получи ответ, переведи негатив в позитив. Давай прямо сейчас. Можешь?

— Могу. А что, у тебя есть проблемы, с которыми ты не можешь справиться?

— У меня? — растерялась Настя. — Да нет, у меня все в порядке. Денег, правда, мало зарабатываю, но это из другой оперы.

— То есть, другими словами, тебе помощь психолога не нужна? — уточнил Павел.

— Да нет же, не нужна, у меня все в полном порядке. Ну давай, показывай, — нетерпеливо произнесла она.

— Не буду, — улыбнулся Дюжин.

— Почему? Слабо?

— Настя, ты не понимаешь... Кинезиология — это не цирковые фокусы, которые можно показывать с целью развлечь зрителя. И не химические опыты, которые можно делать демонстративно, чтобы человек понял, как вещества реагируют друг на друга. Кинезиолог работает только тогда, когда человек чувствует, что нуждается в помощи, и обращается за этой помощью. Если человек о помощи не просит, с ним работать нельзя.

— Но почему?

— Потому что есть закон.

— Какой? У кинезиологов есть кодекс этики?

— Можно и так назвать. Но вообще-то это называется космическим законом.

— Каким?! — Настя решила, что ослышалась. Космический закон! Ну надо же... Впрочем, она забыла, что имеет дело с Дюжиным. От него еще и не такое можно услышать.

— Космический закон. Никогда не слыхала про такие?

— Нет, — призналась она. — И как он звучит?

— «Никогда ничего не делай, не говори и не думай, если тебя об этом не просят». Это закон на все случаи жизни, он существует не только для кинезиологов. В нашей с тобой ситуации его надо понимать так, что я не должен с тобой работать, если ты не ощущаешь потребности в моей помощи и не просишь о ней.

— А если я попрошу?

— Тогда другое дело.

— Ну, считай, что я попросила.

— Настя, Настя, — Дюжин рассмеялся и потрепал ее по плечу, — не лукавь. Я не буду показывать тебе фокусы. Если ты искренне считаешь, что у тебя нет внутренних психологических проблем, которые мешают тебе жить, то не надо меня обманывать.

— Но, может быть, они есть, а я про них не знаю. Ты можешь их обнаружить при помощи кинезиологии?

— Могу, — кивнул Павел. — Но не стану. Ты не нужда-

ешься в помощи, ты просто пытаешься меня заставить достать кролика из шляпы. А кстати, проблема у тебя есть, и,
может быть, даже не одна.

— Да? — удивилась Настя. — Откуда ты взял?

— Оттуда, что у тебя нога не перестает болеть, хотя по
всем медицинским критериям она должна уже быть в гораздо лучшем состоянии.

— А нога-то тут при чем?

— Если болит левая нога, это может означать, что ты
идешь не по тому пути в своих отношениях с каким-то
мужчиной. Или ты умом понимаешь, по какому пути нужно идти, но отчего-то не делаешь этого. В любом случае
проблемы с ногами — это проблемы выбора пути, а левая
сторона — отражение проблем с мужчинами. Вот и думай.

— Это что, тоже кинезиология?

— Нет, это другая практика. — Дюжин посмотрел на
часы. — Извини, Настюха, мне пора. Я ответил на твои вопросы?

— Ну так... — промямлила она, — отчасти. Я почти все
поняла, но почти ничему не поверила.

— Так тебе для раскрытия преступления верить и не
нужно, тебе нужно понимать, чем занималась твоя потерпевшая. Значит, в пятницу в десять утра я сюда приеду и
отвезу тебя на дачу. Договорились?

— Спасибо, Паша, — уныло ответила Настя, изо всех
сил выдавливая из себя благодарную улыбку.

* * *

— Николай Александрович, можно? — В приоткрытую
дверь осторожно просунулась голова одного из оперативников, работавших по убийству Галины Васильевны Аничковой.

Селуянов оторвался от бумаг, которые нужно было составлять ежемесячно и почему-то с каждым месяцем во все возрастающем количестве.

— Заходи. Что у тебя?

— Мы тут смотрели эти... ну, бумаги...

— Какие конкретно?

— Ну эти... которые у Аничковой из квартиры изъяли...

Пауза. Селуянов терпеливо ждал. Парнишка был в общем-то толковый, но вот с речью прямо беда. Выдавливает слова в час по чайной ложке, да и те не всегда внятные. Поначалу Коля злился, поторапливал молодого опера, прикрикивал, критиковал, потом смирился и научился терпеть. Став руководителем, он начал несколько иначе смотреть на жизнь. Если не сработаешься с подчиненным, он уйдет, а кто работать будет? За раскрытие преступлений-то с него спрашивают, с зама по опперработе, а он с кого станет спрашивать, если все разбегутся?

— Так. И что в бумагах? Что-то не так?

— Там... это... листка не хватает... вырван...

— Откуда вырван? Из ежедневника? — Селуянов изо всех сил помогал косноязычному парню.

— Ну да, я и говорю.

Вообще-то, ничего подобного про ежедневник он пока не сказал, но зато сумел произнести связную фразу, уже хорошо.

— За какое число листка не хватает?

— Вот... я, это... принес показать.

С этими словами оперативник вытащил откуда-то из-за пазухи ежедневник и протянул начальнику.

— А следователю ты звонил? Доложил?

— Так он, это... Неохота ему... сказал, чтоб сами...

— Что — сами? Витя, что сказал следователь? Чтобы мы сами назначили экспертизу? Чтобы сами ее провели? Или что сами-то?

— Я, это... не знаю...

Витя, похоже, испугался всерьез, хотя Селуянов откровенно шутил, потому что даже юристу-первокурснику известно, что выносят постановление о производстве экспертизы именно следователи, и только они, а никак не оперативники, и проводят эту экспертизу эксперты, а опять же не оперативники. Но следователь, который вел дело об убийстве кинезиолога Аничковой, был откровенно ленив и плохо подготовлен в профессиональном плане, лишней работы себе не искал, все бумаги, изъятые на квартире убитой женщины, тут же отдал оперативникам, дескать, пусть копаются, и Коля подозревал, что в данном случае он посоветовал розыскникам самим попробовать посмотреть в косопадающем свете, нельзя ли восстановить записи на вырванном листке по следам, оставленным на соседних страницах. А уж если нельзя, тогда он, так и быть, назначит экспертизу. Отсутствие служебного рвения со стороны следователя объяснялось тем, что убийство Аничковой было рядовым и особого внимания начальства не привлекало. Во всяком случае, по этому преступлению его не будут дергать каждый день с отчетом о ходе следствия, так что можно особо не надрываться.

— Ну, давай поглядим, что там у нас, — миролюбиво произнес Селуянов, протягивая руку за ежедневником.

Вырванным оказался листок за 5 и 6 сентября, соответственно, четверг и пятницу. Если бы покойная Галина Васильевна вела образ жизни домохозяйки, то шансы на успех можно было бы считать весьма высокими, ведь на следующей странице оказались суббота и воскресенье (по полстранички на день), и, весьма вероятно, они были бы пусты, так что следы от записей за 5 сентября почти наверняка можно было бы увидеть даже без экспертизы. Но увы, Аничкова планировала дела и на выходные, и на праздничные дни, так что без специальных приборов недостающие записи никак не восстановить.

— Значит, так, Витек. Ежедневник прямо сейчас везешь следователю. Но! — тут Селуянов предостерегающе поднял палец. — Перед этим находишь несломанный ксерокс и снимаешь копию со всех страниц за десять дней до вырванного листка и за десять дней после него. Понял?

— Понял, Николай Александрович.

— Не напутаешь?

— Не.

— Ничего не забудешь?

— Не, я, это... понял все...

Да понял, конечно, кто ж сомневается. Ничего сложного. Сложное начнется потом, когда в ожидании заключения экспертов (хорошо, если пару недель, а то ведь и месяц) оперативники будут искать всех людей, с которыми потерпевшая встречалась за десять дней до 5—6 сентября и в течение десяти дней после. Может быть, она кому-нибудь говорила, какие именно дела запланированы у нее на эти дни. Или впоследствии делилась впечатлениями... Времени прошло много, воспоминания у людей уже не очень отчетливые, размытые, даты путаются, события переплетаются. И в итоге оперативники наверняка вытащат «пустышку», потому что окажется, что Галина Васильевна сама вырвала этот злосчастный листок, чтобы что-нибудь записать на нем или, к примеру, огрызок яблока завернуть, или свернуть кулечек и сделать из него самодельную пепельницу.

А кстати, как это в принципе могло произойти? Ежедневник большой, такой в сумке не носят, его держат дома. Значит, листок могла вырвать или сама Аничкова, или ее племянник-алкаш, или кто-то из визитеров. У Аничковой теперь не спросишь, у племянника без предварительной подработки вопроса тоже спрашивать бесполезно, он будет все отрицать, если не запастись заранее аргументами. А вот визитеры...

Селуянов сорвал телефонную трубку, надеясь, что оперативник Витя еще не уехал к следователю. Ему повезло, Витя оказался на месте.

— Виктор, сделай ксерокопию со всех страниц. Не за десять дней до и после, а со всех, ты понял?

— Ага, — пробасила трубка.

Ладно, Витек сделает все как надо. А дальше? Осталось уговорить Рокфеллера.

* * *

Нет, не зря Настя не любила дачи и выезды на природу. Уже в первые часы пребывания в загородном домике Дюжина ее охватила такая тоска, что вешаться впору. Дождь, лес за окном серо-черный, мокрый, печальный, и никакого «очей очарования», никаких в багрец и золото одетых деревьев, все лгал поэт, обманывал, а может, про другое время осени писал, про сентябрь.

Утром все как-то быстро и удачно организовалось, к десяти часам в госпиталь приехал не только Павел Дюжин, но и Чистяков, и Юра Коротков. Все вместе они доехали до поселка с весьма романтическим и многообещающим названием Болотники, выгрузили Настю с палкой и Чистякова с тремя сумками, в одной из которых были книги, собранные по составленному заранее списку, в другой — видеокассеты, в третьей — Настины вещи. Дом оказался просторным, двухэтажным, со всеми удобствами и даже с отдельной ванной для гостей. Он ничем не напоминал те деревянные домики, которые в Настином сознании были связаны с понятием «дача».

Павел съездил в магазин и привез на дачу его хозяина для личного знакомства с госпожой Каменской. Хозяин был весел и любезен, оставил свой телефон и заверил Настю, что она может звонить в любое время, и все будет доставляться ей в течение получаса. Потом Настю на машине отвезли в местное лечебное учреждение, на инвалидном кресле довезли до кабинета главврача и решили все вопросы с процедурами, которые, разумеется, будут проводиться на дому.

Потом ели вкусные бутерброды и пили чай, много шутили, веселились. А потом стали разъезжаться — рабочий день, всем надо на службу.

— Ну что, мать, дорогу я теперь знаю, так что не заскучаешь, — бодро говорил Юра Коротков. — Буду тебя навещать, докладывать криминальную обстановку в городе.

— Я тоже буду приезжать, — пообещал Павел. — Но в любом случае ты сразу же звони, если что.

Чистяков уезжал последним, минут через десять после Дюжина и Короткова.

— Асенька, продержишься до вечера? — Он с тревогой всматривался в ее бледное лицо. — Я после работы приеду.

— Не нужно, Лешик. Тебе добираться придется часа два.

— Смотря где и какие пробки, — философски заметил муж, — может статься, что и все три. В пятницу вечером Кольцевая дорога забита, и через город тоже не проедешь. Но я все равно приеду, потому что ты никогда в жизни не ночевала одна в пустом доме за городом. А вдруг ты начнешь бояться?

— Не начну.

Она старательно строила из себя мужественную и спокойную подполковника милиции Каменскую, хотя на самом деле ее с каждой минутой все сильнее охватывала паника. Какая здесь тоска! Как здесь страшно! Она не выдержит и двух дней, куда там месяц!

— Я приеду, — мягко, но непререкаемо закончил дискуссию Алексей. — Завтра суббота, я пробуду с тобой до вечера воскресенья, а там решим. По крайней мере две ночи ты проспишь под моим чутким руководством, а дальше видно будет.

До вечера воскресенья Настя крепилась изо всех сил. Приступы панического страха охватывали ее по каждому поводу, начиная от незнакомого звука и кончая незнакомыми запахами. Ей, всю жизнь прожившей в городе, невдомек было, что жилье в многоквартирном доме и отдельно стоящий дом за городом звучат и пахнут совершенно по-разному, она не была к этому готова, во всем ей мерещились признаки подступающей опасности, она вздрагивала, обливалась холодным потом, роняла палку и с трудом унимала сердцебиение. Она не привыкла к просторам, к тому, что из окна видно бесконечное серое небо и бездонный мрачный лес, эта бесконечность и бездонность давили на нее невыносимой тяжестью.

Но Чистякову не нужно было знать об этом. Ему действительно далеко добираться, и Настя не хотела, чтобы он приезжал к ней ночевать каждый день и по утрам вскакивал ни свет ни заря, проводя ежедневно за рулем по пять-шесть часов. Ни к чему это. От их квартиры на «Щелковской» дорога на работу занимала у Алексея куда меньше времени, чем отсюда, из Болотников, и, когда они жили в Москве, проблема ежедневных поездок Чистякова в институт в Жуковском стояла не так остро, как она встала бы, если бы он решил жить на дюжинской даче вместе с женой. Настя жалела мужа и ни за что на свете не призналась бы, что не хочет жить на этой даче одна. Она вообще не хочет здесь жить. Но, к сожалению, пока больше негде.

В субботу и воскресенье Алексей, несмотря на Настино нытье, заставил ее выйти на прогулку и походить хотя бы пятнадцать минут. Оба раза она возвращалась в дом ослабевшая и потная от боли.

— Я не могу ходить так долго, — жаловалась она, — если нужно набирать объем тренировок, то пусть это будет пять раз по три минуты. Три минуты я еще могу вытерпеть.

— Асенька, доктор сказал — прогулка не менее пятнадцати минут подряд, и с каждым днем надо минуты прибавлять. Иначе ты не поправишься.

Ей хотелось закричать, зашвырнуть палку куда-нибудь

подальше, лечь на кровать и не вставать больше никогда. Ей хотелось разрыдаться от боли и тоскливого страха. Но — нельзя. Пока Леша здесь, надо держать себя в руках.

В воскресенье вечером они попрощались до следующей пятницы. Настя храбрилась и говорила, что ей здесь нравится и она с удовольствием поживет в покое и тишине наедине с собой. Чистяков глядел на нее недоверчиво и повторял, что, если только услышит в ее голосе что-нибудь не то, немедленно приедет, и пропади она пропадом, эта работа.

Вот за ним закрылась дверь. Вот заворчал двигатель машины, зажглись фары. Вот и звук и свет стали удаляться.

И тут Настя дала себе волю. Она рыдала громко, отчаянно, захлебываясь и задыхаясь, сморкаясь и кашляя. Она стучала палкой по полу, била кулачками по мягкой кровати, она отдавалась истерике самозабвенно, не сдерживая себя и не пытаясь успокоиться.

А потом внезапно уснула.

* * *

Зоя Петровна Кабалкина чувствовала себя абсолютно счастливой женщиной. Понимание того, что она счастлива, пришло к ней более трех десятков лет назад и с тех пор не покидало ни на один день. Она обожала своего мужа и твердо знала, что он отвечает ей такой же сильной и глубокой любовью. Они вырастили чудесную дочь Любочку, добрую, веселую, неунывающую, подарившую им двух очаровательных внучат. Правда, было время, когда старшая дочь Зои Петровны, Анита, отдалилась от нее и вроде как оторвалась от семьи, но и эта трещина к настоящему времени давно заросла. Анита с годами стала мудрее и терпимее, сдружилась с Любочкой, и теперь недели не проходит, чтобы не навестила Зою Петровну, ее мужа и своих деда с бабушкой — Зоиных стареньких родителей, которые, благодарение судьбе, все еще живы и вполне бодры, несмотря на весьма преклонные года: бабушке Прасковье как раз сегодня исполняется девяносто, а деду Петру и вовсе девяносто три стукнуло.

В первый раз Зоя Петровна вышла замуж в девятнадцать лет. Была она в ту пору студенткой Института кинематографии, которая удачно попалась на глаза кинорежиссеру, подыскивавшему юную актрису для своего нового фильма. Зоя была сказочно хороша собой и не лишена таланта, кинопробы прошла успешно и снялась у именитого режиссера в главной роли. Слава обрушилась на ее прелестную головку с мощностью Ниагарского водопада и со столь же сокрушительными последствиями. Ее фотографии печатались на обложках журналов и во всех газетах, ее узнавали прохожие на улицах, ее окружали толпы поклонников, просивших автографы. И у нее, конечно же, мгновенно сложилось твердое убеждение в том, что ей отныне уготована блестящая жизнь, полная праздников и удовольствий.

В эту схему как нельзя лучше вписался известный художник, дважды лауреат Сталинских премий Станислав Оттович Риттер, с которым Зоя познакомилась в Кремле на приеме по случаю десятой годовщины Победы в Великой Отечественной войне. Риттер был на семнадцать лет старше и к тому же женат, но это ничему не помешало. Развод с первой женой он оформил в рекордно короткие сроки, после чего сделал официальное предложение молодой кинозвезде, которая к тому времени снялась еще в одном фильме, не менее ярком и успешном, чем предыдущий.

Станислав Оттович вел свою родословную от тех самых немцев, которые приехали в Россию еще во времена Петра Великого, и давно уже Риттеры превратились в самых настоящих русских, хотя знание немецкого языка передавалось из поколения в поколение и считалось в семье обязательным. В глазах Зои знаменитый художник был окружен ореолом «заграничности», и это существенно прибавляло ему привлекательности наряду с такими немаловажными факторами, как слава, наличие огромной квартиры в «высотке», автомобиля и дачи. В «высотках» жили в те времена только «самые-самые», да и автомобили в личной собственности встречались куда как нечасто. Вдобавок ко всему Риттер был статным элегантным мужчиной, умел красиво ухаживать и ввел свою юную возлюбленную в круг самых известных людей страны — писателей, музыкантов, художников, крупных ученых.

Одним словом, Зоенька ни секунды не сомневалась в том, что более подходящего мужа для нее просто быть не может.

И разумеется, во время Всемирного фестиваля молодежи и студентов знаменитая молодая актриса Зоя Риттер принимала самое активное участие во множестве мероприятий. На одном из концертов она познакомилась со студенткой из Испании, дочерью пламенного борца с франкистским режимом, Хуанитой Геррера. Хуанита довольно прилично говорила по-русски, и девушки быстро сдружились. Узнав, что Зоя на четвертом месяце беременности, Хуанита радостно заявила:

— Мы с тобой теперь сестры, и давай договоримся, что я буду крестной матерью твоего ребенка.

— Но ведь ребенок родится, когда тебя не будет в Москве, — возразила Зоя. — И потом, у нас крестить нельзя, за это могут из комсомола исключить.

— Да? — Испанка призадумалась, потом решительно тряхнула головой. — Ну и что? Пусть это будет нашей тайной. Мы сейчас придумаем имена для мальчика и для девочки, и ты дашь мне слово, что назовешь ребенка именно так, как мы придумаем. А я буду всегда молиться за своего крестника.

На том и порешили. Имена выбирали долго и вдумчиво, обеим хотелось, чтобы имя Зоиного малыша было хоть как-то связано с испанской крестной. Мальчика решили назвать Иваном, поскольку сочли, что Иван аналогичен Хуану, для девочки же выбрали имя Анита.

Родилась девочка. Уже лет в шесть, узнав историю происхождения своего имени, она буквально заболела Испанией. К десяти годам Анита прочла огромное количество книг, где был хотя бы один абзац, посвященный истории или культуре этой страны. Она упросила мать найти педагога по танцам, чтобы научиться танцевать фламенко. Она училась в музыкальной школе по классу гитары и ходила три раза в неделю на уроки испанского языка.

Педагог по танцам преподавал в театральном вузе, и когда для какого-то фильма понадобилось найти девочку-подростка, танцующую фламенко, имя Аниты Риттер всплыло самым естественным образом. Красивая, умненькая не по годам, не только танцующая, но и играющая на гитаре (а это значит, что можно снимать не только крупные планы лица, но и общие планы, на которых видны руки) девочка оказалась для создателей фильма настоящей находкой. Под нее даже сценарий был переписан, чтобы из крошечного тридцатисекундного эпизодика получилась роль минут на пять со словами.

С ролью Анита справилась более чем удовлетворительно, и Зоя Риттер с полным правом с этого момента считала, что жизнь ее удалась. Мало того, что собственная карьера в кино состоялась, так еще и муж всем на зависть, и дочка — матери на радость.

Однако очень скоро ей пришлось свои взгляды пересмотреть. И причиной стал веселый и обаятельный мастер станции техобслуживания, который чинил Зоину «Победу». И что уж в нем было такого необыкновенного, Зоя поначалу даже не поняла. Ну парень, лет на пять моложе ее самой, ну глаза яркие, ну зубы белые, ну смех заразительный да улыбка веселая. И что? Разве это может перевесить все достоинства, которыми обладает Станислав Оттович? Конечно, не может. А то, что рядом с Гришей Кабалкиным

Зою охватывают какие-то ранее неведомые ощущения не то тяжести в ногах, не то легкости в голове, так это сущая ерунда, это так... Как «так», она додумать не могла, потому что действительно ничего похожего никогда не испытывала.

Тем не менее после знакомства с Григорием Зоя стала вдруг необыкновенно остро ощущать тяжесть бремени быть женой самого Риттера. Она и раньше замечала свое несоответствие уровню образованности мужа и его друзей и старалась побольше молчать и не высовываться, чтобы не ляпнуть что-нибудь эдакое, из-за чего Станиславу Оттовичу придется ее стесняться. Муж постоянно давал ей понять, что у нее провинциальные замашки и плебейские вкусы, Зоя же принимала критику как должное, внимала супругу с открытым ртом, одевалась только так, как ему нравилось, и делала только то, что он велел. Необходимость соответствовать «самому Риттеру» превратилась в тяжкий ежедневный труд, но Зоя считала его неизбежным элементом той красивой жизни, для которой, как она полагала, была создана, и безропотно меняла наряды и следила за каждым своим словом, повинуясь указаниям мужа.

И вдруг оказалось, что можно болтать часами на любые темы, не боясь показаться глупой и необразованной, можно носить кофточки с рюшечками, которые ей так нравятся и которые вызывают у Риттера гримасу брезгливости, и при этом слышать, что она самая нарядная, самая чудесная, самая красивая, что с ней легко и радостно.

Зое понадобилось несколько месяцев, чтобы осознать, что происходит. Истина открылась ей в тот момент, когда она поняла, что беременна. Разумеется, не от мужа. Ни о каком аборте даже речь идти не могла, она была счастлива, она хотела этого ребенка. Она больше не хотела блистать рядом со светским мужем, она хотела только одного: выйти замуж за Гришу Кабалкина, варить ему борщи, стирать носки и рубашки, родить ребенка и воспитывать его. Зоя поняла, что волею судьбы попала не в свою колею и живет не своей жизнью, что кино и богема, светская жизнь и светские интриги — для других, а ее призвание — быть женой и матерью. Причем женой именно Григория Кабалкина, а не кого-то другого, и матерью именно его ребенка, а не чьего-то еще.

Хорошее воспитание Станислава Оттовича позволило обойтись без грандиозного скандала. Зоя быстро собрала вещи и вместе с Анитой переселилась к Грише в однокомнатную квартирку в хрущевском доме. Через месяц был оформлен развод, еще через месяц сыграли свадьбу, Зоя сменила фамилию и из Риттер превратилась в Кабалкину, а вскоре родилась Любаша.

После родов Зоя сильно располнела, но не предпринимала ни малейших усилий, чтобы привести фигуру в порядок. Пару раз ее приглашали на кинопробы, но, увидев вместо стройной красавицы бесформенную тушу, даже не пытались скрыть разочарование. Очень скоро о ней как об актрисе все забыли, но ни Зою, ни ее нового мужа это не расстроило. Гриша манипулировал запчастями и очень прилично зарабатывал, сама же Зоя, отсидев положенный срок в декретном отпуске, устроилась в Дом пионеров руководить театральным кружком. Станислав Оттович исправно платил солидные алименты на Аниту, пока той не исполнилось восемнадцать. Одним словом, семья отнюдь не бедствовала.

Анита, правда, так и не сумела полюбить веселого и обаятельного Гришу, хотя виду не показывала, была вежливой и послушной девочкой. Закончила школу с золотой медалью, легко поступила в инженерно-физический институт, рано вышла замуж (по стопам матери пошла) и от семьи оторвалась. В двадцать пять лет стала кандидатом наук, в двадцать девять — доктором, и Зоя гордилась своей необыкновенной дочерью, такой умной и талантливой. А то, что они редко видятся, — ну что ж, у Аниты своя жизнь, своя наука, свои друзья. Да и характер у нее такой... холодноватый. Металлический характер. Будь он другим, разве сумела бы Анита так много и упорно учиться с самого детства, и в общеобразовательной школе, и в музыкальной, да на одни пятерки, да вдобавок танцы и испанский язык, и еще кружки какие-то.

Зато младшая дочь, Любочка, характером пошла в Зою и Григория, теплая, родная, любящая. В школе училась спустя рукава, никаких дополнительных знаний приобрести не стремилась, зато всегда была окружена друзьями, которых неизменно приводила домой, знакомила с родителями и угощала мамиными пирогами. После школы поступила в какой-то непрестижный институт (в престижный с ее знаниями даже и пытаться было бы глупо), училась на бухгалтера, а в 1990 году, когда получила диплом, устроилась при помощи тогдашнего своего кавалера на частное предприятие. И, к немалому удивлению Зои, стала получать хорошую зарплату, о какой в прежние времена бухгалтеры и не мечтали.

Дальше события стали развиваться с той же скоростью, с какой менялась экономическая ситуация. В ходе приватизации Григорию Кабалкину удалось стать владельцем станции техобслуживания, Любочка же, освоив бухгалтерские премудрости и набравшись опыта, быстро пошла в гору и добралась до должности финансового директора крупной фирмы. Замуж, правда, так и не вышла, зато двоих детишек родила от мужчин, которых любила, а это, по мнению Зои Петровны, дорогого стоило. Гриша заработал достаточно, чтобы купить новую большую квартиру, и они забрали из провинции престарелых родителей Зои Петровны, которым уже трудно стало жить без посторонней помощи.

Одним словом, жизнь свою Зоя Петровна Кабалкина считала удавшейся и счастливой, и даже Анита в последние годы словно приблизилась к семье, стала часто бывать у них, а звонит так и вовсе каждый день. И к Грише хорошо относится, и с Любочкой дружит. Старшей дочери уже сорок пять, к этому возрасту мудрость приходит и понимание того, что дороже любви и теплого отношения ничего на свете нет. Наверное, и Анита это поняла.

* * *

Первой, как обычно, прибежала Любочка с ребятишками, мальчиками пяти и трех лет. Расцеловала родителей и пошла поздравлять бабушку с девяностолетием. Следом за ней к матери зашла и Зоя, держа внуков за руки. Бабка Прасковья сидела в кресле нарядная и сияющая, морщинистые щеки порозовели, спрятанные в складках глаза блестели, она с удовольствием разглядывала Любочкины подарки: красивую вязаную кофту, меховые тапочки и высокую стопку любовных романов и детективов. Зоя Петровна наугад раскрыла две-три книги — шрифт крупный, молодец, девочка, знает, какие бабке подарки выбирать. Прасковья — заядлый книгочей, только зрение уже не то, мелкий шрифт ей читать трудно.

— А Нюточка когда придет? — спросила Прасковья, усаживая к себе на колени младшего правнука.

— Скоро, мама, скоро, не волнуйся, — ответила Зоя. — Придет твоя Нюточка.

— И опять одна? — продолжала допрос мать.

— Наверное.

— Господи, что ж она замуж-то не выйдет никак! Ребеночка бы родила, что ли, вот как Любаша, а то так бобылкой и помрет.

— Мама, Анита уже была замужем, ты что, забыла? — засмеялась Зоя.

— Была-то была, а только раз детей нет, так и не замужество это, а так, баловство одно, плотские утехи. Ох, жалко мне девку, неудалая она какая-то у вас получилась.

— Да что ты, бабуля, — Любаша горячо встала на защиту сестры, — ну какая же Анита неудалая? Умница, красавица, доктор наук. И не смей ее жалеть, она в полном порядке. Знаешь, как сейчас говорят? «В полном шоколаде».

— В шоколаде? — недоверчиво повторила старуха вслед за внучкой и усмехнулась: — Ну ладно, коли так.

И тут же снова вздохнула:

— Все равно жалко ее. Вот хоть и умница, и доктор наук, а бабьего счастья у нее нет. Мужика бы ей хорошего надо.

— Да есть у нее мужик, бабуля, что ж ты так переживаешь!

— Ой, Любка, разве ж это мужик? Драчун-прыгун, одно слово.

Тренькнул дверной звонок. Зоя Петровна метнулась в коридор и тут же снова заглянула в комнату.

— Анита идет. Мама, я тебя умоляю, не заводи при ней этих разговоров. Ты же знаешь, она обижается.

— А чего ей на меня обижаться? — резонно возразила Прасковья. — Я ведь правду говорю, ничего не выдумываю. Бобылка и есть.

— Мама!

Но Зоя Петровна опоздала с предупреждениями. Муж успел открыть дверь, и вошедшая Анита услышала окончание разговора.

— Это кто бобылка? Опять я? — весело спросила она прямо с порога. — Привет, мамуся. Привет, дядя Гриша. Снова бабушка завела свою шарманку?

— Ой, да не обращай ты внимания, — засуетилась Зоя Петровна, принимая у дочери объемистый пакет с подарками для именинницы. — Мелет сама не понимает что.

Анита повесила на вешалку дорогое элегантное пальто, поправила перед зеркалом прическу, которая и без того была идеальной — гладкой, без единого выбившегося волоска, с тяжелым узлом на затылке. Такую прическу она носила с пятнадцати лет и ни разу не меняла.

— Как я выгляжу, мамуся?

— Прекрасно, — улыбнулась Зоя Петровна. — Ты молодеешь с каждым годом. Как тебе это удается?

Анита молча пожала плечами и улыбнулась:

— Тайны природы, наверное. Ну, где наша юбилярша? Пойду поздравлю ее. Заодно выслушаю очередную порцию вздохов о моей неудавшейся жизни. Да ладно, мамуся, — Анита рассмеялась, заметив, как мгновенно помрачнела Зоя Петровна, — не волнуйся, я не обижаюсь на бабушку. У нее свои представления, у меня — свои. Не ссориться же из-за этого с родными, правда? Что бы она ни говорила, она остается моей бабушкой, то есть твоей мамой, а если бы она не родила тебя, то не было бы и меня, поэтому я всегда буду ей благодарна, что бы она ни вытворяла.

Зоя Петровна проводила глазами старшую дочь, скрывшуюся в комнате родителей, и в очередной раз мысленно возблагодарила судьбу за то, что Анита стала такой мудрой и доброй.

Через полчаса вся семья сидела за обильно накрытым столом. Зоя Петровна зорко следила за тем, чтобы тарелки у всех были полны, и краем уха прислушивалась к разговору между дочерьми.

— Ты Валерку давно не видела? — спросила Любочка у Аниты.

— Недели две, наверное. Он в командировку уезжал, недавно только вернулся. А что?

— Я вчера с ним встречалась, — Люба понизила голос. — По-моему, с ним что-то не то. Ты не замечала?

— Да нет вроде бы. С женой у него не то, это точно. А с ним самим все в порядке.

— Нет, Анита, он вчера странный был какой-то... напряженный. Разговаривает со мной, а сам о чем-то другом думает, отвечает невпопад.

— Значит, на работе проблемы, обычное дело, — беззаботно ответила Анита. — Хотя...

— Что? — встрепенулась Люба, даже вилку положила.

— Нет, ничего, Любаша. Ничего, — Анита покровительственно похлопала сестру по руке. — Не беспокойся. У Валеры бизнес, а там в любой момент могут возникнуть неприятности.

Зоя Петровна тихо радовалась. Мало того, что Анита вернулась в семью, мало того, что с Любочкой подружилась, так она и с Валерой общается, и Любочку с ним познакомила. Станислав Оттович был в шоке от того, что молодая кинозвезда променяла его на мастера из автосервиса, да еще на несколько лет моложе себя, и единственным способом выхода из шокового состояния ему виделась новая женитьба. Женился он, как и в первые два раза, на девушке девятнадцати лет от роду. Он еще Зое в свое время объяснял, что девятнадцать лет для него возраст магический. Восемнадцать — слишком близко к несовершеннолетию, а двадцать — это уже двадцать, это уже не то. Только девятнадцатилетняя девушка имела шанс стать женой Риттера.

Станислав Оттович женился очень быстро, и сын в новом браке появился меньше чем через год после рождения Любочки. Риттер никогда не делал попыток познакомить Аниту с единокровным братом, он вообще словно забыл о существовании дочери. Конечно, Аните было обидно, но она сумела переступить через свои детские чувства и после смерти отца познакомилась наконец с Валерием и его матерью и женой. А потом и Любочку с ними познакомила. Они стали хорошими друзьями. Ведь как это неправильно, когда на свете живут родные люди и не видятся друг с другом. Анита росла одна, на маленькую сестренку внимания не обращала, да и некогда ей было, все училась, занималась, а когда к мужу переехала, Любаша только-только в школу пошла. Так что и младшая девочка, считай, без сестры выросла. И Валерик всю жизнь был один. Зато как хорошо, что они теперь все вместе — две сестры и брат! И пусть Любочка с Валериком не родные, все равно они брат и сестра, настоящие друзья. Какая же Анита молодец, какая же умница!

Зажужжал мобильный телефон, висящий у Любы на поясе джинсов.

— Да, слушаю, — по-деловому порывисто ответила она на звонок и тут же залилась краской, занервничала.

— Сейчас, минутку, здесь шумно, я выйду в коридор, — быстро проговорила она и стала протискиваться между стульями к выходу из комнаты.

«И ничего здесь не шумно», — машинально подумала Зоя Петровна, начиная собирать грязные тарелки, чтобы накрывать сладкий стол. Взглянув на старшую дочь, поймала насмешливое выражение ее лица и поняла, что Анита думает примерно то же самое. Отчего-то Люба не захотела разговаривать при всех, хотя своих кавалеров никогда от семьи не прятала и отношений с ними не скрывала. Что бы это значило?

Со стопкой тарелок в руках Зоя Петровна вышла в коридор и направилась в сторону кухни. Любы в коридоре не было, но ее приглушенный голос доносился из ванной. Зоя Петровна подошла поближе, остановилась, прислушалась. И не поняла ни слова. Дочь говорила по-немецки. Зоя Петровна могла отличить немецкий язык на слух, но знала в общей сложности, наверное, пять слов, может, семь. Так что сути разговора, как ни силилась, уловить не могла.

Расставляя на столе чайные и кофейные чашки, она снова наткнулась на глаза Аниты. На этот раз в них был вопрос, а не насмешка.

— Ты представляешь, — тихонько сообщила Зоя Петровна, — она там заперлась в ванной и разговаривает по-немецки.

— По-немецки? — недоумевающе переспросила Анита. — Ты уверена?

— Ну конечно. Не забывай, кем был твой отец. Уж немецкий-то язык я как-нибудь отличу от любого другого.

— Странно, — задумчиво произнесла Анита и нахмурилась. — Очень странно.

Они всегда встречались в маленьких уютных барах, занимали столик в углу и старались не беседовать слишком долго. Майор Харченко вовсе не стремился к тому, чтобы о его регулярных встречах с журналистом знала широкая общественность. Издание, которое представлял Петр Маскаев, называлось «Вестник бизнеса» и было одним из самых многотиражных в стране, и информация, которую Харченко периодически «сливал» своему приятелю, немедленно обретала форму скандального журналистского расследования. Тиражи газеты обеспечивали издателям высокие доходы, а это, само собой, вело к тому, что и платили за информацию, не жадничая. Скудное майорское жалованье Владимира Харченко весомо подкреплялось поступлениями из издательского кармана, что позволяло ему существовать если не роскошно, то вполне безбедно. У него были собственные источники информации, и получаемые от них сведения он делил на те, которые можно преобразовать в уголовное дело, и те, которые для правосудия были слабоваты или не подходили вовсе, но для скандала в прессе вполне годились. Вот эти-то сведения он и отдавал, разумеется, небезвозмездно, Петру Маскаеву. И не только ему одному, газет-то много...

— Любопытная история. — У Маскаева горели глаза, он, слушая майора, уже представлял себе заголовок и даже составил в уме две первые фразы. — Надо же, такие люди уважаемые, такой фонд громкий, репутация безупречная — и такие грязные махинации. А эта фирма подставная, через которую деньги крутятся, как называется?

— «Практис-Плюс». Все было бы шито-крыто, если бы у фирмы с финансами все было в порядке. Но там есть неувязки, за которые мы и зацепились и вытащили весь клубок. Смотреть будешь?

— Ну а как же! Здесь смотреть или с собой дашь?

— Бери, — улыбнулся Харченко, — это копии, я специально для тебя сделал. Там маркером помечены строки, на которые и надо обратить внимание, в них вся соль.

— Спасибо. — Маскаев сделал последний маленький глоточек из чашки с кофе и отодвинул ее в сторону.

Полез в кожаную сумку, висящую на спинке стула, достал узкий белый конверт, протянул майору:

— Как обычно.

— И тебе спасибо.

Конверт мгновенно перекочевал во внутренний карман хорошо сшитого пиджака Харченко. С делами покончено, теперь можно расслабиться и потрепаться о чем-нибудь нейтральном, недолго, минут десять, пока майор допьет свой коньяк.

— Как семейная жизнь? — поинтересовался Маскаев. — Приносит радости? Или уже наступили разочарования?

Он знал, что его милицейский информатор недавно женился, и хотел проявить вежливость.

— Разочарований пока нет, а радости... — Харченко пожал плечами и усмехнулся. — Я, Петя, уже не мальчик, какие такие радости могут меня удивить? Что ж я, по-твоему, с бабами никогда не жил?

— Ну, то с бабами, а то с женой, — возразил журналист, — есть же разница.

— Да брось ты, — Харченко пренебрежительно махнул рукой, — никакой разницы, все одно и то же.

— Зачем же ты женился? Жил бы просто так. Или она просто так не хотела?

Все-таки степень их дружеской близости была отнюдь не такой, чтобы обсуждать столь интимные переживания. Харченко понимал, что вопросы журналиста — не более чем вежливая болтовня, дежурные потуги создать видимость теплых отношений, дабы не утратить такой ценный источник информации из МВД. Поэтому ответил коротко и тоже дежурно, как отвечал на этот же вопрос многим другим:

— Пора уже, а то на работе косо смотрят, подозревают, что я «голубой».

Что ж, тема исчерпана, дело сделано, кофе и коньяк выпиты. Можно расплачиваться и расходиться по рабочим местам, в Главное управление по экономическим преступлениям и в редакцию одной из самых популярных и читаемых газет страны.

* * *

В понедельник утром Настя Каменская проснулась притихшей и подавленной. Никакой паники, никакой взбудораженности и в помине не было. На нее навалилась каменная апатия, когда не хочется ни пить, ни есть, ни шевелиться, ни глаза открывать. Даже дышать не хочется. Но зато хочется в туалет, поэтому вставать и шевелиться все равно придется.

Она умылась, выпила чашку кофе, потом две чашки чаю и попыталась составить примерное расписание на день. Когда идти на эшафот, то бишь на прогулку, — сейчас, перед обедом или после него? Сейчас не хочется, но потом может пойти дождь... Хотя может и не пойти, зато сейчас можно почитать или посмотреть какой-нибудь фильм... Но если она отложит прогулку на потом, а дождь все-таки пойдет, то пятнадцать минут лечебной ходьбы превратятся в двойную пытку...

Нет, непродуктивно она мыслит! Настя даже рассердилась на себя. Такой простой вопрос не может решить! Что-то мешает ей думать, что-то скребет в душе, портит настроение, ноет, как незажившая ранка, которую все время теребят, сковыривая едва наросшую корочку.

Это все Паша Дюжин со своими космическими законами и советами присмотреться к собственным проблемам.

Нет у нее никаких проблем, тем более с мужчинами. Да и откуда им взяться? В ее жизни существует только один мужчина — ее муж Леша Чистяков. Разве в ее отношении к нему есть что-то неправильное? Она любит его как мужчину, ценит как друга и советчика, не изменяет ему даже мысленно. Что в этом может быть неправильного?

Отчим? Нет, с ним отношения сложились с самого начала, как только мама вышла за него замуж, Настя называет его папой, любит как родного, и ни разу никаких конфликтов между ними не было.

Брат Саша — сын ее отца от второго брака? Тоже никаких проблем, они искренне привязаны друг к другу, дружат семьями, ходят друг к другу в гости. Правда, скоро год, как они не виделись, но это потому лишь, что Саша решил какое-то время пожить с семьей за границей. Через несколько месяцев они вернутся, и все снова будет как прежде.

Все остальные мужчины, с которыми ее связывают хоть какие-то отношения, — это ее коллеги по работе или начальники. С ними тоже никаких проблем.

Но почему же так зудит, так ноет ранка? Почему ее так задели слова Дюжина? Или все-таки есть у нее проблема, в которой она сама себе не хочет признаваться?

Она пойдет на прогулку прямо сейчас и будет думать, думать, думать. Авось за процессом мыслетворчества и боль не так сильно будет ощущаться. Где наши кроссовки? Вот они, кроссовочки, новенькие, почти неношеные, Лешкин подарок. Где куртка? Так, правую руку суем в рукав, следим за центром тяжести, чтобы не навернуться, теперь левую руку, застегиваем «молнию», кнопки. Капюшон поглубже натягиваем, сверху шарфом приматываем, чтобы ветром не сдувало с головы. Ну и погодка! В такую гулять и гулять, если жизнь не мила...

Ладно, хватит ныть. Где палка? Палка-копалка, палка-стрелялка, палка-селедка... Нет, это уже не в рифму, это из «Незнайки». Тьфу, да что за ерунда в голову лезет! Не обманывай себя, Каменская, ерунда сама не лезет в голову, это ты ее туда зовешь, чтобы не думать о том, что сказал тебе Паша Дюжин. Не хочешь думать — так и скажи: не хочу и не буду, только не строй из себя несчастную, которой посторонние мысли сосредоточиться не дают.

Давай двигай в сторону крыльца. А это что такое? Ах да, это же инвалидное кресло, которое тебе на всякий случай привезли. Интересно, .какой может быть случай? Я снова упаду и еще раз сломаю ногу? Ту же самую или уже другую? А если я сломаю правую ногу, то Дюжин станет утверждать, что у меня проблемы в отношениях с какой-то женщиной? Бред натуральный!

Так, поползли по ступенькам вниз, хорошо, что их всего две. Ну и пошли потихонечку вон туда, в лес, там тропинка хорошая, мы с Чистяковым по ней ходили. Господи, нога, да что ж ты так болишь-то, никак не уймешься! Мне больничный положен еще на месяц. А если ты через месяц не перестанешь болеть, что тогда? Больничный продлят или на работу выгонят? А если я выкопаю из глубины своего сознания проблему с неизвестным мне пока мужчиной, то нога быстрее заживет, да? Нет, наверное, я должна буду с этой проблемой как-то разобраться, а не только выкопать ее. Знать бы только, с каким мужчиной у меня проблемы. Ладно, пойдем по порядку.

Юра Коротков...

Миша Доценко...

Игорь Лесников, хотя он на Петровке уже давно не работает, в министерство ушел, в главное управление...

Коля Селуянов, который тоже уже больше года как стал заместителем начальника окружного УВД по оперативной работе...

Сережка Зарубин...

Колобок-Гордеев, но он ушел на пенсию еще летом прошлого года...

С этими ребятами Настя работала много лет, и то, что

между ними имело место, действительно можно было назвать «отношениями». Со всеми остальными она поддерживала не отношения, а служебные контакты, которые на роль провокатора болей в ноге ну никак не годились.

Настя добросовестно перебирала в уме всю историю знакомства с каждым из коллег, вспоминала, как выстраивались отношения с ними, копалась в памяти, но пока ничего подходящего не обнаруживала. И ранка в душе продолжала ныть.

А что это дергается у нее на боку? Ой, да это мобильник в кармане куртки надрывается.

— Аська, ты где? Спишь, что ли? — ворвался в ухо радостный голос Коли Селуянова.

— Я не сплю, я гуляю.

— Далеко?

— Далеко, за городом.

— Это я понял. Ты от дома далеко?

— Ну я же тебе говорю: за городом.

— Ася, я не тупой. Я возле твоего дома стою, мне Коротков адресок дал и, как проехать, объяснил. Стою вот на крылечке и за ручку дверь дергаю, а она не открывается.

— Ой, Коля, — радостно закричала она в трубку, — ты приехал?

— Дошло наконец, — проворчал Селуянов. — Так где тебя искать, хромоногая ты наша?

— Встань спиной к двери и посмотри налево. Тропинку видишь?

— Вижу.

— Вот по ней и иди. Не доходя упрешься.

— Понял. Сейчас упрусь.

Настя спрятала телефон в карман и посмотрела на часы. Пятнадцать минут как одна копеечка. А ведь еще назад идти столько же. Дойдет ли? И словно в ответ на мысленный вопрос ногу как огнем обожгло, ее невозможно стало ставить на землю. Настя так и простояла на одной ноге, опираясь двумя руками на палку и кляня себя за задумчивость. Ведь говорила же себе: следи за временем, семь минут по тропинке в лес и разворачивайся к дому. Так нет же! Мыслитель, Спиноза недоученный.

Судя по тому, как быстро появился Коля, прошла она совсем немного, не больше двухсот метров.

— Ты чего стоишь, как аист-погорелец?

— Аист — это я понимаю, но почему погорелец? — удивилась Настя.

— А у тебя вид такой несчастный, как будто у тебя сгорело все имущество.

— Коля, я, кажется, погорячилась. Обратно не дойду. Если только на одной ноге доскакать.

— Ты, пожалуй, доскачешь, — он с сомнением покачал головой. — И на руках мне тебя не унести, ты для меня великовата будешь. И на машине сюда не проехать, тропинка больно узкая.

— В доме инвалидная коляска есть, — вспомнила она.

— О, можешь соображать, когда захочешь, — одобрительно кивнул Николай. — Давай ключи, я сейчас ее приволоку. Где она стоит?

— Прямо возле двери.

Идея с коляской оказалась продуктивной, и Селуянов благополучно доставил Настю прямо к крыльцу, откуда ей до дивана в комнате все-таки пришлось скакать на одной ноге, потому что на левую ногу наступить было просто невозможно.

— Коля, я так понимаю, ты приехал среди рабочего дня с корыстной целью?

— Ну а то. Очень ты мне нужна за просто так тебя навещать, — отшутился он.

— Тогда будешь за мной ухаживать, — решительно объявила Настя. — Иди в кухню, сделай чай и бутерброды и принеси сюда пепельницу и сигареты. Да, и зажигалку не забудь.

— Ну ты нахалка, — протянул Селуянов. — Ты даже не знаешь, с чем я приехал, а уже раскомандовалась. Может, моя маленькая корысть не стоит таких гигантских ухаживаний.

— Ради маленькой корысти ты бы не потащился в такую даль. Что, не так?

— Так, — признался он. — Больно ты хитрая, Каменская.

Чай у Селуянова получился, на Настин вкус, слишком крепким и терпким, и ей пришлось доводить его до кондиции при помощи кипятка и лимона.

— Как ты можешь пить такую гадость? — удивлялся Коля. — Пить надо чифирь, а не такие вот помои, как у тебя.

— Знаешь, какая между нами разница? — парировала Настя. — Ты пьешь такой чай, чтобы быть в тонусе, а я пью такой, чтобы мне было вкусно. Рассказывай, с чем приехал, не томись.

Она внимательно слушала рассказ Селуянова о ежедневнике Галины Васильевны Аничковой и о вырванном из него листке. О том, что ежедневник следователь должен был отправить на экспертизу, но совершенно не факт, что он это сделал, а даже если и сделал, то неизвестно, когда будет готово заключение. О том, что Селуянов вдвоем с самым толковым своим опером подрабатывал версию о причастности племянника убитой к истории с листком. Для начала были получены сведения о том, что у племянничка за несколько дней до гибели Аничковой завелись денежки. Не бог весть какие, но все же. И на вопросы о происхождении этих денежек он кривил хитрую рожу и многозначительно подмигивал, но ничего внятного своим дружкам-собутыльникам так и не рассказал.

Получив такую информацию, сыщики взялись за племянника всерьез. Он, не будучи гигантом мысли, раскололся довольно быстро, всего-то часа через два, и поведал, что дней примерно за десять до убийства (более точно он не помнит, поскольку периодически бывает сильно пьян) ему позвонили и предложили заработать довольно привлекательную сумму, для чего нужно было всего-то навсего выдрать из теткиного ежедневника один листик. Листик следовало отнести в дом на соседней улице, зайти во второй подъезд, подняться на третий этаж и засунуть за батарею. Если все будет выполнено как надо, на следующий день в этом же самом месте он найдет конверт с гонораром. Он особо долго не торговался, дело-то и впрямь ерундовое, никакого риска, даже если и обманут с гонораром, так не жалко. Но его не обманули. Вот такая история.

— Жильцов проверил? — спросила Настя.

— Я тоже об этом подумал, — вздохнул Селуянов. — Если ему велели идти в конкретный дом и в конкретный подъезд, то человек, который его туда посылает, знает код, стало быть, либо он там живет, либо бывает, в гости заходит или по службе. Вкусная версия, привлекательная. Но обломался я. На этом подъезде кодовый замок сломан уже полгода, и никто его чинить не собирается. Организация, которая его устанавливала и должна ремонтировать, уже несколько месяцев не получает от жильцов плату, потому и не чешется с починкой.

— А звонил племяннику кто, мужчина или женщина?

— Мужчина.

— И?..

— Ничего. То есть, может быть, что-то и было в его голосе или манере говорить, но этот идиот разве запомнит? Он только цены на спиртное помнит, все остальное мимо пролетает.

— Получается, что убийство было не спонтанным, к нему готовились и понимали, что во время следствия будут изучаться все бумаги убитой. Преступнику нужно было уничтожить сведения о своем знакомстве с Аничковой.

— Угу, — подхватил Коля. — И племянник к этому

убийству никаким боком не причастен. Так я, собственно, чего хотел-то...

— И чего же? Давай выкладывай, я сегодня добрая.

«Я добрая, — повторила про себя Настя, — я готова помогать Коле и думать о его проблемах, чтобы занять голову и заглушить тоненький нудный голосок ноющей ранки. Я готова думать о чужих проблемах, чтобы не думать о своих. Ах, до чего ж ты лукава, Каменская!»

— Вот тут я тебе ксерокопию ежедневника привез. Посмотри, может, что увидишь.

— И что ты хочешь, чтобы я увидела?

— Ася, ну я не знаю! Ежедневник — отражение повседневной жизни человека, он может рассказать очень интересные вещи. Будто ты сама не понимаешь! Мы с утра до ночи опрашиваем друзей и знакомых Аничковой, но одно дело слова, а другое — документ, бумажка. Ты не думай, я не рассчитываю, что ты мне отсюда фамилию убийцы выудишь, этой фамилии здесь нет, то есть она была, но теперь нет. Но образ жизни, круг клиентов, периодичность посещения парикмахерской — да мало ли что! У меня времени нет, да и терпения не хватит, следователю вообще неохота лишние телодвижения производить, если ты не сделаешь, то этого не сделает больше никто. А сделать надо, если по уму.

— Ладно, уговорил, — Настя улыбнулась. — Люблю я это дело — в бумажках копаться и информацию выуживать. Жить бы мне так вот, как сейчас, на работу не ходить, начальства не видеть, только чужие ежедневники анализировать, сведения какие-нибудь или статистику. Мечта, а не жизнь.

Сердце сжалось и на мгновение остановилось, потом снова забилось ровно и неторопливо. А ранка заныла с новой силой, да так, что даже Селуянов заметил.

— Ты чего помрачнела? — с тревогой спросил он. — Я тебя нагрузил работой, а тебе не хочется? Так ты скажи, я не в претензии, я ж понимаю, ты болеешь и вообще... Ты не обязана, это не твое преступление...

— Коля, перестань. Что ты выдумал? Я с удовольствием сделаю все, что могу. Не обещаю, что будет толк какой-нибудь, но обещаю, что буду работать честно, как для себя.

— Так я поеду? — неуверенно проговорил Селуянов. — Или в знак благодарности я должен еще за тобой поухаживать?

— Поезжай, — засмеялась она, — тоже еще ухажер нашелся. Только я тебя провожать не буду, сам оденешься, выйдешь на крылечко и дверь захлопнешь. Справишься?

Коля чмокнул ее в щеку, вышел в прихожую, оделся и снова заглянул в комнату:

— А ты когда сделаешь?

— Слушай, — возмутилась Настя, — ты наглеешь прямо на глазах. Когда сделаю, тогда позвоню.

— А позвонишь когда?

В глазах у Селуянова плясали чертики, но он хмурил брови и всем своим видом пытался изобразить неустанную заботу о благе человечества.

— Минут через пять. Позвоню тебе на мобильник и скажу все, что о тебе думаю. Устраивает?

— Вполне. Целую страстно, я поехал. Но не забудь, я жду твоего звонка.

Настя с улыбкой смотрела в сторону опустевшей прихожей. Ранка больше не болела. И Настя догадывалась, почему.

Глава 3

— Валерий Станиславович, — послышался из динамика голос секретарши, — звонит Анита Станиславовна. Соединить?

— Да, конечно.

Хорошо, что Анита позвонила, он все дни после возвращения из командировки собирался встретиться с ней, поговорить о Ларисе и задать несколько вопросов. Слова матери о том, что Анита, похоже, избегает его жену, не давали ему покоя, и Валерий хотел внести полную ясность, он вообще не терпел туманностей и недомолвок. Да, собирался, но так и не собрался договориться с сестрой о встрече, дела закрутили.

— Привет, сестрица, — с улыбкой проговорил он в трубку. — На ловца и зверь, как говорится. Только собрался тебе звонить, а ты тут как тут. У тебя все в порядке?

— Да. Но встретиться хотелось бы, давно не виделись.

— Так в чем проблема? Я сегодня планирую быть дома часов в девять, не позже. Мама будет рада.

— Как Лара? Работает?

— Да, сейчас у нее хороший период. Но к девяти она тоже придет, так что посидим все вместе. Договорились?

— Ты знаешь, у меня вечер занят, давай, может, днем пересечемся, а? Пообедаем вместе, поговорим.

Так и есть, узнав, что Ларка будет дома, она отказывается приходить в гости. Но, может быть, у нее действительно другие планы на вечер? Будь проклята эта неопределенность! Надо все прояснить как можно скорее, нечего тянуть.

— Идет, — решительно ответил Риттер. — Где?

— Давай в «Ностальжи», мне нужно по делам в район Чистых прудов, часа в два я как раз освобожусь. Годится?

— Годится, — подтвердил он, — в два в «Ностальжи».

До половины второго Валерий успел провести два совещания и переделал кучу мелких дел, запланированных еще накануне. Позвонил Ларисе в мастерскую, но никто не ответил. Мобильник тоже не отвечал. Так бывало, когда она работала в угаре, ничего не слыша и ни на что не отвлекаясь. Никакого беспокойства у Валерия молчащие телефоны не вызвали. Даже хорошо, что жена не подходит к телефону, значит, творческий процесс в разгаре.

Ровно в два он вошел в ресторан, где бывал часто, и занял свой любимый стол возле окна. Аниты еще не было, Валерий заказал свежевыжатый сок, для себя — апельсиновый, для Аниты — морковно-яблочный, он знал вкусы своей сестры.

Анита опоздала всего на десять минут, что, с учетом московских дорожных пробок, можно было считать королевской точностью. Глядя на нее, Валерий, как всегда, подумал об их поразительном несходстве. Ведь они — дети одного отца, только матери разные, но и Зоя Петровна, и Нина в молодости были писаными красавицами. Почему же Анита обладает такой потрясающей внешностью, над которой, кажется, время не властно, а он, Валерий, похож на орангутанга? По крайней мере, именно таким он видел себя в зеркале и полагал, что точно таким же должно быть и восприятие его со стороны. Он не комплексовал по поводу своей внешности, боже упаси, у него вообще не было комплексов. Он просто знал о себе, что коренаст, широкоплеч, нескладен, некрасив, и его звероподобность лишь чуть-чуть камуфлируют дорогие стильные костюмы, сшитые на заказ и подогнанные под особенности его фигуры. Ни малейшего неудобства в жизни от этого он не испытывал, принимал себя таким, каков есть, но не переставал удивляться причудам генетики. Анита, с ее тонкой талией, красивыми ногами, изящными плечами, длинной шеей и без единого седого волоса на голове, никак не могла быть его единокровной старшей сестрой. Но тем не менее была. Она на двенадцать лет старше, а он рядом с ней чувствует себя стариком, особенно когда они вместе проходят мимо зеркала.

— Я заказал тебе сок, — сообщил Валерий, — морковно-яблочный. Правильно?

— Спасибо, — коротко ответила Анита.

Она выглядела озабоченной, даже встревоженной. Наверное, она предложила пообедать вместе не только потому, что давно не виделась с братом. Тут что-то еще. Возможно, то же, что и у него самого?

— Ты чем-то расстроена? — заботливо спросил Риттер. — У тебя проблемы?

Анита отвела взгляд в сторону, и у него в душе шевельнулось нехорошее предчувствие. Но Валерий не стал торопить сестру, терпеливо дожидаясь, пока она сама заговорит.

— Я в воскресенье виделась с Любашей, — наконец начала она. — Бабушке исполнилось девяносто, мы всей семьей собирались. Она сказала, что встречалась с тобой накануне и что ты показался ей...

Анита замялась, подыскивая слова.

— Каким? — спокойно спросил Риттер. — Что тебе сказала Люба?

— Ты показался ей неадекватным. Не слушал ее, отвечал невпопад. Валерий, я понимаю, у тебя тяжелая ситуация с женой, Лариса постоянно выбивает тебя из колеи, ты нервничаешь. Это уже заметила Любаша, а завтра это заметят твои сотрудники и партнеры, потом клиенты. С этим нужно что-то делать. У тебя бизнес, Валерий, ты не можешь не обращать внимания на то, какое впечатление ты производишь. Ты меня понимаешь?

— Нет, — холодно ответил он.

Да, он с теплотой относился к Аните, был благодарен ей за душевное мужество, с которым она подошла к нему на похоронах отца и сказала, что на свете остается все меньше и меньше родных людей и если отец когда-то сам, никого не спросив, решил, что у брата не должно быть сестры, а у сестры — брата, то ведь никто не обязан это решение исполнять. Спасибо Аните, он ценит ее мудрость и прочие человеческие достоинства, но Валерий Риттер никогда и никому не позволял вмешиваться в свои дела. Ни матери, ни жене, ни тем более сестре.

— Нет, — повторил он, — я не понимаю, что ты имеешь в виду и к чему завела этот разговор.

— К тому, что Ларису нужно лечить. Нужно признать, что она больна, показать ее врачам и лечить, а не скрывать свою беду ото всех, вплоть до домработницы. Если ты будешь скрывать от всех, что твоя жена — наркоманка, ты ничему не поможешь, тем более ей, ты только загонишь проблему в подполье. Сегодня эта проблема проявляется в том, что ты неадекватен с собеседниками, а что будет завтра? Наркомания имеет обыкновение усугубляться, скрывать ее станет с каждым месяцем все труднее и труднее, и что в этой ситуации будет с тобой и с твоим бизнесом?

— Это не должно тебя беспокоить, — ровным голосом ответил Валерий. — С этим я как-нибудь справлюсь. Если ты имеешь в виду мое плохое настроение во время встречи с Любой, то Ларкина наркомания не имеет к этому никакого отношения.

— А что имеет? — Голос Аниты из менторски-увещевательного сразу стал мягким и заботливым. — У тебя что-то случилось? Ну не молчи же, скажи, в чем дело.

— Я хотел тебя спросить, — медленно начал Риттер, — мне показалось или ты действительно избегаешь встречаться с Ларисой?

— Я?

Глаза у нее забегали, потом нашли точку на хлебной тарелочке и остановились на ней.

— С чего ты взял?

— Повторяю вопрос: мне показалось или это действительно так? Я пока не спрашиваю, почему, я только хочу знать: да или нет. Да? Или нет?

— Ну... в целом...

Голос Аниты подрагивает, взгляд не отрывается от тарелки с сиротливым кусочком белого хлеба. Значит, да.

— Хорошо, — он удовлетворенно кивнул. — Теперь я

спрошу: почему? Что между вами произошло? Она чем-то обидела тебя?

— Ну что ты, — Анита оторвала глаза от хлеба и перевела их на стакан с недопитым соком. — Чем она может меня обидеть?

— Она украла у тебя деньги?

— Деньги? — Удивление сестры показалось Риттеру совершенно искренним, и он на мгновение успокоился. Его жена не воровка, уже хорошо.

— Ну да. Знаешь, наркоманы часто этим балуются, воруют деньги у своих же близких, когда им на дозу не хватает.

— Нет, что ты, у меня Лариса ничего не украла. Может быть, у других, не знаю... Но не у меня. Во всяком случае, я ничего такого не замечала.

— Тогда почему ты избегаешь ее?

Анита вздохнула, подняла голову и посмотрела прямо на брата.

— Потому что мне неприятно. Потому что я не выношу наркоманов. Потому что это оскорбляет мое человеческое достоинство. Ты удивлен? Между нами всего двенадцать лет разницы, но эти двенадцать лет пришлись на такой период, что стали равны жизни двух поколений. Для тебя наркоман такой же человек, как и ты, только достойный жалости и сочувствия. Мы с тобой воспитывались на разных ценностях и впитали в себя разные представления. Для меня наркоман — это безвольное и бессмысленное животное, недостойное доброго слова. Для тебя наркомания — это болезнь, для меня — порок души. Я никоим образом не критикую твое мировоззрение и твое отношение к Ларисе, я его принимаю и уважаю, я только прошу тебя принять и уважать мою точку зрения. Мне неприятно ее видеть. Я готова любить ее заочно, потому что она твоя жена, но не заставляй меня общаться с ней.

— Понятно, — сухо ответил Риттер. — Я приму к сведению то, что ты сказала, и буду с уважением относиться к твоим чувствам. Я только не понимаю: эти чувства что, возникли совсем недавно? Раньше ты прекрасно общалась с Ларой.

— Я терпела, сколько могла, — призналась Анита печально. — Но любому терпению приходит конец. И я еще раз прошу тебя, Валерий, подумай о том, как лечить Ларису, а не о том, как бы половчее скрывать ее наркоманию от общественности.

— Прошу тебя не вмешиваться в это. Десерт закажем?

— Мне не нужно. Себе закажи, если хочешь.

Сладкого он не хотел, а Анита вообще никогда, сколько он помнил, десерт не заказывала, она питалась строго по науке, берегла здоровье и фигуру.

Он помог ей надеть пальто, придержал перед сестрой дверь, ведущую на улицу.

— Где твоя машина? — спросил он, оглядываясь в поисках знакомого темно-синего «Фольксвагена». Его собственный джип «Тойота» стоял прямо перед входом.

— На Мясницкой, возле метро. Там же нет левого поворота, я и подумала, что пешком дойду быстрее, чем в объезд доберусь. Ты сам знаешь, какие всюду пробки.

— Пойдем, я провожу тебя до машины, заодно и прогуляюсь.

Он лукавил. Здесь, неподалеку, в одном из переулков находилась мастерская Ларисы. Да, Аниту можно понять, в периоды «этого» Ларка совершенно невыносима, и только сильно любящий человек в состоянии не раздражаться и не приходить в бешенство от ее поведения. Но когда она в норме, когда вдохновенно и увлеченно работает, она становится просто замечательной. Нежной, доброй, веселой, остроумной, такой яркой и живой, что в нее невозможно не влюбиться. Наверное, Аните просто не повезло, она чаще видела его жену в измененном состоянии, чем в нормальном, и не может оценить ее истинное очарование и прелестную непосредственность, которые в свое время так подкупили его самого. Сейчас Ларка именно такая, а увлеченность работой, он знал, придает ей еще больше привлекательности. Вот бы уговорить Аниту зайти в мастерскую! Он уверен, она сразу же изменила бы свое мнение о его жене.

Но как предложить ей зайти к Ларисе после такого разговора?

Они молча шли в сторону метро «Чистые пруды», водитель Риттера, он же охранник, оставил машину и двигался следом, держась в нескольких метрах позади. Риттер лихорадочно перебирал в уме всевозможные варианты, как затащить Аниту в мастерскую.

Внезапно он заметил, что сестра прихрамывает. Причем с каждым шагом все больше и больше.

— Что с тобой? Нога болит?

— Да нет, мозоли натерла, — с досадой скривилась Анита. — Надела сегодня новые ботинки. Черт, еле иду. Надо пластырь купить и заклеить ноги, только вопрос, где это сделать.

— Как — где? В аптеке. Ты что, не знаешь, где пластыри продают?

— Где продают пластыри, я знаю, — усмехнулась Анита, — я не знаю, где можно раздеться.

— Зачем тебе раздеваться?

— Валерий, знаешь, чем мальчики отличаются от девочек? — Теперь Анита шла совсем медленно, стараясь уменьшить боль. — Не тем, о чем ты подумал. Мальчикам, чтобы заклеить мозоль, достаточно снять ботинок и носок. А девочкам нужно снимать брюки и колготки. В условиях бульварной скамеечки это довольно проблематично.

— Так давай зайдем к Ларке в мастерскую, — обрадовался он неожиданной удаче, которая сама приплыла в руки. — Это здесь рядом, вон в том переулке. У нее и пластырь наверняка найдется, в аптеку идти не нужно. Заодно посмотришь, где она работает, ты же ни разу у нее не была.

Анита остановилась, в задумчивости глядя на блестящие узконосые ботинки, спрятавшие в своем кожаном нутре источник невыносимой боли. Потом нехотя кивнула:

— Ладно, давай зайдем. Выхода другого я не вижу. Только я прошу тебя, Валерий, мы заходим ровно на три минуты, я иду в ванную, или что там у нее есть, заклеиваю ноги, и мы сразу же уходим. Никаких чаепитий, никаких посиделок с разговорами. Не жди, что я буду любезничать с Ларисой. И не обижайся. Хорошо?

— Господи, да какие чаепития! — он широко улыбнулся. — Ты не представляешь себе, что такое Ларка, когда она работает как бешеная. Она даже не заметит, что мы с тобой пришли.

И снова он лукавил. Конечно же, Лариса заметит, что они пришли, не сможет не заметить, ведь ей придется открыть им дверь. Правда, у него есть ключи от мастерской; когда жена балуется наркотиками, надо иметь ключи от всех помещений, где она может находиться, а то мало ли что... Но сейчас Лара в полном порядке, она будет так искренне рада мужу и Аните, что сестра растает. Обязательно растает, не устоит.

На удачу, тут и аптека подвернулась. Надо же, прямо рядом с домом, где находится мастерская, а он и не замечал. Валерий, оставив сестру стоять на улице, заскочил внутрь, купил упаковку немецких пластырей разного размера. Ну вот, еще несколько шагов — и они в подъезде. Охранник успел обогнать их и проверить лестничный пролет между входом и лифтом. Лифт поднял их на самый верхний этаж, охранник остался внизу, так было заведено. Риттер энергично надавил на кнопку звонка.

Никто не открывал. Он позвонил еще раз.

— Ее нет, наверное, — неуверенно произнесла Анита. — Зря тащились.

— Должна быть здесь, — он не терял уверенности. — Хотя, может быть, выскочила куда-нибудь пообедать, она обычно бегает к метро, в «Макдоналдс». Если так, то минут через десять-пятнадцать вернется.

— Так что ж нам, на лестнице ждать? — сердито спросила сестра. — Пошли отсюда, Валерий. Проводи меня до машины, а там уж я как-нибудь доеду до дома. В крайнем случае сниму ботинки и буду босиком на педали жать.

— Не нужно безумных жертв, — он усмехнулся, — у меня есть ключи.

Он достал из портфеля дорогой кожаный футлярчик для ключей, открыл «молнию», вставил ключ в замок, повернул два раза. Дверь бесшумно открылась. Тишина. Первым, что бросилось ему в глаза, было пальто Ларисы, висящее на вешалке среди других вещей. Именно в этом пальто она уходила сегодня из дома. Здесь же на полу стояли ее сапожки. Она что, раздетая ушла обедать? Впрочем, с нее станется, когда она в творческой лихорадке, то может забыть и одеться, и запереть дверь, и выключить свет, и прийти домой ночевать.

— Лара! — громко крикнул Риттер. — Эй, откликнись, художница!

Никто не отозвался. Валерий быстро прошел вперед и замер. На широкой лежанке в дальнем углу просторного, залитого светом помещения лежали, очень недвусмысленно обнявшись, две женщины. Женщины были голыми и до пояса прикрыты одеялом. Они сладко спали.

Он словно прирос к месту. Потом с усилием оторвал ноги от пола и подошел поближе. Одна из спящих — Лариса, вторую он никогда прежде не видел. В памяти сразу, накладываясь друг на друга, всплыли и завертелись в круговороте слова матери и собственные ощущения.

Ларисе звонят какие-то женщины и не называют своего имени...

У нее появились новые подружки, кажется, довольно вульгарные...

Анита стала избегать встречаться с Ларисой...

Анита, такая красивая и молодая...

Он обернулся и увидел сестру, бледную и напряженную. Она стояла почти рядом с ним, а он и не услышал, как она подошла. Анита стояла босиком. Валерий молча крепко схватил ее за руку и потащил к входной двери. Так же молча показал ей дверь, ведущую в совмещенный санузел, и протянул упаковку с пластырем. Те несколько минут, которые понадобились Аните, чтобы раздеться, заклеить мозоли и снова одеться, показались ему несколькими часами. Он не мог больше находиться здесь.

Валерий Риттер не мог бы точно сказать, что он в этот момент чувствовал, обиду ли, злость, ненависть, жалость к жене-наркоманке, ревность, отчаяние или что-то другое. Он разберется в этом потом. Сейчас же главное — не сорваться, не потерять самообладания, не начать кричать и крушить все вокруг. Нужно дождаться Аниту и тихонько уйти. Вернуться на работу, запереться в своем кабинете и подумать. Только бы не сорваться, только бы удержать себя...

Наконец дверь ванной открылась. Анита, словно понимая, что творится с ее братом, прошла осторожненько, на цыпочках, быстро надела ботинки и шагнула к выходу. Ну вот, еще чуть-чуть, аккуратно притворить дверь, запереть замок, вызвать лифт. Снова дверь, кнопка, движение вниз. Дверь. Лестница. Еще одна дверь — на улицу.

Все. Можно вобрать в себя побольше воздуха и расслабиться. Здесь он уже ничего крушить не сможет, даже если и захочет.

Анита молча шла рядом, она так и не произнесла ни слова, пока они не дошли до метро, где стояла ее машина. И только тут Валерий нашел в себе силы заговорить.

— Ты не удивлена, — горько констатировал он.

— Нет, — тихо ответила сестра.

— Ты знала, — он снова утверждал, а не спрашивал. Анита кивнула.

— И поэтому ты перестала бывать у нас, когда Ларка дома.

— Да, поэтому.

— Она приставала к тебе?

На этот раз в его интонации прозвучал некий намек на вопрос.

— Валерий... Скажем так, она делала мне предложения, от которых я смогла отказаться, но после которых не могу смотреть на нее и разговаривать с ней.

— Предложения? Их было несколько? — уточнил Риттер, который во всем добивался полной определенности и ясности.

— Да. Это случалось три или четыре раза, после чего я решила, что с меня довольно. Прости меня. Я не хотела, чтобы ты узнал, поэтому не говорила тебе. С тебя и без этого достаточно.

Анита уехала, а Риттер быстрым шагом вернулся к ресторану, где оставил машину, спиной ощущая маячащего сзади охранника. Парень вышколенный, слова лишнего не скажет, а о том, чтобы вопросы задавать, и речи быть не может.

То, что Ларка наркоманка, еще можно было скрывать, во всяком случае, ему это пока удавалось. Он не обращался к врачам, потому что не хотел огласки, это могло бы сильно повредить делу раскрутки жены, тем более в Европе, где на наркоманию больше не смотрели как на милую шалость представителей богемы. Да и что толку в лечении, если человек сам не стремится избавиться от зависимости.

Но теперь выяснилось, что Лариса еще и лесбиянка. В сочетании с наркоманией это может дать убойный эффект, и огласка практически неминуема, ведь наркоман не может быть осторожен и осмотрителен в выборе партнеров для секса. Тогда больше не будет никакого смысла вкладывать силы и деньги в то, чтобы привлечь внимание к Ларкиному творчеству, ее имидж будет бесповоротно разрушен и искалечен. Художников-наркоманов пруд пруди, и никого уже давно не удивишь воплощенными на холсте глюками. Ларкино художественное своеобразие, которое сегодня усилиями Риттера подается как свежесть юности и неординарность взгляда на окружающий мир, завтра станет выглядеть как рядовое «глючество», которого на любой выставке и в любом салоне более чем достаточно. А ведь сколько сил и денег потрачено! И получается, что все впустую...

Нужно все обдумать и принять какое-то решение. Либо плюнуть на Ларкину славу и попробовать ее вылечить, либо... Ладно, не нужно спешить, нужно как следует подумать и все просчитать.

* * *

Заместитель начальника отдела МУРа по борьбе с тяжкими насильственными преступлениями Юрий Викторович Коротков был наполовину холост и наполовину бездомен. Уйдя от жены, он так и не оформил развод, а так как собственного жилья у него не было и снять, а тем более купить, его было не на что, кочевал по временно свободным квартирам друзей и знакомых. Одно время он даже жил у Насти Каменской, пока Чистяков был в длительной командировке, потом осел на служебной квартире приятеля, который проживал у жены, потом, когда приятель сменил место работы и квартиру у него отобрали, перебрался в другое место, снимал у каких-то родственников каких-то знакомых комнату в коммуналке за чисто символическую плату, но и это пристанище вот-вот должно было уплыть из рук: коммуналку собрались расселять и делать из нее современную трехкомнатную квартиру.

Он мог бы развестись наконец и жениться на Ирке, Ирине Савенич, в которую влюбился еще прошлым летом и так и не вышел до сих пор из состояния нежного восторга. Жениться и жить с ней в ее квартире, покончив со скитаниями по чужим углам. Да, развестись он, конечно, мог, но вот жениться... Юре казалось, что в его нынешнем положении любая женитьба будет непременно рассматриваться как корыстный шаг с целью приобретения жилплощади. Ни за что на свете не хотел бы он, чтобы кто-нибудь, а тем более Ира, мог подумать, что он женится не на женщине, а на квартире. А поскольку собственное жилье у него не появится никогда, то и брачных перспектив их отношения не имели.

Каменская регулярно вела с ним долгие беседы с целью прочистки мозгов, втолковывала, что нельзя ставить свои чувства в зависимость от общественного мнения, которое далеко не всегда бывает справедливым, что никто ничего плохого о Юре не подумает, и вообще, если ты любишь женщину и имеешь возможность на ней жениться, то нужно это сделать и не обращать внимания на то, кто и что будет по данному поводу говорить. Настя придумывала разные аргументы, пыталась выстроить в своих рассуждениях доступную Юриному характеру логику, но все было пока без толку.

— Я женюсь на ней, только если она сама будет об этом просить, — упрямо твердил он.

— А она не попросит, я ее знаю, — возражала Настя. — Она будет ждать, пока ты предложишь ей выйти за тебя замуж.

— А я буду ждать, пока она сама попросит. Иначе я буду выглядеть как альфонс: бесперспективный и бездомный нищий мент позарился на красивую актрису с квартирой, машиной и гонорарами.

Сдвинуть его с этих позиций Насте оказалось не под силу. Она даже подумывала о том, чтобы поговорить с Ириной, но что-то ее удерживало. Что-то в этом решении казалось ей неправильным, и она его так и не осуществила.

В это утро он проснулся не от треска будильника, а от

прикосновения Ириной руки, ласково дергающей его за волосы.

— Юра, Юр, у тебя мобильник надрывается. Ну Юра же!

Не открывая глаз, он выпростал из-под одеяла руку, в которую Ира тут же вложила надсадно звенящий аппарат.

— Слушаю, Коротков. — Он постарался, чтобы голос звучал не совсем уж сонно.

— Да не слушаешь ты ни хрена, а дрыхнешь.

Серега Зарубин, он сегодня в составе группы, дежурящей по городу. И чего звонит с утра пораньше? Наверняка ничего хорошего. Юра приоткрыл один глаз и покосился на часы: половина седьмого. Уроды. Садисты.

— Не завидуй начальнику, — проворчал он, — через три часа сдашь дежурство и тоже будешь дрыхнуть.

— Это вряд ли. Мы тут место происшествия осматриваем.

— Ну и?

— Да все бы ничего, но убитая дамочка имеет фамилию Халипова. Юлия Халипова. Сечешь фишку?

— Это которая «Уйти и не вернуться»?

— Она самая, — подтвердил Зарубин.

— А это точно она? Может, однофамилица?

— Слушай, начальник, у нее, кроме документов, еще и лицо есть.

— Тьфу ты господи! Теперь точно на нас повесят.

— Вот и я о том же. Так что, может, тебе имеет смысл самому сразу подключиться, пока мы тут топчемся? Время хорошее, начальства никакого нет, все спят, так что все, что они могут испортить, пока еще можно спасти.

— Говори адрес.

Юра спустил ноги с дивана и потянулся за ручкой и бумагой. Под рукой не оказалось ничего, кроме инструкции по применению каких-то таблеток для похудания, которые постоянно принимала Ирина, исступленно пытаясь бороться с лишним весом. Коротков жалобно вздохнул и стал записывать на свободном поле то, что диктовал ему Зарубин.

Инструкцию он сунул в карман джинсов, закутался в короткий махровый халат с капюшоном — подарок Иры на день рождения — и побрел в ванную. Из кухни тянуло головокружительными запахами яичницы с ветчиной и помидорами и свежесваренного кофе. И чего Ирка в такую рань поднялась? Уже и завтрак приготовить успела. И съела его, наверное. Ах да, она вчера говорила, что у нее с утра съемка на натуре, в восемь утра, и не позже половины восьмого она должна быть на гриме.

На гриме, на гриме... Съемка, говорите? В кино, говорите, снимаетесь? Это кстати.

— Ириша! — заголосил он из ванной, выдавливая зубную пасту из тюбика. — Можно тебя на минутку?

И как это некоторые женщины ухитряются быть с самого утра такими красивыми? Уму непостижимо! В первые десять минут после пробуждения Коротков не мог без отвращения смотреть на себя в зеркало. Старый, помятый, слипшиеся волосы торчат во все стороны и выглядят так, словно их месяц не мыли, хотя мыли только вчера, он вообще моет голову каждое утро, когда душ принимает. А Ирка — как цветочек, щеки гладкие, розовые, глаза сверкают, кудри вьются, полные губы улыбаются, и вся она такая... такая... ну просто слов нет выразить, какая она.

— Ириша, ты знаешь Юлию Халипову?

— Юлю? Конечно. А что? Что-то случилось? — встревоженно заговорила она. — Тебе насчет нее только что звонили, да? Ее обокрали? Ограбили?

— Ты только не волнуйся. — Коротков уже пожалел, что начал разговор так неловко, с места в карьер. Сейчас дорога каждая минута, нужно как можно больше узнать о потерпевшей, а Ирка разволнуется, расплачется. Ну да что ж теперь делать, слово не воробей, вылетело — и пусть себе летит. Может, долетит в конце концов. — Иришенька, у меня плохие новости. Похоже, с Халиповой случилась беда. Я сейчас поеду разбираться, а ты, пока я умываюсь и завтракаю, расскажи все, что знаешь о ней, ладненько?

— К-какая б-беда? — запинаясь от ужасного предчувствия, спросила Ирина.

— Ну... беда... — неопределенно ответил он, засовывая зубную щетку в рот.

— Самая плохая? — Ирина говорила осторожно, будто пробуя каждое слово на ощупь.

Он молча кивнул, потому что членораздельно говорить все равно не мог, мешала щетка.

— Самая-самая? — зачем-то уточнила она.

Снова утвердительный кивок.

— О господи! Юлька... За что же? Она, конечно, дурная, шальная, но все-таки... А это точно? Не ошибка?

Мотание головой должно было выразить отрицание. Серега Зарубин в таких вещах не ошибается, у него зрительная память — будьте-нате!

— Какой ужас!

Коротков прополоскал рот и принялся за бритье.

— Ириша, я все понимаю, ты в шоке, но ты и меня пойми.

— Да-да, конечно, — торопливо откликнулась она. — Ты спрашивай, я все расскажу, что знаю. Правда, я знаю совсем немного, мы с ней не подруги и даже вместе никогда не снимались. Я могу поделиться с тобой только личными впечатлениями и сплетнями.

— Годится. Начинай, — подбодрил Коротков, размазывая по щекам и подбородку пену для бритья.

— Ну что... Юльку отчислили с третьего курса ВГИКа за прогулы и нарушение дисциплины. И как раз в этот момент она попалась на глаза самому Островскому, который тогда мучился с подбором актрисы для фильма «Смертельные гастроли». Помнишь?

— Фильм помню. А Халипову в нем не помню.

90

— Ну Катя же, молодая циркачка, ее там еще любовник бросил.

— А-а, тогда помню. Что-то она там на себя не похожа. Я бы и не догадался, что это она.

— Так грим же, Юра, и парик. Короче, на съемках все сразу поняли, почему ее из института выгнали. Истерики бесконечные, какие-то выходки, требования немыслимые. Но Островский на нее запал со страшной силой. Знаешь, седина в бороду и так далее. И после «Гастролей» взял ее на главную роль в «Уйти и не вернуться». А сериал, сам знаешь, страшная сила. Когда двадцать вечеров подряд на экране одно и то же лицо, его поневоле запомнят, даже если актер совсем бездарный. А Юлька все-таки если и не талантливая, то очень способная. Она действительно хорошая актриса, только характер отвратный. Ну а тем более в руках Островского... Он же гений, он из выключенного компьютера может роль создать, не то что из человека, тем более профессионально подготовленного. Ну пусть не в полной мере, но азы-то у нее есть. Про внешность я уже не говорю, Юлька необыкновенно хороша. Короче, после сериала она стала знаменитой. Во всяком случае, узнаваемой.

— Понял.

Коротков покончил с бритьем, залез в ванну, задернул занавеску, включил душ.

— Это все факты. Теперь давай сплетни и личные ощущения. Только погромче, а то у меня вода шумит.

Сплетен и личных ощущений оказалось еще меньше, чем фактов. Юлия Халипова прожила на свете всего двадцать три года и не успела как следует обрасти скандалами. Основной сплетней, которая даже и не могла рассматриваться в качестве таковой, поскольку все совершенно точно знали, что это правда, была ее любовная связь с кинорежиссером Островским, немолодым, очень известным и очень любимым публикой. Другая сплетня, никакими увесистыми фактами не подтвержденная, гласила, что Юлия

Халипова является любовницей не только Островского, но и какого-то криминального авторитета, который якобы заявил ей: дескать, с режиссером можешь крутить, поскольку он дает тебе работу и делает знаменитой, а незнаменитая актриса мне не нужна, но если появится кто-то еще, ноги у Юленьки будут оторваны, руки отрезаны, а от головы останутся только уши, и то в разрозненном виде. Откуда взялась такая сплетня, было совершенно непонятно, никто ничего точно сказать не мог, но все были уверены, что это именно так. Третья сплетня, являя собой разновидность предыдущей, гласила, что Юле покровительствует кто-то из высших государственных сфер в ранге министра или руководителя одного из думских комитетов, причем этот покровитель тесно связан с криминалом и имеет в своем распоряжении боевиков... далее по тексту, смотри сплетню номер два.

Из личных же ощущений Ирины Савенич следовало, что Юля Халипова была девушкой неуправляемой и непредсказуемой, могла в любой момент выкинуть любой фортель и позволить себе любую выходку. С детства привыкшая к поклонению собственной красоте, она искренне считала, что ей все дозволено и что правила, существующие для всех остальных, на нее не распространяются. Ей были неведомы такие понятия, как дисциплина, ответственность, обязанности, выполнение обещаний. Ей были безразличны чувства других людей, их желания и планы. Она делала только то, что хотела. И ни один режиссер, кроме самого Островского, не берет на себя риск ее снимать, понимая, что ее характер может поставить съемку под угрозу срыва. Собственно, этим и пользуется Островский, постоянно давая ей понять, что если она уйдет от него, то кончится как актриса, ибо никто другой ни на одну картину ее не возьмет. А уж если она от него уйдет, то он, само собой, снимать ее тоже не будет. Очень надо. До тех же пор, пока она с ним, ей гарантированы роли, пусть не всегда главные, но всегда достойные как по содержанию, так и по объему экранного времени.

Последние слова Ирина договаривала, одеваясь, а Коротков слушал, быстро доедая яичницу и запивая ее кофе.

Ровно в семь утра они вышли из дома, поцеловались на прощание, договорились увидеться вечером, сели каждый в свою машину, Коротков — в доисторические «Жигули», Ирина — в «Форд Эскорт», и разъехались по местам работы.

* * *

Едва войдя в приемную, Чуйков окунулся в плотный запах сердечных капель, не то корвалола, не то валокордина, он плохо разбирался, потому как сердечными недугами не страдал и лекарств не принимал. Секретарша Вера Филипповна, пятидесятилетняя энергичная дама, всегда собранная и деловитая, сидела, против обыкновения, не за рабочим столом, а в кресле для посетителей и дрожащими руками пыталась привести в порядок покрытое красными пятнами лицо и подозрительно припухшие глаза.

— Доброе утро, Вера Филипповна, — весело поздоровался Чуйков. — По какому поводу страдаете?

Он догадывался, из-за чего его преданная помощница впала в такое горе. Так и оказалось.

— Да что же это такое, Игорь Васильевич, — запричитала она, — как же им не стыдно? Так нас оболгать, так оболгать! Ведь уму непостижимо!

— Вы о статье? — небрежно спросил Чуйков, снимая плащ и вешая его в шкаф. — Не обращайте внимания, дорогая Вера Филипповна, собака лает — караван идет. Пусть пишут что хотят.

— Но как же так? — не унималась она. — Ведь там же все неправда! Все от первого до последнего слова.

— Ну, не надо передергивать, — Чуйков постарался добавить в голос нечто похожее на отеческое увещевание,

93

хотя Вера Филипповна была по меньшей мере лет на десять старше его. — Название нашей фирмы указано правильно, и имя генерального директора и его заместителей тоже. Так что кое-какая правда в публикации имеется. Давайте-ка лучше чайку выпьем, с утра так промозгло на улице, что я даже в машине не согрелся. И не смейте расстраиваться из-за этой ерунды.

Вера Филипповна, всхлипывая, принялась хлопотать над чайником, Чуйков же прошел в свой кабинет, оставив дверь открытой, чтобы слышать все, что будет происходить в приемной, и начал бессмысленно и нервно перекладывать бумаги на столе. Ну вот, полдела сделано, статья все-таки появилась, как и обещала красавица Ксения. И как быстро! Всего неделя прошла.

Статью Чуйков прочитал с самого утра, жена всегда покупала газеты рано утром, когда выходила гулять с собакой, и он, как и положено деловому человеку, изучал прессу за завтраком. Правда, он не был уверен, что так поступают все деловые люди и что это действительно «положено», просто с детства из западных кинофильмов он вынес именно такой образ бизнесмена.

Теперь нужно ждать, какая будет реакция. Интересно, уже началось или волна еще не докатилась? Сейчас половина одиннадцатого, по идее, многие должны были бы уже ознакомиться с мерзким пасквилем.

— Кто нам звонил с утра? — дружелюбно поинтересовался Игорь Васильевич, когда секретарша внесла в кабинет поднос с чаем, сахаром и лимоном. Она, кажется, сумела взять себя руки, по крайней мере, больше не всхлипывала.

— Сейчас доложу.

Вера Филипповна, поставив перед директором чай, вышла в приемную за блокнотом. Перечисление утренних звонков заняло немало времени, слушая помощницу, Чуйков попутно делал пометки в настольном органайзере, с удовлетворением отмечая, что ожидаемая им волна оказалась достаточной высоты и мощности. Скорость у нее была поистине крейсерская. Ежу понятно, что звонили все эти люди из-за статьи. Малая часть из них — с целью поддержать и ободрить: мол, мы ничему не верим и все равно будем иметь с тобой дело, основная масса — с вопросами о том, насколько правдива опубликованная информация. И еще одна часть, совсем небольшая, хотела изобразить по телефону гордый разворот на сто восемьдесят градусов, дескать, раз вы такие, то мы в вашей добропорядочности теперь сомневаемся и контракт с вами заключать не станем. Вот эта-то последняя часть звонков интересовала Чуйкова больше всего. На этих людей и была сделана ставка. От них с сегодняшнего дня зависит судьба фирмы «Практис-Плюс».

Теперь следует сделать ответные звонки деловым партнерам. В первую очередь — тем, которые хотят «развернуться». Нет, сам он звонить не станет, не мастер он переговоры вести. Тут нужна тонкость, умение маневрировать, владение голосом. Чуйков может все испортить, он неплохой бизнесмен, но переговорщик никудышный, знал Игорь Васильевич за собой такой дефект. Зато его заместитель Олег Ахалая в этом деле настоящий мастер. Вот Олег и займется.

Он снял трубку и нажал на аппарате кнопку вызова секретаря. Дверь в приемную по-прежнему оставалась открытой, но Чуйков этого якобы не замечал.

— Слушаю, Игорь Васильевич, — голос Веры Филипповны звучал одновременно из двух мест: из трубки и из приемной.

Это почему-то показалось Чуйкову забавным, и он непроизвольно хмыкнул. Настроение у него превосходное. А зря, между прочим, он хмыкает и демонстрирует свою беззаботность. По идее, расстраиваться бы надо. Олег, разумеется, в курсе, и другой заместитель тоже, но Вере-то совсем не обязательно догадываться об истинном положении дел.

— Олег Ревазович на месте? — сурово спросил он, пытаясь нахмурить брови и тем самым вогнать себя в нужный настрой.

— У себя.

— Попросите его зайти ко мне.

Вот так, официально. Вместо того чтобы позвонить Олегу прямо в кабинет или на мобильник, вызываем через секретаря. Вера знает, что это признак неудовольствия: если директор вызывает заместителя через секретаря, то он сердится. А директор после такой публикации и должен сердиться, а как же иначе? Это он перед Верой Филипповной строит из себя стойкого и неунывающего, а на самом деле он в гневе. Вот так будет правильно.

Ахалая появился в кабинете Чуйкова буквально через минуту, у них общая приемная, от двери до двери — десять шагов. Прикрыл за собой дверь и одним гибким движением устроил себя в кресло по другую сторону стола.

— Ну что? Я так понимаю, что все сработало? — негромко спросил он, доставая сигареты. — Я с девяти утра на месте, телефон у Веры надрывался все утро. Меня тоже любопытствующие одолевают. Слушай, мне даже в день рождения столько людей не звонит! Вот вороньё! Чуют, где падалью пахнет.

— Похоже, сработало, тьфу-тьфу, чтоб не сглазить, — Чуйков постучал по деревянной столешнице. — Олег, я хочу, чтобы все ответственные звонки ты сделал сам. Боюсь запороть. Ты же знаешь мои способности.

Ахалая кивнул, выпустил сигаретный дым в потолок и понимающе улыбнулся.

— И кто нам уже позвонил по интересующему нас вопросу?

— Вот эти деятели, — Игорь Васильевич протянул заместителю листок. — Может, не все они собираются отказываться от нас, но если кто-то собирается, то нужно сделать так, чтобы не сорвалось. Ну что я тебе объясняю, ты сам все понимаешь, мы десять раз это обсуждали.

— Хорошо, я всем позвоню. А адвокат? Ты с ним уже связался?

— Пока нет. Не хочу, чтобы он что-нибудь заподозрил, чем меньше людей будет в курсе, тем лучше. Как только ты мне назовешь хотя бы один сорванный контракт, я тут же с ним свяжусь, начну рвать на себе волосы, возмущаться и требовать восстановления моего доброго имени и возмещения упущенной выгоды. А пока я буду тихо переживать из-за того, что нашу фирму злобно оклеветали.

— Тебе виднее, — Ахалая погасил сигарету в пепельнице, сунул в карман зажигалку и полученный от Чуйкова листок. — Пошел отзваниваться. А ты давай переживай, только не тихо, а громко, чтобы все знали.

Глава 4

Дождь моросил не переставая, он начался еще ночью, и сейчас, в три часа дня, Настя все еще слышала сухое потрескивание мелких водяных капель о стекла и жесть. Откладывать прогулку больше нет смысла, через час придет медсестра делать массаж, а потом начнет смеркаться. Не такая уж Настя Каменская бесстрашная, чтобы гулять в сумерках по лесу. Можно, конечно, идти не влево от дома, в лес, а вправо, в сторону других домов, но ей отчего-то не хотелось. Ее могут заметить, увидят новое лицо, начнут приставать с расспросами, кто такая, почему живет у Дюжина. Вступать в разговоры и заводить знакомства в ее планы не входит. Не то чтобы она скрывалась или пыталась сделать секрет из своего пребывания в Болотниках, вовсе нет, ведь весь медпункт и так знает о ней, и в магазине знают, сегодня уже по ее заказу привозили хлеб, джем и масло. Просто нет у нее настроения общаться с посторонними.

Решено, надо собирать ноги, палку и одежду в единое целое и нести это целое, вернее — тащить, на променад. Сегодня уже среда, пора прибавлять минуты и довести их количество до двадцати. Нога не сказать чтобы так уж быстро восстанавливалась, ей и пятнадцати минут хватало выше крыши, чтобы выжать из Настиных глаз слезы и заставить ее обливаться потом, но все-таки... Все-таки после того, как позавчера она вдруг поняла, в чем дело, ей показалось, что стало чуть полегче. Совсем чуть-чуть. Но ведь стало же. Или ей только показалось?

Капюшон, конечно, голову закрывал, но лицо от дождя все равно не спасал, порывы ветра размазывали влагу по щекам и губам, вода по подбородку и шее затекала под шарф, и в целом все было достаточно противно. Однако Настя терпеливо двигалась по тропинке в глубь леса, десять минут туда, десять — обратно, и думала о том, как справиться с проблемой. Да-да, с той самой.

Был в ее жизни еще один мужчина, о котором она не подумала, когда перебирала все возможные варианты. И как только она о нем вспомнила, то сперва ужасно удивилась, как же это она о нем забыла, ведь должна была подумать в первую очередь именно о нем, а потом сообразила, что в этом-то и есть суть головоломки. Потому и не вспомнила, что не хотела вспоминать. Потому и не вспомнила, что именно в нем, вернее, в отношениях с ним, состоит проблема, которую она тщательно задвинула в дальний уголок и теперь перед самой собой делает вид, что у нее все отлично, просто лучше не бывает.

Ее новый начальник Вячеслав Михайлович Афанасьев. Ее бывший сокурсник, троечник и прогульщик, мелкий спекулянт, любитель пива и футбола. Когда он сменил вышедшего на пенсию полковника Гордеева, Настя пришла в ужас: после мудрого и опытного Колобка попасть в подчинение к Афоне, которого она презирала и недолюбливала еще в студенческие времена и с которым после выпуска ни разу не встречалась.

И с первого же дня их совместной работы на Петровке она нового начальника невзлюбила. Более того, она не сочла нужным эту свою нелюбовь скрывать. И даже более того, она открыто сказала Афанасьеву, что хоть и будет работать под его руководством, но уважать его не будет никогда. И вот спрашивается теперь, зачем она это сделала? Чтобы потешить свое самолюбие, выплеснуть то, что думает, а потом гордиться собой: вот, мол, какая я крутая и смелая, не побоялась сказать правду начальнику? Господи, глупость какая! Никогда подобные мотивы ее действиями не руководили. Тогда зачем? Ведь понимала же, не могла не понимать, что с того момента ее работа в отделе, которым руководит Афоня, превратится в медленный, непрекращающийся ад. Что он будет ее ненавидеть и не будет знать, что с этим делать, потому что у него хватит ума не мстить ей за оскорбление. Но и простить ее он не сможет. А кто простил бы? С того дня подполковник Каменская вызывает у него только раздражение, является источником негативных эмоций, и из-за этого они не могут нормально общаться и обсуждать служебные вопросы. Афоня пытается, поелику возможно, игнорировать ее, а уж когда не удается, то между ними возникает такое напряжение, что можно снабжать электричеством весь Красноярский край. Или Хабаровский. В результате ровно половину служебного времени Настя думает о преступлениях, которые надо раскрывать, а вторую половину тратит на то, чтобы как-то исхитриться, извернуться и избежать прямого общения с начальником. Она перестала с радостью думать о работе и с удовольствием на нее приходить, как это было при Гордееве на протяжении полутора десятков лет их совместной службы. Минувшей весной она — неслыханное дело! — взяла больничный при первых же признаках простуды и честно отбыла дома все десять дней, в течение которых чуть покашливала да слегка сопливилась. Такое она позволила себе впервые в жизни, вот до чего на работу идти не хотелось. И нога болит, наверное, как раз потому, что ей смертельно не хочется возвращаться в свой кабинет и контактировать с Афоней. Не зря, ох, не зря сказала она Коле Селуянову, что работала бы, сидя дома и не встречаясь с начальством. Слова будто из подсознания вырвались, она проговорила их и поняла, что в этом и есть ее проблема. Она испортила отношения с Афанасьевым и теперь пытается, как страус, спрятать голову в песок, уклониться от общения с ним и придумать, как бы так устроиться, чтобы и работать продолжать, и на работу не ходить. А это не решение проблемы. Если отношения испорчены, нельзя делать вид, что их нет совсем. Надо признаться себе, что они плохие, и постараться понять, чего ты хочешь: чтобы они стали нормальными, чтобы так и оставались плохими или чтобы их не было вовсе. Хочешь, чтобы их не было, — напиши рапорт и уходи, никогда больше с этим человеком не встречайся и не общайся. Не уходишь? Тебя устраивают такие отношения? Да нет же, совершенно очевидно, что не устраивают, вон даже на такую любимую работу ходить не хочется. Стало быть, ты не хочешь, чтобы отношения оставались плохими. Тогда остается одно: ты хочешь, чтобы они стали нормальными. Может быть, ты сама себе не признаешься в том, что хочешь этого, но ведь другого-то пути нет, ты же только что сама эту формулу вывела: или нормально, или плохо, или никак. Получается, что путь у тебя, Каменская, только один. Ты отношения испортила, тебе и нужно их исправить. Но как? Как это сделать? Пойти повиниться, попросить прощения? Или ничего не говорить, а молча войти в кабинет с бутылкой и предложить выпить? Брр!

Настю даже передернуло от такой перспективы. Она вообще спиртное не любила и могла выпить только мартини, да и то крайне редко. С начальником же в виде жеста примирения пить придется водку или коньяк, сладкий легкий напиток здесь, как говорится, не проканает.

Ну зачем, зачем она была такой дурой? Зачем она сказала Афанасьеву, что он плохой человек и она его не уважает? Он что, спрашивал ее мнение? Спрашивал, что она думает о нем как о человеке и профессионале, уважает ли его? Нет, не спрашивал. Ее мнение его в тот момент совершенно не интересовало. Так зачем она полезла со своими высказываниями и оценками?

А кстати, интересно получается... Как там Дюжин говорил? Не делай, не говори и не думай ничего, если тебя об этом не просят... Ну точно, все так и получилось! Не спрашивают — не отвечай. Не просят высказать свое мнение — сиди и молчи в тряпочку. Странный, вообще-то, закон, но выходит, что правильный. Ладно, над законом она еще подумает потом, а сейчас ей важнее понять, что же двигало ею в тот роковой момент в кабинете начальника, если не стремление погордиться собственным бесстрашием.

Так, десять минут прошли, пора разворачиваться. «Разворачивайтесь в марше, словесной не место кляузе...» Да нет, насчет марша это она, пожалуй, хватила, до марша ее черепашье ползание пока не дотягивает. И насчет словесной кляузы тоже невпопад оказалось, сейчас ей нужно думать и мысленно проговаривать каждое пришедшее в голову соображение, чтобы не упустить чего-то важного.

Тогда, летом прошлого года, когда на место Гордеева пришел Афоня, Настя впервые всерьез задумалась о том, где ей работать: оставаться на Петровке в подчинении начальника, который ей глубоко неприятен, или уходить. Перспектива ухода казалась ей устрашающей, невероятной, невозможной, она видела себя только здесь, на этом месте, и была уверена, что ни на какой другой должности не приживется. Просто не выживет. На этой привычной и любимой работе есть привычные и любимые коллеги и привычная, давно сложившаяся Настя Каменская, при этом Настя, ее коллеги и работа друг другу соответствуют и сосуществуют в полной гармонии. Другая же работа, другая служебная и профессиональная ситуация будет требовать совсем другой Насти. Иными словами, ей, Каменской, придется в чем-то измениться, чем-то пожертвовать, что-то приобретать. Перемены ее страшили, она была уверена, что либо не сможет изменить себя и, соответственно, не сможет работать на другом месте, либо изменится и перестанет быть самой собой.

И вот в кабинете начальника Вячеслава Михайловича Афанасьева она дважды совершила поступок, совершенно ей несвойственный. Вышла за рамки служебных отношений и заявила Афоне, что в грош его не ставит, потому что он, во-первых, когда-то давно занимался спекуляцией и наживался на нищих студентах, в том числе и на ней, Каменской, при этом пользуясь на экзаменах составленными ею шпаргалками, а во-вторых, гоняется за громкими преступлениями, на раскрытии которых можно сделать карьеру, а если быстрого и эффектного раскрытия не получается, то преступление вообще перестает его интересовать, и он, вместо того чтобы налаживать и координировать работу сыщиков, дабы довести дело до конца, бросает все силы на работу по новому преступлению, при этом еще и навязывает подчиненным версии, которые кажутся ему наиболее красивыми и яркими с точки зрения «паблисити», и тормозит работу по всем остальным версиям. И за все за это она, доблестный подполковник милиции Анастасия Павловна Каменская, никогда уважать своего нового начальника не будет.

И все-таки интересно, зачем она все это ему сказала? Он что, сам не знает, что когда-то спекулировал, прогуливал занятия в университете, пользовался шпаргалками и получал еле-еле натянутые троечки, а потом делал карьеру всеми доступными ему средствами? Знает прекрасно. Он что, не знал, что Каменской об этом известно, и она открыла ему глаза? Нет, конечно.

Все, Каменская, до дома осталось метров десять, за эти десять метров ты должна, ты просто обязана проговорить все до конца, хватит уже прятаться за видимость непонимания и задавать себе один и тот же вопрос: зачем да зачем? Все ты прекрасно понимаешь, ты отлично знаешь, зачем ты это сделала. Ну, давай же, набери побольше воздуха в грудь, зажмурься и скажи правду. Лучше вслух.

— Я хотела попробовать сделать то, чего никогда раньше не делала. Я никогда не вступала в открытый конфликт с начальством. Я никогда не говорила посторонним людям неприятных, более того — оскорбительных вещей. Мне хотелось убедиться, что я могу, если нужно будет, стать другой, измениться, тогда перспектива ухода на другую работу перестанет так сильно меня пугать. Я стремилась получить подтверждение того, что сорок один год — еще не конец жизни, не последняя точка в формировании характера и мировоззрения, что я могу изменить себя, если захочу. Частично это стремление проявилось в том, что в тот период я начала учиться готовить. Частично — в том, что я натворила в кабинете начальника. Но кулинарные тренировки ничего, кроме пользы, не принесли, а вот с начальником картина совсем другая. У меня была проблема, моя собственная проблема: страх перемен. И решать я должна была ее только за свой счет. А я стала решать ее за счет Афони, я обидела и оскорбила его. Мы не встречались с ним двадцать лет, за эти двадцать лет он стал совершенно другим человеком, он наверняка раскрыл немало сложных преступлений, иначе не сделал бы карьеру в розыске. Это в аппаратной работе можно добиться постов и званий лестью и подхалимажем, ловкостью маневра и интригами, а в розыске важен результат, а не милая улыбка. И вообще, каким бы ни был Афоня, будь он хоть сто раз карьерист, какое право я имею его оскорблять? Кто я такая, чтобы оценивать его и судить? Я поступила примерно так же, как Раскольников у Достоевского, у того тоже была сугубо личная проблема: проверить, тварь ли он дрожащая или право имеет, и он эту проблему решил за счет старухи-процентщицы и ее беременной сестры. А вовсе не за счет внутреннего душевного и интеллектуального ресурса. Это неправильно. Более того, это гадко и недостойно. Я поступила плохо. И независимо от того, плохой или хороший человек мой начальник, я поступила отвратительно. По-детски, по-хулигански. Вот мальчишки бегают по лестнице и звонят во все двери, а потом прячутся. Мне тоже звонили, однажды я, помнится, жутко перепугалась, уж не помню, почему, какая там у меня была ситуация, но помню, что этот звонок в одиннадцать часов вечера вызвал у меня панику. Я уже лежала в постели, пришлось судорожно вскакивать, искать халат, я запуталась в тапочках, чуть не упала, с замиранием сердца открыла дверь, а там — никого. Господи, как я их ненавидела в тот момент, этих глупых мальчишек! А ведь они, в сущности, мало чем отличаются от меня. Им скучно, но это их внутренняя проблема, а они развлекают себя за счет беспокойства и нервирования совершенно посторонних людей.

Все. Крыльцо. Сердце колотится, голос дрожит. Кто утверждал, что говорить правду легко и приятно? Булгаков? Врал. Все писатели врут. Люди сами себе врут, потому что говорить правду трудно и больно. Особенно самому себе.

На крыльце Настя покачнулась, потеряла равновесие и едва устояла на здоровой правой ноге, ибо левая в подпорки после прогулки уже никак не годилась. Вот упала бы она сейчас, еще что-нибудь повредила бы и валялась на крыльце, пока кто-нибудь не придет на помощь. А кто? Кому она нужна? Да глупости все это, скоро медсестра придет, а в крайнем случае есть же мобильник, можно позвонить, и через час-полтора кто-нибудь появится — или Чистяков, или Паша Дюжин, или Селуянов, или Коротков, они все дорогу знают. Никакой катастрофы.

Она улыбнулась собственным мыслям и полезла в карман за ключами. Сейчас она пообедает, потом ей сделают массаж, потом она почитает что-нибудь приятное, а часиков в восемь примчится Коля Селуянов, она утром ему позвонила и сказала, что готова отчитаться о проделанной работе по изучению ежедневника Галины Васильевны Аничковой. Даже странно вспоминать, что всего три дня назад, в воскресенье, жизнь на даче Павла Дюжина казалась Насте невыносимой и тоскливой. Какая же она тоскливая, когда работы невпроворот, что с убийством Аничковой, что с собственными проблемами! Тосковать некогда.

Да, в общем-то, и незачем.

* * *

К полудню ситуация с убийством Юлии Халиповой приобрела более или менее законченный вид. Выяснилось, что накануне вечером Юлия вместе со своим любовником Константином Федоровичем Островским была в гостях у знакомых, точнее — у знакомого, бывшего каскадера, когда-то много снимавшегося в фильмах Островского. Каскадер этот по имени Антон Кричевец показал, что гости приехали около десяти вечера, было много съедено и немало выпито, впрочем, Юля почти не пила, она была не в настроении, не то расстроена чем-то, не то встревожена, но ничего не объясняла. Предполагалось, что на обратном пути машину поведет она, посему Островский позволил себе выпить лишнего, а Юля, напротив, ограничилась всего несколькими глотками «Шабли».

Примерно в половине первого ночи ей позвонили по городскому телефону. Юля с самого начала предупредила, что ждет звонка, но, так как у нее еще днем начала садиться батарея на мобильнике, он мог в любой момент отключиться, а зарядное устройство лежит дома, она дала номер городского телефона Кричевца, поскольку знала, что вечером будет у него в гостях. Так вот, ей позвонили, разговаривала она из кухни, и о чем шел разговор, никто из присутствующих не слышал. В комнату Юля вернулась какаято, как выразился Кричевец, переделанная, побледневшая, губы поджаты, и попросила у Островского дать ей ключи от машины, мол, ей нужно ненадолго съездить по делу. Обещала вернуться минут через сорок, максимум — через час, ведь ночью дороги свободные и пробок нет. И Островский, и хозяин дома были уже изрядно навеселе, жизнь казалась им розовой и шелковистой, и они спокойно отпустили девушку, продолжая тем временем предаваться радостям застолья.

Через час Юля не вернулась, не вернулась и через два часа, и через три. Третьим человеком в квартире была близкая знакомая Кричевца, которая пила не так много, как мужчины, и сохраняла относительную ясность мышления. Она-то и забеспокоилась первой, однако нетрезвые кинодеятели ее тревогу всерьез не восприняли, поскольку на часы не смотрели и течения времени не ощущали. К пяти утра они наконец поняли, что Юля так и не вернулась, но списали это на необязательный и безответственный характер молодой актрисы. Сколько раз бывало, что она застревала надолго в каких-то случайных компаниях, хотя собиралась ехать совсем в другое место и заниматься совсем другими делами. Мобильник у нее отключен, потому как батарея в конце концов села, а самой позвонить ей и в голову не приходит, ей всегда было наплевать на других.

Островского уложили спать в квартире Кричевца, сам Кричевец тоже прилег отдохнуть, утомленный борьбой со спиртным. Знакомая же Антона, иными словами — его любовница, или, как пишут в милицейских протоколах, сожительница, в десять утра потеряла терпение и стала звонить по телефону, по которому дают справки о несчастных случаях, и в милицию. Ей предложили назваться, дать свой адрес и телефон и сидеть дома в ожидании работников милиции, которые в самом ближайшем времени к ней подъедут, все объяснят и зададут несколько вопросов.

Юлию Халипову нашли около половины шестого утра за Кольцевой автодорогой. Она лежала рядом с открытой машиной Островского, на голове ее был полиэтиленовый мешок, привязанный обмотанной вокруг длинной шеи веревкой. Судебный медик осматривал ее в начале седьмого и с уверенностью заявил, что смерть наступила около двух часов ночи. Передняя часть автомобиля имела характерные повреждения, какие бывают, если машина на большой скорости сбивает человека. Сразу же был сделан соответствующий запрос по телефону, и из полученного ответа сыщики сделали вывод, что Юлия Халипова в ходе своей загадочной поездки «по делу» сбила женщину с ребенком и уехала с места происшествия, не остановившись и не оказав им помощи. Пострадавшие погибли.

Почему она не остановилась? Неужели наплевательское отношение к людям достигло такого чудовищного выражения? Или она была чем-то напугана и спасалась бегством, и в этой ситуации любая остановка, любая заминка угрожали ее собственной жизни?

Так, может быть, сплетни про второго могущественного любовника и его угрозы — не такие уж сплетни?

Господи, как голова раскалывается от всего этого... А не плюнуть ли на служебный долг и не смотаться ли в Болотники к Каменской? Пусть не по делу поговорить, так хоть воздухом подышать и душу отвести в легком, ничего не значащем трепе. А там, как-нибудь невзначай, и дельное соображение получить.

* * *

Коля Селуянов был прав, у людей аккуратных ежедневник действительно является отражением и характера, и образа жизни. Чего стоят, например, одни только записи о

107

днях рождений! Они встречались в ежедневнике Галины Васильевны Аничковой на каждой третьей-четвертой странице, стало быть, людей, которых она собиралась поздравлять, было не меньше ста человек. Настя прикинула, а скольких человек ежегодно поздравляет она сама, и цифра получилась просто смехотворной. А ведь только один этот показатель — свидетельство и внимательного отношения к людям, желания сделать им приятное, и характеризует широту круга общения. Да уж, одинокой покойную Аничкову назвать никак нельзя.

Еще из записей следовало, что Галина Васильевна тщательно следила за собой, два раза в неделю посещала фитнес-центр, где занималась не менее двух часов, один раз в неделю ходила к косметологу, ежемесячно — к парикмахеру и мастеру по маникюру (судя по времени, которое отводилось в ежедневнике на визит к этому мастеру, Аничкова делала также и педикюр), раз в полгода навещала стоматолога и гинеколога. За десять месяцев минувшего года она трижды ездила на неделю отдыхать за границу, каждый раз в разные страны, что подтверждали записи о визитах в посольства Германии, Италии и Чехии.

Что же касается ее деятельности в качестве кинезиолога, то выглядело это примерно так. Основная масса клиентов (или пациентов? Настя не знала, как правильно называть людей, прибегнувших к услугам Галины Васильевны) приходила к ней примерно по десять раз. Вероятно, курс требовал десяти сеансов, во всяком случае, так утверждала Изольда Валериановна, с которой Настя долго разговаривала об Аничковой еще в госпитале. Некоторые пациенты приходили раз в неделю, некоторые — реже, раз в две недели, были и такие, которые посещали кинезиолога чаще, дважды в неделю. Некоторые ограничивались двумя-тремя сеансами, некоторые и вовсе приходили только один раз, и потом их имя в ежедневнике больше не появлялось. Впрочем, возможно, это были и не пациенты, а люди, встречавшиеся с Аничковой по другим надобностям. Хотя, скорее всего, все-таки это были пациенты. Аккуратная Галина Васильевна рядом с записью о первом визите всегда помечала, на кого ссылается тот, кто звонит и просит принять, например: «15.30 — Татьяна Ващук (от Лидии Павловны)». И здесь же — контактный телефон этой самой Ващук. Благодаря такой тщательности Насте удалось обзвонить всех, кто приходил на сеансы за неделю до 5—6 сентября и в течение недели после этих дней. Ничего особо замечательного она не выяснила, Аничкова ходила в театр, о чем рассказывала своей пациентке, но было это не 5—6, а 7 сентября, и об этом есть запись на соответствующей страничке. В целом же все как один утверждали, что Галина Васильевна беседовала с пациентами о них самих, а вовсе не о себе и уж тем более не о других пациентах, иными словами — ничего им о своей и чужой жизни не рассказывала и ничем не делилась.

Выяснилось также, что Аничкова работала не только у себя дома, но и ездила домой или даже в больницу к тем пациентам, которые не имели возможности приходить к ней, как это было, например, с той же Изольдой Валериановной, страдавшей артрозом.

В целом же, опираясь на прижизненные фотографии потерпевшей и сведения, почерпнутые из ее ежедневника, можно было заключить, что Галина Васильевна Аничкова была красивой и веселой женщиной, хорошо организованной, энергичной, трудолюбивой и неутомимой (некоторых пациентов она принимала даже поздним вечером), открыто и по-доброму относящейся к людям, любящей авангардный театр и авторское кино (за десять месяцев — четыре премьеры в Доме кино и почти еженедельные посещения театров, Настя не поленилась, обзвонила и Дом кино, и указанные в записях театры и выяснила, какие именно спектакли и фильмы шли в те дни). Никакой другой деловой активности, помимо работы с пациентами, она не вела и с бизнесом дела не имела, хотя названия разных фирм то и дело появлялись на страницах ежедневника. Опять же при помощи телефона Настя узнала, что Аничкову частенько приглашали на корпоративные вечеринки в фирмы, руководителям которых она оказывала помощь в качестве кинезиолога. Наверное, у этих руководителей были психологические проблемы, мешавшие им эффективно заниматься делами...

Кстати, в ежедневнике была запись о подобном мероприятии, которое должно было состояться через пару недель после убийства. На эту вечеринку Аничкова уже не попала.

Да, все это было замечательно, но не проливало ни малейшего света на имя убийцы, о котором можно было сказать только одно: он (или она?) не был пациентом, прошедшим полный курс из десяти сеансов. Этот человек встречался с Аничковой только один раз и позаботился о том, чтобы уничтожить только эту запись. В каком качестве он встречался с Галиной Васильевной? В качестве человека, нуждающегося в помощи, но после первого же сеанса разочаровавшегося в возможностях кинезиолога? Или для встречи был другой повод? Или вообще случайное знакомство? Нет, это вряд ли, случайных знакомых в ежедневник не заносят, их имена могут оказаться только в записной книжке или на визитных карточках. Значит, о встрече договаривались заранее. Ну и что это дает? Ничего.

Есть, конечно, вариант, но муторный и долгий. К Галине Васильевне (опять же, если полагаться на записи в ежедневнике) никто не приходил случайно, с улицы. Только по рекомендации кого-то из людей, которых она знала. Да иначе и быть не могло, рекламу Аничкова не давала, и узнать о ней и получить номер ее телефона можно было только от знакомых. Так вот, нужно взять ее записную книжку и методично пройтись по всем знакомым с вопросом, кому они в течение последнего года рекомендовали обратиться к

Аничковой и давали ее телефон. Составить список, потом сверить его с записями в ежедневнике и посмотреть, кто из них стал пациентом Аничковой и ходил к ней на сеансы, а кто так и не пришел. Потом разыскать всех, кто брал ее телефон, но не воспользовался им, и постараться найти среди них того, кто этим телефоном все-таки воспользовался, навестил Галину Васильевну один раз, а потом позаботился о том, чтобы об этом не узнала милиция. Работы на год, если не больше. Конечно, была бы Аничкова президентом крупного банка или известным журналистом, создали бы следственную бригаду человек так из тридцати, а то и из пятидесяти, подключили бы столько же оперов и все сделали бы за считаные дни. А еще лучше — дали бы команду экспертам, они бы листочки из ежедневника за два часа обработали и сказали, что именно было записано на вырванных страницах. И никакой мороки.

Но Аничкова для властей — никто. Дело о ее убийстве даже на Петровку не забрали — обычное, рядовое, не городского масштаба, а так, микрорайонного. Вот и будет бедолага Селуянов раскрывать его силами собственных перегруженных другими делами оперов да под руководством ленивого и безынициативного следователя.

Коля слушал Настин отчет уныло, надежды его не оправдались. Конечно, понимание некоторых черт характера и образа жизни — это уже немало, но все это в общем и целом было известно из бесед с друзьями и знакомыми убитой Аничковой, которых оперативники опрашивали в течение первых нескольких дней после убийства. Единственным, в чем ежедневник оказался действительно полезным, были имена. Полный перечень имен и телефонов пациентов Аничковой за неполный 2002 год. Но для того чтобы извлечь из этого перечня настоящую пользу, нужно много сил и времени, а где их взять?

Насте было ужасно жаль Селуянова. Он так надеялся на нее, так ждал, что она выкопает из ежедневника что-нибудь ценное, и ничего не получилось. Настя честно сделала свою работу, старалась быть внимательной и ни малейшей детали не упустить, и разве она виновата, что в записях Галины Васильевны не оказалось ни намека на личность убийцы? Нет, не виновата в этом Настя Каменская. Но все равно она чувствовала себя виноватой. Как Дед Мороз, которого ждали с подарками, а он явился с пустым мешком.

— Что посоветуешь? — в голосе Селуянова зазвучала надежда на то, что если уж с ежедневником не получилось, то хоть совет толковый она ему даст.

— Ничего умного, — Настя развела руками и взяла из вазочки очередную конфету. За последние сутки она съела, наверное, килограмма полтора конфет и все не могла остановиться. — Ищи ходы к экспертам. Унижайся, падай в ноги, предлагай деньги и подарки, шантажируй, угрожай. Тебе сейчас могут помочь или двадцать сотрудников, или один эксперт, других вариантов нет. Твой гениальный следователь хотя бы нож догадался на экспертизу отправить?

— Отправил, — Коля безнадежно махнул рукой, — а толку-то? Заключение будем ждать еще дольше, на холодное оружие по нынешним временам очередь больше, чем на документы. Ножи при каждой облаве изымают кучами и все на экспертизу отправляют. Но у меня среди оружейников есть свои люди, — он внезапно оживился, — с ними я, пожалуй, смогу договориться, чтоб без очереди сделали.

— Не суетись, смысла нет, — остудила его пыл Настя. — Ты же не рассчитываешь на то, что нож окажется авторской работой, существующей в единственном экземпляре, да еще с подписью мастера на рукоятке, правда? И ты после этого пойдешь к мастеру и спросишь, кому он продал нож или для кого его делал, а потом в течение пяти минут арестуешь преступника. Даже если там остались пальцы убийцы, в чем я лично сильно сомневаюсь, то пользы от этого немного. Ну проверишь ты их по картотеке, ну и окажется, что их там нет. Преступник ранее не судим и не привлекался, это сто процентов. Потому что если привлекался, так он уже ученый и либо без перчаток к ножу не прикасался, либо вообще унес бы нож с собой и в Яузу выбросил. Нет, Коленька, экспертиза ежедневника в сто раз важнее. Давай-ка, дружочек, ноги в руки и беги искать подступы к криминалистам. Когда будут конкретные имена, тогда и пальчики пригодятся.

Селуянов горестно вздохнул, потер ладонью плешь на темени.

— Аська, ты, когда молодая была, кино про «Знатоков» по телику смотрела?

— А как же. Только я была не молодая, а маленькая, классе в пятом, наверное. А что?

— Вот скажи мне, дураку, зачем людям голову морочить и показывать, как у следователя и оперативника есть свой персональный эксперт, который им любую экспертизу, хоть химическую, хоть биологическую, хоть графологическую или баллистическую, сделает по первому требованию и чуть ли не в их присутствии, а? Ведь козе же понятно, что так не бывает, что эксперт должен иметь право подписи по конкретным видам экспертизы, а для этого он сначала должен обучение пройти и квалификационный экзамен сдать, и нет таких экспертов, которые могут делать все! И не только козе, но и ежу понятно, что нельзя прийти к эксперту и сказать: «сделай», потому что эксперты следователю не подчиняются, у них своя структура и свои начальники, которые получают от следователя материалы и распределяют внутри своего подразделения, и у каждого эксперта — длиннющая очередь. Вот ты вспомни, как ты к Зубову бегала просить, чтобы побыстрее дал заключение. Ведь каждый раз «через буфет». По ползарплаты на него тратила. Ну, так или не так?

— Так, так, успокойся. — Настя методично дожевывала последнюю конфету. — Что ты разошелся?

— А то и разошелся, что киношники и писаки эти, детективщики чертовы, пишут и показывают черт-те что, а люди-то им верят, а потом к нам с претензиями: мол, почему так медленно работаете, почему ничего не делаете. Зачем народ враками кормить?

— Коленька, истории рассказывают не потому, что они правдивы, а потому, что они увлекательны. Не смотри на меня так, это не я придумала. Кинофильм и книга — это история, а жизнь — это жизнь, и не надо путать одно с другим.

— Но люди-то путают! — с жаром упирался Селуянов.

— Так это их проблемы, а не наши с тобой. Слушай, будь другом, сходи на кухню, посмотри, там, в шкафчике, кажется, еще конфеты были.

Он послушно вышел из комнаты, и вскоре до Насти донесся злорадный голос:

— Нету! Ты все стрескала! Даже мне не оставила.

Неужели нету? Вчера утром, едва взявшись за работу с ежедневником, Настя вдруг почувствовала, что безумно хочет сладкого. Причем не пирожных или варенья, а именно шоколадных конфет. Соскучилась по ним, что ли? Или организм потребовал глюкозы? Она позвонила в магазин, и ей принесли два килограмма «Мишек» и «Красных Шапочек». Два килограмма. Какой кошмар...

Полчаса назад позвонил Коротков и грозился нагрянуть на вечерний чай с пирожными. Пирожные якобы он привезет. Вот в самый раз-то будет!

* * *

Наконец он его нашел! Боже мой, сколько дней он часами стоял на сырых осенних улицах, стоял терпеливо, упорно, не теряя надежды, пока Сашка не прошипел сдавленным шепотом:

— Вот он. Вот этот, в черной куртке.

— Ты уверен? — на всякий случай спросил он.

Сашка — идиот, ему могло просто надоесть стоять целыми днями под дождем и ветром, и он показал ему первого попавшегося мужика. Но как проверить, врет он или нет?

— Точно. Сто пудов.

— Хорошо, возвращайся домой. Дальше я сам.

Он дошел следом за мужчиной в черной куртке до самого подъезда, потом мучительно ждал, не выйдет ли он снова на улицу, ведь как знать, живет он здесь или зашел к знакомым. У него был с собой маленький раскладной стульчик, и когда он уставал, то отходил в безопасное место и садился отдыхать, перекусывая взятыми из дому бутербродами и запивая их купленной в киоске минералкой.

Ждать пришлось до утра. Мужчина в черной куртке вышел около девяти часов, на ходу засовывая в сумку газеты. Значит, он живет здесь, раз берет почту из ящика. Газеты он несет явно не из квартиры, иначе положил бы их в сумку еще там, а не на улице.

Все. Теперь можно отдохнуть хотя бы один день. Отлежаться под одеялом, отоспаться, отогреться. Поесть супу, напиться горячего чая. И потом продолжать.

Но он не выдержал. Вернулся домой, принял душ, поспал пару часов, съел две тарелки борща со сметаной и рванул обратно. С таким трудом пойманная добыча могла ускользнуть, пока он, оставив свой пост, нежится и отъедается.

Почти бегом мчался он от подъезда к машине, гнал по улицам к знакомому дому. И замер. Перед подъездом стояли две милицейские машины. Неужели милиция нашла его раньше, чем он? Неужели они его опередили? Что же теперь будет? Он начнет все рассказывать, называть имена, и все рухнет... Сашку уже не спасти.

Господи, что же делать? Что же делать?!

Глава 5

Сергей Зарубин поставил на стол диктофон и устало откинулся на спинку стула.

— Хочешь послушать?

— А если своими словами? — попросил Коротков.

Он любил слушать зарубинские пересказы, язык у Сережи был образным и слегка хулиганским, и это вносило хоть какую-то струю легкости и вкусности в грязную рутинную работу сыщиков. И изложение сути беседы оперативника с бывшим каскадером Антоном Кричевцом заняло бы куда меньше времени, чем прослушивание диктофонной записи.

— Не, не потяну. Язык уже отсох, с самого утра только и делаю, что разговоры разговариваю. Тебе хорошо, ты первый опрос провел и уехал, а меня оставил мозоли на глотке натирать. Лучше сам слушай, а я, если что, прокомментирую.

— Ну ладно.

Коротков нажал на кнопку и положил перед собой чистый лист бумаги, чтобы записывать, если появятся вопросы или возникнет что-то похожее на зацепку.

«— Вы давно знакомы с Островским?

— Да лет сто.

— А если уточнить?

— Сейчас скажу точно... с восьмидесятого года, мы работали вместе на картине «Побег в вечность». Там было много сложных трюков.

— У вас сразу сложились дружеские отношения?

— Ну, какие же могут быть дружеские отношения между молодым каскадером и маститым мэтром? Скажете тоже! Где поп, а где приход! Но он остался доволен моей работой и приглашал меня потом еще на шесть картин. Так что в общей сложности я работал с ним на семи фильмах.

— Отношения все время поддерживали? Все эти годы?

— Ну как сказать... С перерывами. Знаете, как это бывает: случайно столкнешься с человеком где-нибудь на студии или на тусовке, вроде обрадовались друг другу, давно не виделись, надо бы встретиться, посидеть, пообщаться. Встречаемся, общаемся, потом еще пару раз, а потом все снова затихает до следующей случайной встречи. Только в последний год мы стали встречаться часто, а до этого так, эпизодически. Бывало, по три-четыре года не виделись.

— И что случилось в последний год? На почве чего вы стали так часто встречаться?

— Костя задумал новый проект, хочет снять фильм на современном мировом уровне, чтобы было много интересных трюков. И он решил пойти по нестандартному пути: сначала придумать эти оригинальные трюки, проработать их, чтобы быть уверенным, что их можно сделать и снять, а потом под них написать сценарий. Ведь сценарист очень часто даже не подозревает, какие есть технические и акробатические возможности, поэтому придумывает такую историю, чтобы все попроще, пореальнее, понимаете? А если сказать ему: можно вот так, так и эдак, так у него и фантазия разыграется, и мысли оригинальные в голову придут. Вообще-то никто так не делает, телегу впереди лошади не ставят, но Костя решил попробовать.

— И по поводу трюков он консультировался с вами?

— Можно и так сказать.

— А как на самом деле?

— Он хотел, чтобы я эти трюки придумал. И может быть, даже поставил. Поэтому в последний год мы встречаемся часто, практически каждую неделю.

— С Халиповой вас Островский познакомил?

— Да, конечно. Я ведь давно уже не у дел, возраст, сами понимаете. Некоторым удается потом выбиться в постановщики трюков и продолжать работу в кино, но далеко не всем. Мне вот не удалось.

— Почему же Островский обратился именно к вам, а не к профессиональному постановщику?

— Да потому, что так никто не делает, я же вам объяснял! Это чистый эксперимент, жутко рискованный. Костя рискует своей репутацией, если все узнают, что он задумал. А все обязательно узнают, если он обратится, например, в «Каскад» или в «Фортуну».

— А это что, простите?

— Это агентства, предоставляющие съемочным группам услуги постановщиков и исполнителей трюков.

— Спасибо, я понял. Значит, ваша тесная дружба в последний год была основана на совместной работе над будущим проектом?

— Ну да.

— Островский собирался снимать Халипову в новом фильме?

— Не знаю, об этом пока речи не было, ведь еще нет окончательного варианта сценария, так что непонятно, есть там роль для Юли или нет. Наверное, снял бы, конечно, куда ж ему деваться.

— Что значит «куда деваться»? Он что, не хотел ее снимать, но вынужден? Или как вас понять?

— Дело в том, что Костя изначально решил: главная героиня должна быть возрастная. Лет сорока. Юля на главную роль, таким образом, заведомо не годится. Ей, конечно, не нравилось, что он так придумал, она дулась и закатывала истерики, ей хотелось сыграть главную роль, но с Костей эти номера не проходят, где сядешь — там и слезешь. Он Юльке пообещал, что даст ей роль обязательно, но вот вопрос, какую: второго плана или эпизод, а это можно обсуждать только тогда, когда будет утвержден окончательный вариант сценария.

— А сценарий уже пишется?

— Конечно. Костя уже забраковал несколько вариантов, вот, кстати, как раз позавчера он принес показать очередной опус.

— То есть вы хотите сказать, что Островский и Халипова пришли к вам в гости, чтобы передать вам вариант сценария?

— Они просто пришли в гости. Но заодно и сценарий принесли.

— Хорошо, с этим понятно. Скажите, Антон Николаевич, Островский никогда не жаловался на то, что Халипова ему изменяет? Не делился ли своим беспокойством по этому поводу? Может быть, она давала ему основания... ну, вы понимаете, что я имею в виду.

— Сергей...

— Кузьмич.

— Да, Сергей Кузьмич. Так вот, Костя никогда на это не жаловался. Я имею в виду, что это не было для него поводом для жалоб и переживаний. Он пожилой человек, много повидал и много пережил, он прекрасно понимает, что молодая красивая девушка с таким характером, как у Юли, никогда не будет хранить ему верность. Он был уверен, что у нее есть кто-то еще, и, возможно, даже не в единственном числе. Но его это не беспокоило. Ему важно было, чтобы она оставалась с ним, когда ему этого хочется, а в остальное время пусть делает, что хочет.

— Интересные нравы у вас в кино...

— Какие есть. Вы собираетесь критиковать моральный облик моей профессиональной среды?

— Ни в коем разе. Просто констатирую. Значит, вы утверждаете, что Островский не сомневался в неверности Халиповой?

— Я не утверждаю, мне просто так кажется.

— А вам самому как кажется, Антон Николаевич? У Халиповой были другие любовники?

— Да наверняка. Разумеется, я ничего не знаю точно, я ей свечку не держал и под кроватью не сидел, но я же видел, как она смотрела на других мужчин, даже при Косте, в его присутствии. Она даже на меня посматривала таким, знаете ли... определенным образом.

— И как Островский на это реагировал?

— Никак. Подшучивал над ней. Говорил, что сначала она должна стать такой, как Анита, а потом уже рассчитывать на мое внимание.

— Анита — это ваша подруга? Анита Станиславовна Волкова?

— Совершенно верно. Костя о ней очень высокого мнения и постоянно сравнивал с ней Юльку, если хотел щелкнуть ее по носу.

— Халипова обижалась на это?

— Еще бы! Она же самая лучшая, куда уж там какой-то старухе...

— Старуха — это, простите...

— Ну Анита. Юльке двадцать три, а Аните сорок пять, она ей в матери годится. Конечно, Юлька считала ее старухой.

— Халипова ненавидела Волкову?

— Боже мой, с чего вы взяли? Только этого не хватало. Я же вам говорю, она искренне считала Аниту старухой и была уверена, что та ни по каким параметрам не может быть лучше ее. А то, что Костя говорит, так это специально, чтобы ее позлить. Так что если уж кого ненавидеть, так только Костю. Нет, нет, глупости все это, выбросьте из головы.

— Скажите, Антон Николаевич, вы знаете, какие слухи ходят о Халиповой насчет ее связи с другими мужчинами?

— Это вы про криминального авторитета? Слыхал, слыхал.

— А про крупного политика?

— Тоже слыхал.

— Можете как-нибудь прокомментировать?

— Да что тут... Даже и не знаю. Вполне допускаю, что это правда, на Юльку похоже. Вы что же... хотите сказать, что этот авторитет все-таки расправился с ней за измену?

— Вполне допускаю. Других версий у нас пока нет.

— Кошмар... Допрыгалась девочка...

— И последний вопрос, Антон Николаевич. Я имею в виду, на сегодня последний. Нам с вами, наверное, придется еще не раз беседовать. Скажите, до того, как Островский и Халипова позавчера пришли к вам в гости, как долго вы не виделись?

— Сейчас скажу... Мы встречались с Костей на прошлой неделе, в четверг, кажется... Да, точно, это было в четверг. Мы вместе обедали. Он был с Юлей, а я с Анитой».

Коротков выключил диктофон и кинул на Зарубина быстрый взгляд.

— Я все понял, кроме одного. К чему был этот последний вопрос?

— Умный ты, начальник, и прозорливый.

— Сам знаю. Так что насчет вопроса?

— Ты паспорт Островского видел?

— Ну а то. И что?

— На дату рождения внимание обратил?

— Нет.

— То-то же, а еще умный. Константину Федоровичу Островскому в минувшую субботу исполнилось шестьдесят пять лет. Я навел справочки и выяснил, что в субботу и воскресенье он бурно праздновал с друзьями и почитателями в ресторанах и у себя дома, а в понедельник его торжественно чествовали в Доме кино с речами, поцелуями, подарками и банкетом. Так почему же господин Кричевец во всем этом участия не принимал? Почему с четверга на прошлой неделе до позавчерашнего дня не встречался с Островским?

— Или встречался, но скрывает, — заметил Юра.

— Еще лучше, — согласно кивнул Зарубин. — Больше ничего не заметил?

— Заметил. Халипова открыто заигрывала с этим каскадером. А как Волкова на это реагировала? Ей что, это нравилось? Она не боялась, что Кричевец клюнет на молоденькую красоточку? Не ревновала? Не начала ненавидеть Халипову? А может, у Халиповой с Кричевцом все уже и случилось, и Волкова об этом догадывалась? Или даже точно знала? Чем не повод для убийства? Причем убийцей может выступать как сама Волкова, так и могущественный любовник Халиповой. Или в связке. Волкова ревнует, доводит до сведения заинтересованных лиц информацию о связи Халиповой и Кричевца, и желаемый результат достигается без шума и пыли. Она расправляется с соперницей чужими руками.

— Хорошие вопросы, начальник, я сам ими чуть не подавился, пока Антона слушал.

— Что ж ты его об этом не спросил?

— Рано. Пока рано. Я еще с Анитой Станиславовной побеседую, потом подумаю, как эти неувязочки обыграть.

Волкову Юра Коротков уже видел накануне, она произвела на него сильное впечатление. Красивая умная женщина, совершенно непохожая на всех остальных. Вроде бы те же две руки, две ноги, одна голова с волосами и лицом, а все равно Волкова производила впечатление уникальности и полного несходства со всеми окружающими.

— Почему ты? — ревниво спросил он. — Я сам встречусь с Волковой.

— Тебе нельзя, — Зарубин хитро подмигнул. — А мне можно.

— Почему это тебе можно?

— Потому что я маленький. Маленький и некрасивый. Меня женщины всерьез не воспринимают, стойку на меня не делают, расслабляются и допускают всеразличные ошибки. Я для них не комиссар Мегрэ, а смешное недоразумение. А я нахально этим пользуюсь. Чем красивее женщина и чем выше она ростом, тем больше у меня шансов выведать у нее то, что она хочет скрыть. Понял, начальник?

— Иди уж, недоразумение, — рассмеялся Коротков.

* * *

Приглашать Аниту Станиславовну Волкову на Петровку Сергей Зарубин счел нецелесообразным. Когда человека подозреваешь, это означает, что тебе что-то в нем непонятно. Или в его характере, или в его жизни. То есть ты думаешь, что он способен на какие-то побуждения и поступки, но до конца в этом не уверен. Какой же смысл вызывать его к себе, когда можно прийти к нему домой и получить дополнительную информацию о его вкусах, привычках и образе жизни?

Волкова жила в центре, рядом со станцией «Новокузнецкая», в Старомонетном переулке. Едва перешагнув порог ее квартиры, Сергей почувствовал, что оказался в каком-то другом мире. Или в другой стране. Или вообще на другой планете. Планировка квартиры была самой обычной: прихожая, две комнаты, коридор, кухня, ванная, туалет. Ничего особенного. Но вот дизайн поразил его до глубины души.

Серебро и черный цвет — вот что было лейтмотивом дизайна. Не холодный «металлик» и стекло, как принято в современных стилевых направлениях, а именно светящееся из глубины нежно-прохладное серебро. И не траурный черный, и даже не изысканно-сексуальный (в каком-то журнале Зарубин прочитал о черном постельном белье для любовных утех), а интеллигентный и теплый, словно смягчающий прохладу серебра. Вот примерно такие ощущения появились у оперативника, пока он обводил глазами шторы, ковровые покрытия и мягкую мебель в комнате, куда его проводила Анита Станиславовна.

— Что вам предложить? — спросила она. — Чай, кофе, воду, сок?

— Чай, — тут же ответил Сергей.

— У меня только зеленый, черный чай я не пью и не покупаю.

— Пусть будет зеленый, — согласился Зарубин.

— Вы сами выберете или мне заварить на свой вкус?

— А из чего выбирать?

Волкова стала перечислять сорта зеленого чая, названия

ни о чем Сергею не говорили, зеленый чай он пил, наверное, два раза в жизни и ничего в нем не понимал.

— На ваш вкус, Анита Станиславовна. Я не знаток, знаете ли.

Она слегка улыбнулась и ушла на кухню, оставив Зарубина в одиночестве. Он был уверен, что чай она принесет на серебряном подносе и в серебряной посуде с черным ободком.

Покрытые серебристыми обоями стены были плотно увешаны репродукциями, фотографиями и маленькими картинками в аккуратных рамочках. На картинках — городские виды и пейзажи явно не на российскую тему. Старинные города, замки, холмы, всадники и девушки в пышных юбках и с цветками в волосах. Быки и тореро. Гитаристы и танцовщицы. Дамы с гребнями в высоких прическах, мантильями и веерами. Кавалеры в костюмах с пышными воротниками и при шпагах.

Некоторые из фотографий привлекли внимание Зарубина. На одной была запечатлена девочка-подросток, лет двенадцати-тринадцати, в таком же платье, облегающем и с пышной юбкой, как на картинках и репродукциях. Девочка танцевала, судя по ее позе и положению рук, что-то испанское, с кастаньетами.

На другой фотографии та же самая девочка, только уже в другом наряде, но тоже старинном и не русском, играла на гитаре, сидя на стуле и поставив одну ногу на маленькую скамеечку.

На третьей девушка лет двадцати, стройная, в обтягивающих брючках и водолазке, играла на саксофоне. Она стояла на открытой местности, не то на поляне, не то в чистом поле, на фоне заходящего солнца.

И девочка, и девушка на фотографиях были, несомненно, Анитой Волковой. Надо заметить, она мало изменилась, черты лица окончательно сформировались рано и до сих пор не расплылись и не размылись.

Что-то зашевелилось у Зарубина в памяти, когда он глядел на танцующую и играющую на гитаре девочку. Не то он где-то видел ее, не то... Да, точно, он видел эту девочку в детском фильме, который несколько раз показывали по телевизору. Вообще-то он детские фильмы не смотрел, тем более старые, снятые еще до его рождения, но как-то в прошлом году ему во время отпуска подкинули на два дня маленького племянника, которого не с кем было оставить, и Сергею поневоле пришлось пересмотреть вместе с ним все детские передачи, мультики и художественные фильмы, предназначенные для юного возраста.

Выходит, Анита Станиславовна в детстве снималась в кино. А потом, когда подросла? Или до этого? Тоже снималась? Или то была единственная попытка? На взгляд Зарубина, правда, непрофессиональный, попытка была весьма успешной, ведь из всего фильма он отчетливо запомнил, как оказалось, только эту девочку, которая танцевала испанские танцы и потрясающе играла на шестиструнной гитаре, значит, маленькой Аните удалось сделать свою работу ярко и талантливо. Так почему же ее больше не снимали? Сама не захотела? Поверить невозможно, не родилась еще на свете девочка, которая не захотела бы сниматься в кино, если предлагают. Или все-таки не предлагали? Тогда почему?

И еще интересно, она в том фильме сама на гитаре играла или всего лишь ловко имитировала движения пальцев? И что означает эта фотография с саксофоном? Постановочный кадр или отражение действительности?

Волкова принесла чай. Зарубин не ошибся, поднос был из белого металла, равно как и посуда — чайник, сахарница, вазочка с печеньем. Только чашки оказались фарфоровыми. И вообще, не чашки, а пиалы. Волкова поставила поднос на овальный низкий столик, потом нагнулась, что-то покрутила, и столик поднялся до привычной высоты обеденного стола.

— Никогда не понимала этой моды пить и есть за журнальными столиками, — с улыбкой пояснила она, заметив удивление Зарубина. — Это же страшно неудобно. Причем неудобно всем без исключения, но все это делают, потому что вроде как принято.

С этим Зарубин был в принципе согласен. Действительно, неудобно, пока донесешь до рта чашку, доверху наполненную горячим чаем или кофе, есть риск пролить все на колени, которые никуда не спрячешь. И руки опереть не обо что. За высоким столом куда как надежнее.

Зеленый чай показался ему невкусным, как и в предыдущие разы, когда Сергею приходилось его пить, и он сразу же пожалел, что не попросил кофе или сок. И как люди могут его пить, да еще в немалых количествах, целыми чайниками выдувают!

Волкова села напротив него, и только тут Сергей обратил внимание на то, что и кресло, в котором он сидел, не было низким, иначе ему с его микроскопическим росточком пришлось бы совсем кисло. Надо же, как все продумано!

— Я вас внимательно слушаю, — сказала Волкова, делая первый глоточек из пиалы.

Она сидела, держа спину очень прямо, доброжелательно улыбалась. Сергей отметил, что на ней не было никаких украшений — ни сережек в ушах, ни колец на изящных длинных пальцах, ни даже тонюсенькой цепочки на шее.

— Анита Станиславовна, вы давно знаете Островского? — начал он.

— Примерно год. Нас Антон познакомил.

— А Халипову?

— Столько же.

— Как вам показалось, их отношения были стабильными?

— О, — она легко рассмеялась и осторожно поставила пиалу на стол, — до тех пор, пока Юля хотела сниматься, она никуда не делась бы от Кости. Другое дело, если бы нашелся режиссер-камикадзе, который решил бы ее снимать. Но нынешние режиссеры, знаете ли, люди прагматичные,

126

самоубийц среди них нет. Деньги, которые дают на съемку, надо отбить, то есть фильм должен быть не только закончен, но и хорошо продан в прокат. Никто сегодня не станет рисковать и брать ненадежного актера. Если, например, актер в разгар съемочного процесса уходит в запой и срывает график, никто не станет ждать, пока он придет в себя.

— А как же тогда? — удивленно спросил Сергей. — Ведь его уже взяли и уже часть фильма сняли.

— Переписывают на ходу сценарий, чтобы убрать эту фигуру из фильма. Приглашают дублера, которого снимают со спины или сбоку, но так, чтобы лица не было видно. Или вводят в сценарий катастрофу, в которой персонаж если не погибает, то потом лежит весь в гипсе и бинтах, только глаза видны. Вариантов много. Но ждать, я повторяю, никто сегодня не будет. А уж с Юлей-то все было предельно просто. Если речь идет о возможном пьянстве, то режиссер еще готов рискнуть, потому что актер может и не сорваться и нормально доработать до конца. А уж если речь идет о характере, о нарушениях дисциплины, об опозданиях и внезапных отказах, то и говорить не о чем. Кино — это в первую очередь плановое производство, а только потом искусство, а на производстве нарушителей дисциплины не жалуют.

— Значит, Халипова не собиралась бросать Островского?

— Нет, конечно, у нее и в мыслях этого не было.

— А если не бросать, но изменять направо и налево? Или хотя бы просто налево?

— Это вполне могло быть. Вполне, — задумчиво повторила Волкова. — Юля была падкой на мужиков. Вернее, не так, я неточно выразилась. Сами по себе самцы были ей не нужны, она не была нимфоманкой, насколько я знаю. Ей нужно было подтверждение того, что она любого может поставить на колени и заставить умирать от любви. Она заигрывала со всеми, кто попадался на ее пути, соглашалась на свидания, ложилась с поклонниками в постель, чтобы уж совсем сделать из них рабов, и на этом все заканчивалось. Она мужчин коллекционировала, вот так будет точнее. Особенно интересно ей было завоевать мужчину, у которого уже есть яркая женщина, чтобы почувствовать, что вот и такую соперницу она тоже победила. Вы, наверное, не знаете, но у Островского до Юли в любовницах ходила сама Меркурьева. Представляете, как Юля радовалась, что сумела увести его от такой женщины!

Сама Меркурьева! Надо же... Первая красавица российского экрана, ставшая звездой еще лет десять назад и до сих пор сияющая на кинематографическом небосклоне, причем с каждым годом все ярче! Ай да Юленька, ай да девочка.

Ну что ж, тема развивается по плану, пора переходить к прямым вопросам.

— Но если так, — осторожно начал Зарубин, как будто лед на реке ногой пробовал — выдержит ли, — то у Халиповой должен был быть мощный стимул завоевать и Антона Кричевца. Я бы не хотел показаться вам банальным и пошлым, но соперничество с вами сделало бы честь любой женщине.

Во как! Он эту фразу составлял, наверное, минут двадцать, все мучился, подбирал слова, чтобы в них и комплимент содержался, и восхищение, и преклонение и в то же время чтобы сама фраза оказалась бы неловкой и нечеткой, словно спонтанной, с ходу выговоренной. Кажется, ему удалось создать нужное впечатление, потому что Волкова благодарно улыбнулась.

— Спасибо, Сергей Кузьмич, я давно не слышала таких изысканных комплиментов. Да, вы правы, Юля кокетничала с Антоном, это понимал и он сам, и видели мы с Костей. Ну и что? Пусть девочка развлекается, мне в этой ситуации ничто не угрожало.

— Почему? Вы так уверены в Антоне?

— Нет, я просто знаю жизнь. Если люди, не состоящие

в браке, не расходятся в течение долгих лет, хотя их не удерживают ни штампы в паспортах, ни дети, ни совместное имущество, это что-нибудь да значит, как вы считаете? Чтобы такие отношения распались, нужно что-то очень, очень серьезное, а не такая чепуха, как наша Юля.

— Вы хотите сказать, что давно знакомы с Кричевцом?

— Лет пятнадцать. Да, верно, пятнадцать лет. Когда мы познакомились, я уже была разведена, а он вообще никогда не был женат. Мы оба были свободны в выборе других партнеров, но тем не менее за эти годы ничто и никто между нами не встал. Так что делайте выводы.

— Вы не расстались, но и не поженились, — полувопросительно заметил Зарубин. — Можно спросить, почему?

— Не видели в этом необходимости, — коротко и чуть суховато ответила Волкова. — Если бы я забеременела, то все, разумеется, было бы иначе. А так — зачем?

Ладно, мотив ревности со своей стороны Волкова, таким образом, отрицает. Неизвестно, правда это или нет, она баба умная, ведет себя правильно, и прежде чем доверять ее словам, нужно еще много чего проверить. А если она лжет, то сейчас надо сменить тему, сделав вид, что удовлетворился ее ответами и больше в этом направлении копать неинтересно.

— Анита Станиславовна, я вот что хотел спросить... — Зарубин изобразил смущение, это у него всегда хорошо получалось. — Вон те фотографии на стене... Это ведь вы, правда? Я не ошибся?

— Не ошиблись, это действительно я. Это кадры из фильма, очень старого, вы его, наверное, не видели.

— Так вы снимались в кино?! — Изумление у него получалось не так здорово, как смущение, но в целом тоже неплохо.

— Да, один раз. В детстве.

— А почему только один раз? Обычно если ребенок хорошо справляется с ролью, его начинают снимать все подряд, я в книжке читал.

— Что вы, Сергей Кузьмич... простите, можно я буду называть вас просто Сергеем?

— Пожалуйста, конечно.

— Так вот, Сергей, это бывает далеко не со всеми детьми. Это распространенное заблуждение. Один раз снимают многих, во второй раз — только каждого десятого, в третий — и того меньше.

— А вам хотелось бы?

— Чего?

— Ну, дальше сниматься. Все девочки мечтают стать актрисами.

— Не все, уверяю вас. Но у меня была в принципе другая ситуация.

— Какая? Или об этом спрашивать неприлично?

— Если хотите, я расскажу. Мне не очень-то приятно об этом вспоминать, но вы ведь все равно узнаете. Костя Островский в курсе, так что если не я расскажу, так он. Видите ли, Волкова я по мужу, моя девичья фамилия Риттер. Вам это что-нибудь говорит?

— Так вы дочь Станислава Риттера?! — вот теперь Зарубин изумился по-настоящему.

Ну как же, Станислава Оттовича Риттера знала вся страна, даже такой оторванный от высокого искусства человек, как простой опер Серега Зарубин, и то слышал это имя. Правда, ни одного полотна известного художника он с ходу назвать не смог бы, но фамилия была на слуху.

— Да, я дочь Станислава Риттера. А больше ни о чем вам эта фамилия не говорит?

— Нет, — честно признался он.

— Вы никогда не слышали об актрисе Зое Риттер?

— Нет, не приходилось. Это ваша мать?

— Да, моя мама была очень известной актрисой, но она

перестала сниматься еще в конце шестидесятых. Вернее, ее перестали снимать.

— Почему?

— Она, видите ли, бросила отца и вышла замуж за простого автослесаря, когда уже была беременна от него. Мама была членом партии, а такие вещи тогда не прощали. Кроме того, после родов она сильно пополнела, перестала заниматься своей внешностью, и о ней быстро забыли. Сначала подвергли остракизму, а потом забыли. А значит, забыли и обо мне. Вот и все.

В голосе Волковой Зарубин не уловил ни горечи, ни сожаления. Просто рассказ, будто изложение кем-то написанного романа.

— Вам было обидно, наверное, что вас больше не приглашали сниматься? — с сочувствием проговорил он.

— Нет, — она долила чаю ему и себе, — я об этом вообще не думала. У меня никогда не было мыслей, что вот теперь, после первого фильма, я обязательно стану известной актрисой. У меня было свое хобби, и оно к кинематографу не имело никакого отношения.

— Какое?

— Испания.

— Испания? — переспросил Зарубин, делая новый глоток чая и в очередной раз сожалея, что не попросил чего-нибудь другого. — Почему Испания?

— У меня крестная — испанка из Барселоны. Это она придумала мне имя. И мне с детства казалось, что во мне или течет испанская кровь, или живет дух этой страны. Я с семи лет училась играть на гитаре, закончила музыкальную школу. Танцую фламенко и фанданго. Свободно говорю и читаю по-испански. Досконально знаю историю и культуру Испании. Вот это мне было действительно интересно. А кино — так, случайный эпизод из детства.

Ничего себе Анита Станиславовна! Потрясающая тетка! От такой любовника и впрямь фиг уведешь. Значит, в том детском фильме она сама играла на гитаре. А музыка-то была сложная, это Сергей отчетливо помнил. Не какое-то там дешевое бренчанье на трех струнах с четырьмя аккордами. С четырьмя аккордами он и сам умеет, поэтому смог оценить мастерство юной гитаристки. Вот бы послушать, как Волкова играет... И посмотреть, как она танцует...

— Интересно, а Халипова когда-нибудь видела, как вы танцуете?

— Странный вопрос. — Волкова смотрела строго, и Зарубин мысленно усмехнулся. Ну конечно, она не поняла его логики, поэтому сразу насторожилась. А логика-то проста как три копейки.

— И все-таки.

— Видела. И не один раз. Почему вы об этом спросили?

— Сейчас скажу. А на гитаре вы при ней играли?

— Играла. И на саксофоне тоже играла.

— На саксофоне?

Ага, вот та фотография, с закатным солнцем! Значит, не постановочная...

— Я, Сергей, и на саксофоне играю. Про рояль я уже не говорю, это в музыкальной школе обязательно, как сольфеджио, хор и музыкальная литература. Так почему вы спрашиваете?

— Я подумал, что... Халипова должна была понимать, что против вас у нее нет ни одного шанса. Вы не только потрясающе красивы, вы не только умны и образованны, но еще и обладаете такими талантами! На что же она рассчитывала, когда заигрывала с Кричевцом?

— Дурочка, — просто ответила Волкова и печально посмотрела на него. — Хоть и нельзя о покойниках ничего говорить, кроме хорошего, но мы же с вами не на панихиде, правда? Вы на работе, и я обязана говорить все так, как есть. Костя ее все время подначивал, дескать, вот научишься танцевать, как Анита, научишься играть, как Анита, станешь доктором наук, как Анита, вот тогда, может, Антон на тебя внимание и обратит. Юлька злилась ужасно, по-моему, в ней это только разжигало азарт, ей хотелось доказать, что и без всех этих глупостей она Антона получит, на одной только юности и свежести.

Хорошо, теперь еще один осторожный шаг, очень осторожный. Тихонечко, тихонечко... Не спугни, Зарубин.

— Мне не хотелось бы быть неделикатным, но...

— Спрашивайте, Сережа, не стесняйтесь.

Ага, уже Сережа. Отлично. Волкова совсем расслабилась, можно рискнуть.

— Я заранее прошу прощения, вопрос наверняка будет вам неприятен, но я обязан спросить, потому что, если не спрошу, меня начальник в землю зароет. Ничего?

— Ничего-ничего, спрашивайте.

— Не могло ли так получиться, что Халипова все-таки добилась своего в отношении Антона? Ну, например, он устал от ее домогательств и решил уступить один раз, чтобы она от него отстала. Или она подловила его, когда он был нетрезв. Или еще как-нибудь...

— Да, — она горько усмехнулась, — в вашем вопросе действительно мало приятного. Но я на него ответить не могу. Если это и случилось, то я об этом не знаю. Ничего более точного я вам не скажу.

Ладно, попробуем пойти ва-банк.

— Анита Станиславовна, почему Кричевец не был приглашен на день рождения к Островскому? Они целый год работают над совместным проектом, они регулярно общаются, и тем не менее ни дома у Островского, ни в ресторанах на двух банкетах, ни в Доме кино на чествовании Антона Николаевича не было. А Халипова была.

Не понравился ей вопрос, ох, не понравился! Зарубин не просто чувствовал это, он это видел. Глаза остановились, алебастровая кожа лица стала отливать голубовато-серым, тонкие пальцы вцепились в ручку чайника — Волкова только-только собралась в очередной раз разлить чай по пиалам.

— Я не поняла, — медленно, будто через силу проговорила она, — какая связь между тем, что Антона там не было, а Юля была.

— Я подумал, что, возможно, если бы там не было Юли, то Антон, напротив, пришел бы. Нет?

— Не понимаю, — повторила она сквозь зубы. — Не вижу связи.

— Вы не сердитесь, Анита Станиславовна, — вполне миролюбиво произнес Сергей, — я ж понимаю, что тема такая... скользкая. Неприятная тема. Но мне велено узнать — я и спрашиваю, я ведь человек подневольный. Знаете, когда между людьми случается, как говорится, интимная ситуация, то они или начинают все время ходить вместе, держась за ручки, или, наоборот, начинают избегать друг друга, потому что одному из них, а может, и обоим неловко, или противно, или стыдно. Халипова добилась своего, я имею в виду близость с Кричевцом, и случилось это буквально накануне юбилея Островского. Антону Николаевичу это было неприятно, и празднования он проигнорировал. А к позавчерашнему дню все как-то улеглось, неловкость замялась, да и уклоняться от контактов с Островским у него повода нет, они же вместе над проектом работают. Нет? Разве не так все было?

Волкова молчала. И чем дольше она молчала, тем больше Зарубин верил в то, что попал в точку. Значит, причина для ревности у нее есть. А она свою ревность скрывает. Может, просто так, по-бабски, кому приятно признаваться, что мужик изменил тебе с молодой девицей. А может, скрывает совсем по другой причине. Сегодня Зарубину должны сказать, действительно ли у Халиповой был в любовниках авторитет, не то криминальный, не то политический, а может, и оба сразу. И надо быстренько выяснить, не знакома ли с ним Волкова и не вступала ли в последние дни в контакт с ним. Кажется, тут горячо...

— Анита Станиславовна, вы мне ответите?

Она разжала пальцы, сжимающие ручку старинного серебряного чайника, потерла ладонями плечи, словно озябла и пытается согреться.

— Я не знаю. Честное слово, не знаю.

Ну конечно, не знает она. Еще как знает!

Глава 6

— Я не понимаю, почему вам понадобилось столько времени, чтобы установить любовника Халиповой.

Начальник отдела Вячеслав Михайлович Афанасьев даже не пытался скрыть раздражение нерадивостью подчиненных.

— Прошло два рабочих дня, и вы только сейчас докладываете мне, что наконец выяснили его личность. Это нужно было сделать в первую очередь, а вы чем занимались два дня?

— Это было не так просто, Вячеслав Михайлович, — Коротков грудью кинулся на защиту друзей, Сережки Зарубина и Миши Доценко. Уж он-то точно знал, какие усилия предпринимали ребята, чтобы проверить, действительно ли у Халиповой был ревнивый патрон, милостиво позволявший ей спать с известным режиссером, но любой другой шаг вправо-влево считающий побегом, за который должно последовать суровое наказание.

— Это самое простое, что вообще можно и нужно было сделать, — гневно оборвал его начальник. — У любой женщины есть две-три подружки, которые знают о ней все, включая имена и технические характеристики ее любовников. А если не две-три, то хотя бы одна. Установить и найти этих подружек можно за полтора-два часа, задать им нужные вопросы — еще час. Данные о любовнике Халиповой должны были быть у меня на столе еще вчера к обеду, это самое позднее.

Почему данные должны были лежать на столе Афанасьева, Юра Коротков не очень понимал. Много ли толку от такого, с позволения сказать, лежания? Они должны быть в руках у сыщиков, которые дело делают, а не у начальника, который руководит ими из кабинета. Конечно, если бы на месте Афони сидел Колобок-Гордеев, тогда дело другое. Гордеев, увидев фамилию и должность любовника Юлии Халиповой, сказал бы: «Не суетитесь, этого я сам подработаю, вы к нему пока не суйтесь». А Афоня? Слишком недавно он в Москве работает, чуть больше года, не оброс еще связями, не выстроил доверительные отношения с людьми, неоткуда ему качать информацию, так что в раскрытии преступлений практической помощи от него никакой, одни сплошные руководящие указания. Иногда, будем смотреть правде в глаза, очень и очень толковые, все-таки опыта в розыскной работе ему не занимать. Но работать так, как работал Гордеев, он, конечно, еще не может.

— Вот пусть Доценко мне объяснит, чем он занимался два дня, вместо того чтобы искать подруг потерпевшей. Ремонтом квартиры?

«А хоть бы и ремонтом», — зло подумал Коротков. Что Мишке, в сарае жить, что ли? Он после долгих поисков нашел наконец вариант, при котором его с мамой двухкомнатная квартира превращалась в две однокомнатные в нужном микрорайоне, почти два года искал, уже надежду потерял. То есть варианты попадались и раньше, но каждый раз это были хорошие квартиры, на приобретение которых требовались деньги, существенно большие, нежели можно было получить от продажи «двушки», а никаких других денег у Доценко не было. Так что пришлось ждать, когда судьба подбросит жилье достаточно низкого качества, чтобы обойтись без доплаты. Судьба подбросила такое, что без ремонта там не то что жить — двух часов провести невозможно. Мишка занял денег, в первую очередь привел в порядок одну из квартир, поприличнее, и перевез туда маму, а сам живет пока в семье жены, у Стасова, и каждую свободную копейку вместе с каждой свободной минутой тратит на починку того, что еще можно починить, и замену того, что починить уже нельзя. При милицейской-то зарплате это песня долгая, не на один месяц.

— Подруг потерпевшей я нашел сразу же, — спокойно начал докладывать Доценко, хотя Коротков видел, как заходили желваки у Михаила на лице. — Но они никаких имен мне не назвали. Они были напуганы и понимали, что с любовником Халиповой дело иметь не стоит. Если он убил свою подругу за измену, то точно так же убьет и их самих за болтливость. Они же не идиотки, Вячеслав Михайлович. Они жить хотят, так же как и мы с вами. Родители Халиповой полностью не в курсе ее личных дел, они живут в Дубне и с дочерью видятся очень редко, она к ним вообще не приезжает в последнюю пару лет, а они к ней — раз в полгода, чаще она не приглашает. Ссылается на занятость. Ссылалась, — поправился Миша. — Мы обратились в телефонную компанию и получили распечатку телефонных номеров, с которыми в течение последнего месяца устанавливалась связь с мобильного телефона Халиповой, входящие и исходящие звонки. Потом все эти номера проверяли, устанавливали владельцев. Потом проверяли самих владельцев, искали среди них возможных кандидатов в любовники. Потом отрабатывали каждого кандидата.

Огромная работа для такого короткого срока, Коротков это понимал. Кроме Зарубина и Доценко, этим занимались еще двое оперативников, но отчета Афанасьев требовал именно у Михаила, поскольку тот был начальником отделения.

— Ладно, — полковник сморщился, словно его заставили выпить отвратительное на вкус лекарство, — с какой криминальной группировкой связан этот думский деятель, вы выяснили?

— Так точно, — отрапортовал Доценко, — с группировкой Руслана Багаева.

— Я свяжусь с РУБОПом, чтобы вам дали сведения на всех боевиков Багаева, — деловито произнес Афанасьев.

— У нас есть, — подал голос Коротков. — Мы их уже получили.

Станет он дожидаться, пока руководители созвонятся! У Юры с московским РУБОПом давние дружеские связи, так что требуемую информацию он получил минут за пять до начала совещания у начальника. Теперь следует проверить каждого из багаевских ребят на причастность к убийству актрисы Халиповой. Во мороки-то! Хорошо, если Афоня власть употребит, сходит к руководству и попросит, чтобы РУБОП официально подключили к работе по убийству, тогда рубоповские оперативники возьмут на себя часть работы. Но Афоня человек сложный, вряд ли будет просить подмогу, чтобы потом успехом не делиться. Есть у него такой пунктик... Не зря Каменская его не любит, для Вячеслава Михайловича на первом месте не интересы дела, а его собственная репутация. Если говорить точнее, его собственные амбиции.

Уже половина одиннадцатого вечера, и полковник наверняка сейчас даст указание к утренней оперативке принести первые результаты по группировке Багаева. Две тысячи второй год уж заканчивается, а живем как при Сталине, с ночными посиделками и немыслимыми сроками. Ладно, пусть сыщик не должен жить, только работать, но спать-то ему можно хоть когда-нибудь?!

* * *

Неприятная правда, открывшаяся Риттеру при посещении мастерской жены, так и сидела в нем ни с кем не разделенной болью. Матери он не сказал ни слова и с сестры взял обещание молчать.

138

— Нине не говори. И не вздумай Ларку предупредить, что я все знаю.

— Разве ты не собираешься ничего выяснять? — удивилась тогда Анита. — Не будешь говорить с Ларисой?

— Пока нет. Я должен подумать, — ответил Валерий.

Ну в самом деле, какой прок выяснять отношения с Ларой? Что он может ей сказать? Спросить, правда ли, что она интересуется женщинами? Так он и сам убедился, что это правда. Теперь ему стало понятно, почему жена на всем протяжении их супружества не проявляла особого интереса к сексу. До свадьбы все было совсем по-другому, Ларка казалась ему горячей, изобретательной и ненасытной, а почти сразу после регистрации, примерно месяца через полтора-два, словно остыла, на его предложения откликалась далеко не всегда, а уж о том, чтобы самой проявить инициативу, и речи не было. Риттер про себя удивлялся, но при этом понимал, что так оно и лучше, недаром врачи уже давно говорят о «синдроме бизнесмена»: постоянное напряжение и частые стрессы зачастую не позволяют им быть половыми гигантами. Чаша сия и его не миновала, так что сексуальная неактивность жены Валерия вполне устраивала.

Что еще он может ей сказать, о чем еще спросить? Заявить, что не собирается жить с лесбиянкой, выгнать ее и подать на развод? Очень красиво: оставить не приспособленную к жизни наркоманку без поддержки и без средств к существованию. Развестись, но продолжать ей помогать? Тогда какой смысл в разводе?

А может быть, ее связи с женщинами — это не зов плоти, а попытка встряхнуть себя новыми необычными ощущениями и переживаниями в надежде, что они дадут новый толчок творчеству? Ларке кажется, что она бездарна и пишет плохо, и она ищет все возможные пути сделать свои полотна более страстными, наполненными чувствами. И если все так, то только его, Валерия, вина в том, что жена до сих пор не поверила в свой талант. Он мало старается, он

139

не делает все необходимое, он что-то упускает, и все усилия по ее раскрутке не дают желаемого результата. А ведь она по-настоящему талантлива, уж ему ли, выросшему в семье художника, этого не понимать! Во всем, что происходит с Ларисой, виноват он сам, и незачем устраивать ей сцены и требовать объяснений. Факт налицо, и этого достаточно. Тем более сейчас имеет место быть очередной период «этого», так что все объяснения и выяснения заранее обречены на провал.

— Валерий Станиславович, — голос секретаря вывел его из задумчивости, — пришла ваша жена.

— Да, конечно, — невнятно пробормотал Риттер и тут же встряхнулся и взял себя в руки. — Пусть войдет.

И это тоже было обычным в период поглощения таблеток. Лариса ни с того ни с сего являлась к нему в офис, заявляла, что жутко голодна, и требовала, чтобы муж немедленно все бросил и вел ее в ближайший ресторан. Иногда он не мог отлучиться, и тогда еду из ресторана приносили прямо ему в кабинет. Лариса ела жадно и быстро, после чего немедленно засыпала здесь же, в кресле, свернувшись калачиком. В таких случаях Риттер объяснял секретарю, что его жена работала всю ночь напролет (хотя на самом деле уже несколько дней даже не прикасалась к кистям и краскам), забывая поесть и отдохнуть, страшно оголодала и устала, и вот... Все с пониманием относились к причудам художественной натуры жены босса, и никто ничего плохого до сих пор не заподозрил. Тем более спала молодая женщина крепко, и ее присутствие в кабинете шефа работе фирмы не мешало, можно было заходить и решать вопросы, даже не понижая голоса. Единственное ограничение состояло в том, что Риттер не мог никуда уехать, пока Лара не проснется, но с этим он как-то справлялся. Ни за что не хотел бы он, чтобы в его отсутствие жена проснулась и вступила в неконтролируемый контакт с кем-то из его сотрудников. Ее неадекватность тут же будет замечена, сначала поползут слухи, за ними последуют вопросы, почему он ничего не предпринимает и не занимается лечением Ларисы. Ответ на этот вопрос знают только мать и сестра Анита, больше ни с кем Риттер проблему обсуждать не собирался.

Жена ворвалась в кабинет — как на крыльях влетела. На лице улыбка, а глаза какие-то мертвые, ни мысли в них, ни нормального человеческого чувства. Одна тупая, как казалось Риттеру — животная, готовность радоваться всему подряд и всех подряд любить.

— Ой, Лерочка, золотиночка моя, — защебетала она прямо с порога, стаскивая мокрую от дождя куртку, — я так есть хочу — прямо не могу! А на улице такой дождь, это что-то невозможное! Ты меня покормишь, Лерусик? Только здесь, ладно? Я вся вымокла. У тебя перед офисом такое скопище машин, паркануться негде, пришлось ставить тачку далеко, пока добежала — промокла до нитки. Скажи там, пусть куртку повесят куда-нибудь.

Она держала мокрую куртку в руках, брезгливо отстранив ее от себя, как грязную тряпку. Повесить ее в кабинете было негде, и «скажи там» подразумевало, что Риттеру нужно или вызвать секретаря, или самому отнести одежду в приемную и повесить в шкаф. Вызывать секретаря он не стал, ему претили барские замашки матери, и сам он умышленно старался не делать ничего, что походило бы на них. Взяв из рук Ларисы куртку, Валерий вышел из кабинета. Вернувшись, он застал жену на своем месте, за столом. Она вертелась в крутящемся кресле, одновременно держа в руках трубку и набирая чей-то номер телефона. Собралась «чирикать» прямо у него в кабинете? О господи, за что ему все это?

Валерий резко выдернул трубку из рук жены и швырнул на стол.

— Если тебе хочется трепаться по телефону, поезжай домой. Там в каждой комнате по аппарату. А здесь я работаю.

— Да ты что, Лерочка? — она скроила обиженную гримаску, не понимая, почему муж так рассердился. — Я только хотела Нине позвонить, чтобы она меня не ждала к обеду. Чего ты расписиховался?

Встать с его кресла она и не подумала. Риттер уселся в кресло для посетителей и потянулся к телефону.

— Что тебе заказать?

— Мясо с жареной картошкой. Салатик. И пару пирожных. Нет, лучше три. Разных.

Она судорожно сглотнула, и Валерий понял, что она действительно безумно голодна. Даже глаза заблестели, как только Лара начала перечислять блюда. Он уже не мог на нее сердиться. Маленькая глупая голодная девочка, влюбленная в свое искусство и не верящая в собственные силы.

Еду принесли через полчаса. Лариса умяла все в мгновение ока, щеки ее порозовели, глаза сонно блуждали по кабинету. Через несколько минут она крепко спала, свернувшись калачиком, как обычно. Теперь будет спать часа три, не меньше.

Валерий занялся делами, просмотрел проект контракта с новым клиентом, отметил на полях пункты, которые необходимо еще раз уточнить с юридической службой. Отвечал на телефонные звонки, звонил сам, заносил в блокнот какие-то данные, то и дело вызывал к себе то замов, то начальников отделов.

Вспомнил, что договаривался часам к пяти подъехать к приятелю, работавшему в банке, потолковать о новых возможностях размещения денег, позвонил и отменил встречу. Пока Ларка не проснется, из кабинета он может отлучаться не больше чем минут на десять.

— Жаль, — непритворно огорчился приятель. — Я с тобой еще посплетничать хотел.

— О ком? — вяло поинтересовался Риттер, которого сейчас куда больше волновали собственные семейные дела, чем чужие.

— Об Игоре Чуйкове. Ты ведь знаешь его?

— Знаю.

С Чуйковым фирма Риттера имела дело не раз, они познакомились еще несколько лет назад, когда Игорь Васильевич только начинал свое дело и попросил Риттера разработать оптимальную управленческую схему с учетом профиля деятельности будущей фирмы. Штатное расписание, должностные обязанности и все такое. Впоследствии «Практис-Плюс» дважды менял сферу своих интересов, и каждый раз Чуйков обращался к Риттеру, чтобы его сотрудники разрабатывали новую схему. Чуйков был разумным и экономным хозяином, он хотел, чтобы у него было ровно столько людей, сколько нужно для обеспечения всех необходимых направлений работы, чтобы никто не болтался без дела, то есть без достаточной нагрузки, и чтобы ни одна из необходимых функций не «провисала», будучи не обеспеченной штатной единицей. Иными словами, чтобы и зарплату лишнюю не платить, и чтобы дело не страдало.

— А статью читал, где его «Практис-Плюс» опустили со страшной силой? — продолжал приятель-банкир.

— Читал, — подтвердил Валерий. — Ерунда это все, я хорошо знаю, как Игорь дела делает. Все это вранье.

— Так именно что! — непонятно чему обрадовался приятель. — У Чуйкова из-за этой статьи сорвалось несколько контрактов, и он вчинил газете нехилый иск за диффамацию. И приложил все документы, из которых следует, что журналист, автор статьи, его оболгал. Так что суд, конечно, будет разбираться, но, похоже, газетчикам придется крупно раскошелиться.

— Ну, если Чуйкова оболгали умышленно, то, значит, был заказ, — возразил Риттер. — И тот, кто заказал статью, либо возместит газете все потери, либо нажмет на рычаги и спустит судебное дело на тормозах. Так уже сто раз бывало, сам знаешь.

— Знаю, — согласился банкир.

По возникшей паузе Риттер догадался, что его собеседник закуривает. Вот прямо рядом с микрофоном щелкнула зажигалка, и послышался шумный выдох после первой затяжки.

— Но фокус в том, что статья, похоже, не заказная, — продолжал приятель.

— С чего ты взял?

— Очень уж главный редактор паникует. Было бы у него прикрытие, он бы так не дергался.

— А ты-то откуда знаешь? Ты что, знаком с ним?

— Нет, лично не знаком, но его писаки из финансовой полосы регулярно получают у меня консультации. Вот они и рассказали. Получается, что журналисту кто-то подсунул эту липу про Чуйкова, а он ее схавал и не подавился.

— Странно, что ничего не проверил, а сразу напечатал, — заметил Валерий. — Что ж он так неаккуратно?

— Да говорят, источник был очень надежный, никогда не подводил. Выходит, Валера, что у твоего приятеля Чуйкова есть какие-то тайные враги. Это я к тому, что коль ты имеешь с ним дело, то тебе положено об этом знать. Так что довожу до твоего сведения.

— Ну почему же непременно тайные? — усмехнулся Риттер. — Может, очень даже явные, и сам Игорь прекрасно знает, кому была выгодна эта публикация.

— Явные враги, Валерий Станиславович, люди состоятельные, — назидательно произнес банкир, — они действуют при помощи денег и сверху, чтоб наверняка, а не сбоку и на доверии. Явные враги заказывают публикации, а тайные их провоцируют. Ловишь разницу? Но Чуйкову от всего этого одна только выгода вышла. Липа, которую журналисту подсунули, оказалась такой топорной, что он ее в пять секунд опроверг и теперь предлагает газете либо мировое соглашение на семьсот тысяч долларов, либо судебный иск на три миллиона. При том, что дело в суде он наверняка выиграет.

— Ну что ж, — философски заметил Валерий, — все

справедливо, неприятности должны чем-то компенсироваться. А тебе не приходило в голову, что если Чуйкову это все такой выгодой обернулось, то это неспроста?

— Приходило, — хмыкнул собеседник. — Я ж говорю: посплетничать хотел. Так когда увидимся?

— Давай завтра. — Риттер перевернул страницу органайзера и посмотрел расписание на ближайшие дни. — Завтра между тремя и четырьмя или послезавтра прямо с утра, часиков в десять. Тебе когда удобно?

Теперь страницы шелестели на другом конце провода.

— Завтра у меня сложный день, давай послезавтра с утра.

— Договорились.

Валерий положил трубку, сделал пометку в органайзере и вернулся к текущим делам. Лариса продолжала сладко посапывать буквально в двух метрах от него, постоянно напоминая Риттеру о том, что бизнес бизнесом, а свое главное дело, то, за которое у него все время болит душа, он так и не сделал.

Кинув очередной взгляд на Лару, он придвинул поближе записную книжку и начал звонить знакомым журналистам с одним и тем же вопросом: у каких публичных, на всю страну известных людей они планируют в ближайшее время брать интервью. Записал несколько имен, критически оглядел полученный список. С двумя из этих персонажей он был знаком, не близко, но все же достаточно, чтобы позвонить им.

— Я хотел бы преподнести вам в подарок картину моей жены, молодой художницы... Я могу попросить вас об одолжении? У вас будут брать интервью для журнала... Журналист обязательно спросит вас об этой картине. Вы не могли бы непременно упомянуть имя автора?.. Я буду вам очень признателен...

Унизительно, противно. Он делает это не в первый раз. И каждый раз чувствует себя засунутым вниз головой в мусорный бак. Но для Лары он готов и не на такое пойти.

* * *

В субботу дом в Болотниках оказался полон народу. В пятницу вечером приехал Чистяков, в субботу с утра появился Павел Дюжин, а после обеда, ближе к вечеру, вдруг нарисовался Коротков.

— У-у, — разочарованно протянул он, оглядывая кухню, на которой кипела работа: Чистяков взялся приготовить привезенного Дюжиным молочного поросенка, — а я-то думал, облагодетельствую несчастную одинокую больную, развею скуку, окажу моральную поддержку, и за все это она будет мне благодарна по гроб жизни.

— Еще один прихлебатель явился в поисках благодарности, — констатировал Алексей. — Я думал, моя Аська самая корыстная, а у вас на Петровке, оказывается, все такие. Селуянов тут без конца пасется, тоже делает вид, что навещает.

— Я попрошу, — демонстративно оскорбился Коротков, — ваша, сударь, жена бывает корыстна только в двух направлениях: чтобы вы ее кормили и уступали место за компьютером. А я компьютером не пользуюсь.

— Значит, голодный, — сделал вывод Дюжин.

— Кормленый, — гордо заявил Юра. — И ничего мне от Каменской не нужно. Кстати, где она?

— Устраивает пробный вояж на второй этаж. Пытается ходить по лестнице. Специально ждала, когда кто-нибудь приедет, одна боялась рисковать, — объяснил Чистяков. — Пойди-ка, раз уж ты такой бескорыстный, проверь, до какого места ей удалось добраться. А то она уж минут двадцать как отправилась.

Коротков вышел из кухни, начал подниматься по лестнице и сразу понял, почему Настя ее боится. Крутая, винтовая, ступеньки узкие. Одно неверное движение — и пиши пропало, непременно что-нибудь сломается при падении, и хорошо еще, если рука или нога, а то ведь и что

146

похуже. Каменскую он нашел в одной из трех комнат. Судя по всему, это была детская, предназначенная для семилетнего сынишки Дюжина. Настя сидела на маленьком диванчике, опираясь обеими руками о палку, и задумчиво разглядывала вытянутую вперед левую ногу.

— Здорово! — радостно заорал Коротков. — С победой тебя, подруга! Ты покорила-таки эту вершину!

Она улыбнулась и протянула ему руку:

— Привет, я твой трубный глас уже давно слышу. И чего ж ты всегда так орешь, а, Юрик? С таким голосом ни один секрет сохранить невозможно.

— Ладно, давай, критикуй, — обиженно проговорил он. — Эти, которые внизу, меня корыстью попрекают, и ты не отставай, подключайся. Я в такую даль тащился, хотел с подругой повидаться, самые, можно сказать, лучшие чувства в душе нес, а вы... Я что, жрать сюда приехал? А если вам кусочек поросенка жалко, так и скажите, жлобы.

— Да ладно тебе, — Настя расхохоталась, — мы тебя и таким любим.

— Каким это таким? — с подозрением спросил Коротков.

— Голодным и громогласным. Садись, посиди, я все равно раньше чем через полчаса вниз не двинусь.

— То есть у нас с тобой есть целых полчаса вдали от этих, которые внизу?

— Так, и ты туда же. Я не надеюсь, что ты пришел предлагать мне вечную любовь. Стало быть, это вечная работа.

— Ну а то, — Юра сделал выразительный жест руками, который означал, что иначе быть и не должно. — Чего ценному кадру впустую простаивать, а работа у нас, как ты правильно заметила, вечная, ее всегда много и ее никогда до конца не переделаешь.

— Это насчет актрисы или на нас еще что-то обрушилось?

— Актриса, не тем будь помянута... Аська, я от тебя ничего не хочу, честное слово! Я только расскажу тебе, что знаю, и пусть оно у тебя в голове варится, ладно? Вдруг что получится.

— Бульон, — усмехнулась она, — и, вероятнее всего, с фрикадельками. Или ты рассчитываешь на борщ?

— Ася, я серьезно, — голос Короткова стал умоляющим, — ты же все-таки женщина, тебе проще понять все эти глупости с любовью и ревностью. Вот смотри: есть известный, всеми любимый и уважаемый режиссер Островский, у него есть молоденькая любовница-актриса — это с одной стороны. А с другой — есть бывший каскадер, красивый мужик, который с Островским знаком очень давно, снимался у него в семи картинах, в последний год они общаются очень тесно. Молодая актриса усиленно строит глазки каскадеру, не смущаясь присутствием ни своего любовника, ни любовницы самого каскадера. Пока все понятно?

— Пока — да, — кивнула Настя. — И что было дальше?

— А дальше было шестидесятипятилетие Островского. Праздновали три дня в разных интерьерах. И почему-то каскадер в праздновании не участвует. Поссорились? Ничего подобного, на следующий же день после чествования Островского в Доме кино он вместе с актрисой приезжает в гости к каскадеру и напивается у него до положения риз. То есть хорошо так, крепко, как напиваются с друзьями. Спрашивается в задачке: почему каскадер не участвовал в массовых празднествах?

— Я так понимаю, какие-то ответы у тебя уже есть.

— Не у меня, у Сережки Зарубина, это он прицепился к факту отсутствия каскадера в толпе поздравляющих. Сережка решил, что каскадер все-таки ответил на заигрывания актрисульки и сделал свое черное интимное дело, и произошло это прямо накануне юбилея Островского. И потом не знал, что со всем этим делать и куда это девать, поэтому от участия в торжествах просто-напросто уклонился. Может такое быть?

— Запросто, — Настя снова кивнула. — Не все же мужики относятся к женщинам как к неодушевленному предмету, у некоторых все-таки присутствует мысль о том, что близость подразумевает какое-то развитие отношений. И ты считаешь, что это может быть связано с убийством актрисы Халиповой?

— Может. Потому что у Халиповой был еще один любовник, так сказать, основной. Председатель одного из думских комитетов по фамилии Дронов. Слышала?

— Слышала, причем много негативного в смысле его связей с группировкой Багаева. И что, наш Дронов оказался жутким ревнивцем?

— В самый корень зришь, подруга. Якобы — я подчеркиваю, якобы, поскольку это только слухи, — он заявил Халиповой, что режиссера Островского он ей любить разрешает, поскольку это нужно для карьеры, а вот на всех прочих мужчин в этом мире данное разрешение не распространяется. И — опять же якобы — были высказаны соответствующие обещания угрожающего характера.

Настя зачем-то осторожно погладила больную ногу и вздохнула:

— И вы решили, что если Халипова переспала с каскадером, то за это ее и убили. Но что-то у вас не получается. Ведь не получается же, раз ты приехал?

— Не получается, — мрачно подтвердил Коротков. — Во-первых, Халипова вела себя не очень-то целомудренно и часто допускала, мягко говоря, разовые контакты с мужчинами. Но почему-то Дронов ее за это не убил. А за каскадера последовала немедленная расправа. О чем это говорит?

— О том, что про других мужчин Дронов не узнал, а про каскадера каким-то образом узнал. Если тебе это не нравится, могу предложить другой вариант. Например, у Дронова в принципе нет возможности узнавать о любовных похождениях Халиповой, они вращаются в разных тусовках, и он так ничего бы и не узнал о каскадере. Но кто-то очень хотел убрать Халипову, кому-то она сильно мешала, и этот «кто-то» ждал удобного случая, или не ждал, а просто воспользовался тем, что девушка неосторожно себя повела, засветилась при любовном свидании с каскадером, и немедленно донес куда следует. Так тебе больше нравится?

— Вообще-то ничего, как версия годится.

Коротков поднялся с низкого стульчика, все-таки детская мебель была для него неудобна, и принялся дрыгать затекшими ногами.

— А что сам каскадер говорит? Подтверждает интимную связь с Халиповой?

— Ну да, подтвердит он, как же. Отказывается, знамо дело, а у самого глаза как у нашкодившего кота. Но если он с актрисой не спал, то почему на юбилей не пришел, вот ответь мне!

— Может, у него дела какие-то были важные и неотложные. Всякое же бывает.

— И снова ты права! — Коротков осмотрелся в поисках чего-нибудь поудобнее детского стула, ничего подходящего не нашел и пристроил себя на широкий подоконник. — И мы задавали этот вопрос каскадеру Кричевцу. Знаешь, что он ответил?

— Что у него никаких дел не было и все три дня он провел у своей любовницы на ее квартире.

— А откуда ты знаешь? — в изумлении спросил Юра. — Тебе что, Зарубин звонил?

— Догадалась. — Она снова погладила ногу, словно именно нога была ее собеседником, а вовсе не Коротков. — Если бы каскадер перечислил тебе все свои неотложные дела на эти дни, ты бы кинулся проверять и очень быстро выяснил бы, что это чистое вранье. Вот он и прикрывается любовницей, которая его всегда поддержит и показания подтвердит. Он мог бы сказать, что провел эти дни у себя дома, но его, вероятнее всего, там не было, ему же наверняка кто-то звонил, а он не отвечал. Поэтому выдвинуто объяснение про три дня в объятиях любовницы на ее квартире.

— Нет, подруга, ты хоть и умная, а не все знаешь. Каскадер Антон Кричевец поведал нам, что Островский пригласил его вместе с любовницей гражданкой Волковой на банкет в воскресенье, но у Волковой именно в воскресенье имел место быть семейный ужин в связи с девяностолетием бабушки, а идти без нее Кричевец не хотел.

— Подумайте, какие нежности, — пробормотала Настя. — Ну и что ему помешало поздравить Островского в понедельник, на банкете в Доме кино? Или в субботу?

— В субботу, как объяснил сам Островский, он собирал людей определенного круга, элиту, так сказать. Высшее руководство. А в воскресенье как раз был банкет для друзей и близких независимо от ранга.

— Ладно, а в понедельник?

— А вот насчет понедельника у нас, в смысле у Кричевца, было плохое настроение, тоска обуяла и печальные мысли о бренности всего живого. Короче, он впал в хандру и провел весь день и половину вторника у Волковой. Причем, заметь себе, Волкова это настроение отнюдь не разделяла и спокойненько так ушла себе на работу. Что в понедельник, что во вторник. То есть утешала она его исключительно вечером и ночью. Правда, во вторник после работы они вместе с Кричевцом отправились к нему домой, поскольку ждали в гости Островского с Халиповой. Дальше ты все знаешь.

— Волкова действительно была на работе? Ты проверял?

— Проверял. Была. А вот был ли в ее квартире в это время Кричевец, проверить невозможно.

Настя согнула левую ногу и попробовала наступить на нее. Вроде ничего, болит, но не настолько, чтобы не попытаться спуститься вниз.

— Юр, ну что ты прицепился к этому каскадеру, а? Какая тебе разница, был он у своей любовницы или не был? Это же не алиби, убийство-то произошло в ночь со вторника на среду, а не в понедельник. Ты, по-моему, не на то время тратишь.

— Да, по-моему тоже. Но Зарубин мне всю голову заморочил, подай ему объяснение, почему Кричевец не пришел на юбилей, и все тут. Он уверен, что дело в Халиповой, а это — мотив убийства.

— Странные вы ребята, — вздохнула Настя и протянула руку. — Помоги мне встать, пора двигаться в сторону кухни, там, по-моему, скоро начнется раздача поросятины. Вы пытаетесь доказать, что каскадер переспал с актрисой, хотя сам он это отрицает, а у нее уже не спросишь. Да какая вам разница, спал он с ней или нет? Важно понимать, имел Дронов основания ее ревновать или не имел, а насколько эти основания соответствуют действительности — дело десятое. Девчонку могли просто оболгать, играя на чувствах Дронова. Или не оболгать, но все-таки донести на нее. Ищите, кому это выгодно. Ведь ясно же, что кто-то донес специально, в противном случае Дронов свою пташку давно уже убил бы, судя по твоим рассказам о ее образе жизни.

До середины лестницы они шли молча, Настя полностью сосредоточилась на процессе перемещения веса со здоровой ноги на палку, стараясь при этом не промахнуться мимо узких ступенек. Коротков шел впереди, готовый в любой момент поймать потерявшую равновесие подругу.

— И все равно я хочу понять, почему Кричевец не был на юбилее, — упрямо произнес Юра. — У меня мозгов не так много, как у тебя, зато у меня чутье есть. И чутье мне подсказывает, что ответ на этот вопрос даст очень многое. Откуда эта внезапная хандра и плохое, понимаете ли, настроение, когда речь идет о том, чтобы оказать уважение человеку, который собирается дать тебе работу? Вот ты поставь себя на место этого каскадера: съемки в прошлом, денег нет, перебивается случайными подработками или сидит на шее у любовницы, и вдруг известнейший режиссер предлагает вместе делать проект. Если все получится, то будет приличный заработок. Но ведь этому режиссеру надо, прости, дорогая, задницу ежедневно вылизывать, чтобы не дай бог не передумал и не обратился к другому специалисту. Каскадеров-то пруд пруди, причем среди них есть очень известные, а Островский — один. Ты можешь себе представить, чтобы при таком раскладе кто-то мог себе позволить проигнорировать юбилей, если уж был приглашен?

— Не могу, — призналась Настя, пристально вглядываясь в следующую ступеньку, — женщина, пожалуй, могла бы так поступить, а мужчина вряд ли. Все-таки у женщин, как правило, на первом месте чувства, а у мужиков — дело. Но если следовать твоей логике, то такой каскадер не может себе позволить переспать с любовницей режиссера, и по этой же самой причине. В такой ситуации вылизывание задницы не совмещается с нанесением ударов в спину. Не отвлекай меня, а то я точно грохнусь.

— Поймаю, — оптимистично пообещал Коротков. — Но мне нравится ход твоих мыслей. Если между каскадером и Халиповой ничего не было, то почему он не пришел на юбилей? Допустим, хандра. Я в нее не верю, но ладно, допустим. Тогда почему Халипову убили? За какого мужика, если не за каскадера?

— Юра, ты меня доконаешь! — застонала она. — Дай мне спокойно дойти до первого этажа. Ты же сам говорил, у Халиповой мужиков было как грязи. Вот у Дронова и лопнуло терпение.

— Но почему именно сейчас? Что или кто его спровоцировал? Ася, пойми, мне нужны зацепки, мне нужно, чтобы было с чем подбираться к Дронову. Он, блин, политик, к нему на кривой козе не подъедешь, чуть что — сразу крик поднимет о депутатской неприкосновенности, генерального прокурора на нас натравит. Я должен восстановить всю историю до мельчайших подробностей, каждый фактик подтвердить и доказать, иначе все впустую.

Вот и последняя ступенька. Слава богу, можно расслабиться и доковылять до кресла.

— Что еще ты хотел у меня спросить?

— Как зовут убийцу.

— Ну и шуточки у тебя, — Настя укоризненно покачала головой. — Не трать время, Юра, сейчас нас за стол позовут, и если мы будем продолжать обсуждать убийство, мой Чистяков взвоет. Он и так ругается, когда я за едой про трупы говорю. А молочный поросенок требует чистоты помыслов и невинности речей.

— Ага, конечно, тебе какой-то дохлый свин важнее товарища по работе. Я к тебе со своими проблемами, как к близкому другу, а ты... — заблажил Коротков, но тут же оборвал сам себя и воровато оглянулся на открытую дверь, в которую из кухни просачивались запахи и звуки весьма недвусмысленного характера. Определенно, поросенок пребывал в двухминутной готовности от процесса разделывания перед подачей на стол, и к нему будут прилагаться весьма соблазнительные закуски. Пожалуй, надо поторапливаться. — Короче, нарисуй мне картину преступления. Вот смотри: Халипова ждет телефонного звонка, звонок поступает, она договаривается с кем-то о встрече, берет машину Островского и уезжает. Почему-то по дороге она впадает в жуткую панику, сбивает женщину с ребенком и скрывается, не остановившись и не оказав им помощи. Почему она не останавливается? Либо ее преследуют, и она понимает, что остановка — это смерть, либо она в таком состоянии, что ухитряется не заметить сбитых людей. То есть она от страха просто невменяемая. Что мы имеем дальше? Дальше мы имеем труп Халиповой рядом с машиной на окраине города, за Кольцевой дорогой. Ее что, догнали? Остановили? Потребовали выйти из машины? И почему она, как дура, вышла, если понимала, что убьют? А не понимать не могла, потому как убегала от убийцы через пол-города. Чего ж было убегать, если она его не боялась?

— Ее могли вытащить из машины силком, — предложила Настя версию для обсуждения.

— Она могла заблокировать двери. Более того, у Островского «Лексус», в этой модели двери блокируются автоматически, как только начинает работать двигатель. То есть двери были закрыты, а Халипова их зачем-то открыла.

— Ее могли заставить открыть дверь. Знаешь, когда начинают бить руками и ногами по машине, особенно по стеклу, это действует очень сильно. Не всякий выдержит, а она все-таки молодая девушка.

— А экспертиза утверждает, что ничего подобного не было и никаких следов от ударов на дверях, капоте и стеклах нет. Это как?

— Это плохо, — искренне огорчилась Настя. — Зачем же, в самом деле, она открыла дверь и дала преступнику возможность вытащить себя из машины? Вероятнее всего, у нее от страха и от переживаний, да еще после гонки через полгорода, мозги отказали, это часто бывает.

— Ася, тебя когда-нибудь силком из машины вытаскивали?

— Меня? — удивилась она. — Нет. Бог миловал, всегда сама выходила, по своей воле.

— А меня вытаскивали. И могу тебе сказать, что я хватался за все, что подворачивалось под руку, пытался хоть за что-то уцепиться. За руль, за рычаг переключения передач, за приборную панель, даже за щиток, которым от солнца прикрываются. Короче, за все. И остаются от таких приключений весьма характерные следы в виде смазанных полос.

— И этих следов эксперты в машине не обнаружили, — закончила за него Настя. — Совсем плохо. Значит, Халипову из машины не вытаскивали, она сама вышла. Юрик, я тебе искренне сочувствую.

— Вот и я себе сочувствую, — уныло проговорил Коротков. — Потому что к боевикам Багаева она бы сама не вышла. Она вышла бы только к Дронову. Бедный я, бедный, и за что мне эти напасти? Ну почему убийцей не может быть слесарь или дворник, которого можно вот так просто пойти и арестовать, а? Ну ладно, пусть врач, или учитель, или инженер какой-нибудь. Так нет же, как Коротков — так непременно гадость какая-нибудь в виде подозреваемого, к которому просто так не подберешься. Вот почему так, Аська?

— Потому что Петровка. Уходи на землю, вон как Коля Селуянов, будешь своих дворников и слесарей пачками задерживать.

— Все, хватит! — прогремел прямо над ними голос Чистякова, внезапно возникшего на пороге комнаты. — Ты, Коротков, обманул мое дружеское доверие, ты клялся мне всем, что у тебя есть святого, что приехал бескорыстно и ничего тебе от моей жены не нужно. Ты нагло обманул меня, ты пытаешься беззастенчиво эксплуатировать несчастную больную женщину и за это понесешь страшное наказание.

— Какое? — с ужасом спросил Юра, надеясь, что это будет что угодно, только не лишение порции поросенка.

— Ты поешь, а потом, когда мы все будем млеть от сытости, возьмешь топор, пойдешь за дом в сарай и наколешь дров для камина.

Ладно, дрова так дрова, главное — поросенка не лишили. А он так изумительно пахнет!

* * *

Зоя Петровна Кабалкина, мать Аниты Волковой, не на шутку волновалась за свою младшую дочь Любочку. Что-то девочка стала нервной и замкнутой, и хоть и забегает к родителям ежедневно, как всегда, благо живет на соседней улице, но ее словно бы и нет. Вот телесная оболочка Любы

156

здесь, и личико ее, и волосы, и кофточка, и мобильный телефон на поясе брюк, а ее самой нет. На все вопросы матери отвечает невпопад, а то, бывает, уйдет в ванную, Зоя Петровна ухом к двери прильнет и слышит: плачет. Тихонько так, сдерживаясь, чтобы не напугать родителей и бабку с дедом, давится слезами. Уж с какой только стороны мать к ней не подбиралась, и окольными путями, и прямые вопросы задавала: мол, что случилось, ответ был один:

— Мамуля, у меня все в порядке. Настроение скачет, вот и слезы.

— Да настроение-то откуда? — допытывалась Зоя Петровна. — Тебя кто-то обидел? Или кавалер бросил? Или влюбилась, а он не замечает?

Люба только качала головой и вымученно улыбалась:

— У меня все в порядке, ты за меня не переживай. Настроение... Это пройдет.

Может, и пройдет, рассуждала про себя Зоя Петровна, только нет сил видеть, как ребенок сохнет и бледнеет день ото дня. Если все дело в любовных переживаниях, то еще ничего, а вот если на работе что-то не так или с казенными деньгами проблемы, тогда впору начинать волноваться. Финансовый директор крупной фирмы — это вам не кот начхал, ответственность большая, а следовательно, и спрос большой.

Промучившись несколько дней, Зоя Петровна решила подключить к делу старшую дочь Аниту. Вот уж кто умеет найти с Любочкой общий язык, вот уж кому Люба в рот смотрит! Конечно, если все дело в казенных деньгах, то Люба матери вряд ли скажет, ведь объяснять же придется, а Зоя Петровна в нынешней экономике ничегошеньки не понимает, она уже давно забыла, как была знаменитой артисткой, и не грустит по тем временам. Больше тридцати лет она живет только домом, семьей, любовью, и даже та работа, которой она посвятила все годы до выхода на пенсию, не занимала ее душу, была тягостной необходимостью, которую надо выполнять, чтобы не посадили за тунеядство. Как только статью отменили, Зоя Петровна вскоре написала заявление об уходе, стажа для пенсии ей хватало. Самое главное для нее — дом, ухоженные дети и внуки, обихоженный муж, присмотренные старики-родители. Все это — ее крепость, и служению этой крепости Зоя Петровна готова была с радостью посвятить всю себя. Она даже книг в последние десять лет почти не читала — не было потребности. Раньше приходилось, конечно, читать, особенно то, что модно, чтобы совсем-то уж деревенщиной не выглядеть, все-таки нужно было общаться с родителями ребят, занимающихся у нее в театральном кружке. А как работать перестала, так про чтение и забыла. Забот по хозяйству много, внуки целый день на ней, Любочка их по утрам приводит, перед работой, и после работы забирает, да старики, а вечером и Гриша, любимый муж, из своей конторы, со станции техобслуживания, приходит, частенько гостей приводит, то подчиненных своих, то клиентов, то старых друзей, так что дом должен сверкать и еды чтоб вдоволь.

Понятно, что заботами своими Любочка с матерью вряд ли поделится, а вот Аните расскажет наверняка. Анита у них у всех как палочка-выручалочка, не только Люба, но и Валерик, сын Станислава Оттовича от третьего брака, с ней советуется, с ее мнением считается. Оно и понятно, ведь Анита — старшая, значит, умнее, мудрее своих младших брата и сестры. И вообще, она необыкновенная, не такая, как все. Если уж Любочка со своей проблемой сама справиться не может, то с помощью Аниты обязательно сумеет это сделать.

Дождавшись вечера, когда дочь придет домой, Зоя Петровна позвонила ей. Вот ведь как гены дают о себе знать! Ни Анита, ни Валерик просто не выносят, когда их называют уменьшительными именами. Это у них от Станислава Оттовича, который не признавал никаких «Стасиков» и

«Славиков», его можно было называть только Станиславом. И Анита, еще будучи совсем крохой, демонстративно не отзывалась, если кто-нибудь называл ее Анечкой, Нюрой или Нютой. Она хотела быть только Анитой, она гордилась своим нерусским именем, придуманным крестной-испанкой. И как поначалу она бесилась, когда бабушка, мать Зои Петровны, называла ее Нютой! Правда, очень скоро девочка поняла, что бороться с этим бесполезно, и покорилась. Но только в отношении бабушки. Больше никому такие вольности не дозволялись. Говорят, и Валерик точно такой же, сама Зоя Петровна его в детстве не видела, познакомилась с ним только на похоронах Станислава Оттовича, но Нина Максимовна, его мама, рассказывала о поведении маленького сына примерно то же, что Зоя Петровна могла бы рассказать о детстве Аниты. У обоих детей художника Риттера была способность фанатично увлекаться чем-то и заниматься предметом своего увлечения по-настоящему глубоко и всесторонне. При этом и мальчик, и девочка умели хорошо организовать свое время, и никакие хобби не ставили под угрозу приготовление уроков. Всему был свой час, и час этот использовался с полной нагрузкой. Ведь подумать страшно, сколько Анита училась! И танцы, и испанский язык, и музыкальная школа по двум специальностям, гитаре и саксофону, а все равно ведь закончила с золотой медалью.

А у Валерика, Нина Максимовна рассказывала, другая история была. Ему отец подарил игрушечную железную дорогу, огромную, во всю комнату. Из-за границы привез. Так мальчуган, ему тогда лет восемь было или девять, ровно полчаса с ней поигрался, а потом засел за бумажки и начал какие-то расчеты делать. Прямо тут же, на полу, рядом с рельсами и вагончиками. Оказалось, он подсчитывал, сколько нужно людей, чтобы обслуживать такую дорогу, если бы она была настоящая. Станислав Оттович тогда посмеялся над сыном, а потом заметил, что Валерик ко всему так относится, с чем бы ни столкнулся. Вот они в зоопарк сходили, а на другой день мальчик сидел и подсчитывал, сколько нужно людей и техники, чтобы регулярно вывозить навоз и пищевые отходы. Причем считал с вариациями, например, если бы в зоопарке было пять слонов, десять тигров и десять львов, или один слон, три тигра и два льва, или слонов вообще бы не было, а были бы только тигры, львы и обезьяны. Станислав Оттович хотел, чтобы сын стал художником, с детства учил его понимать живопись и держать карандаш и кисть, и такое увлечение Валерика вызвало в нем бурю гнева. А тому хоть бы что! Сходит в театр — и давай высчитывать, сколько должно быть персонала, помимо артистов, чтобы театр функционировал нормально. Сходит в планетарий — то же самое. На выставку с отцом, в магазин за тетрадями, в жэк за талонами на сахар — куда бы ни попадал Валерик, это давало ему пищу для очередных подсчетов. И неважно, правильными были его расчеты или нет, важно, что ему это было по-настоящему интересно, и именно этим он хотел заниматься, когда вырастет, а вовсе не живописью. Институт он выбрал по своему усмотрению, и Станислав Оттович с ним несколько месяцев не разговаривал. Отец-то, видно, рассчитывал, что сын станет если уж не художником (Валерик уже лет с десяти отказывался брать кисти в руки, как ни настаивал Риттер-старший), то хотя бы искусствоведом, специалистом по изобразительному искусству, ведь Станислав Оттович столько вложил в него, так много с ним занимался! Ан нет, Валерик сделал по-своему и на обиды отца внимания никакого не обращал. «Я, — говорил, — строю свою собственную жизнь, а не папину. Если папу что-то не устраивает в его жизни, то пусть он это поменяет. Но в его жизни, а не в моей. Каждый человек должен быть хозяином своей судьбы. А не чьей-то чужой». Вот какой характер!

И у Аниты такой же. Никому не позволяет на себя влиять и себе диктовать. Оба в отца пошли.

Анита обещала поговорить с сестрой и сообщить матери о результатах. Перезвонила она только на следующий день.

— Мамусик, я, наверное, ничем тебя утешить не смогу.

— Что такое? — перепугалась Зоя Петровна. — Что с Любочкой?

— Не могу сказать точно, она мне ничего не сказала. Ты же просила не ссылаться на тебя, поэтому я просто разговаривала с ней, как обычно, надеялась, что она сама захочет поделиться.

— Не захотела? — горестно вздохнула она.

— Нет. Но я с тобой согласна, с ней что-то происходит. Она взвинченная, вот-вот сорвется.

— Господи, да что ж такое-то! — запричитала Зоя Петровна. — Что могло случиться, как ты думаешь, Анита?

— Не знаю, мамуся, но мне кажется, что Любаша скрывает от нас что-то такое, в чем ей стыдно сознаться. Иначе она бы мне обязательно рассказала.

— Да, тебе она доверяет, — согласилась мать. — И к слову твоему прислушивается. И уважает тебя, поэтому и стыдится, не хочет в твоих глазах себя уронить. Ладно, что ж делать, не хочет говорить — ее право. А у тебя-то как дела?

— Все в порядке.

— Как твой прыгун-скакун?

— Мама, я же просила тебя... Он каскадер, это уважаемая и хорошо оплачиваемая профессия.

— Что ж ты его прячешь от нас, если он такой уважаемый? — поддела дочь Зоя Петровна, которую обижало, что за все годы она так и не познакомила родителей со своим сердечным другом.

— Я никого не прячу. Просто я не считаю нужным знакомить вас с ним. Вы — моя семья, он — моя личная жизнь, и одно к другому отношения не имеет, так что не нужно смешивать.

От голоса дочери повеяло таким холодом, что Зоя Петровна почла за благо сменить тему.

* * *

Дождавшись, когда жена заснет, Владимир Харченко осторожно вылез из-под одеяла, прокрался на кухню, закрыл за собой дверь, закурил. Черт побери, что произошло? Схема всегда работала без сбоев, источник информации был супернадежным, и благодаря сведениям, черпаемым из этого источника, ему удалось несколько раз выступить на служебном поприще настолько удачно, что его карьеру можно было бы даже назвать головокружительной. А уж сколько денег он заработал, продавая информацию журналистам! Во всяком случае, его молодая жена не чувствует недостатка ни в тряпках, ни в цацках, и живут они не в конуре, и в свадебное путешествие ездили не куда-нибудь, а на Лазурный берег, во Францию.

Что же произошло? Ладно, как именно это все могло получиться, он разберется потом. А сейчас важно решить совсем другую проблему. Петька Маскаев, когда на него наехал главный редактор, указал на Харченко как на человека, продавшего информацию, оказавшуюся ложной. Главный, понятное дело, хочет пойти на мировую с Чуйковым, лучше отдать семьсот тысяч, чем три миллиона, а отдавать наверняка придется. Но из своего кармана он доставать эти деньги не собирается, это тоже понятно. Кто крайний в цепочке, тот и виноват, тот пусть и платит.

Сегодня утром, когда Харченко брал свою машину со стоянки, к нему подошли четверо мужиков, во всем облике которых прорисовывались намерения, не вызывающие сомнений. Мужики сообщили, не повышая голоса, что либо он, майор Харченко, принесет семьсот тысяч долларов, либо не принесет, но тогда уже принесут другие, и не деньги, а венки ему на могилку. И сроку ему на все про все — неделя. Через неделю будут либо деньги, либо цветы.

Понятно, что взять такие деньги ему негде. И надо придумать, как выкрутиться из этой ситуации. Может, пере-

162

вести стрелки на источник, подсунувший ему липовую информацию? Тогда сам Владимир перестанет быть крайним в цепочке.

Нет, так не годится. Надо придумать что-то другое.

Что-то другое...

Но что?

Глава 7

Так часто бывает: среди множества фактов и обстоятельств, всплывающих в ходе раскрытия преступления, вдруг выползает маленькая деталька, крохотная, незаметная и никому не нужная, но сыщик или следователь упираются в нее, как в запертые ворота, и просто не могут двигаться дальше, пока про эту детальку все не выяснят. Она им снится, она вертится у них в голове круглые сутки, покоя не дает, и они отчего-то уверены, что как только разберутся с этой мелочью, так сразу все остальные детали встанут на свои места, и картина преступления сложится в единое целое, заиграет красками, засверкает. Задышит и оживет. Иногда именно так и получается. Но куда чаще выходит, что деталь эта никакого отношения к преступлению не имеет.

Такой деталью в деле об убийстве Юлии Халиповой стал для Сергея Зарубина понедельник накануне убийства. Непонятно почему, но этот проклятый понедельник мучил оперативника и терзал, как больной зуб. Где был в понедельник Антон Кричевец? На какие такие невероятно важные дела променял он возможность прогнуться перед мэтром, от которого зависит будущая работа? Ни сам Кричевец, ни его любовница Волкова ответа на этот вопрос не давали.

Но то, что оба лгали, рассказывая о внезапном приступе плохого настроения у бывшего каскадера, было для Зарубина очевидным. Он хорошо помнил, как спрашивал у

Волковой, почему Антон не был на юбилее у Островского, и внятного ответа в тот раз не получил. А ведь если все было так просто, если в воскресенье он пропустил банкет, потому что не хотел идти один, а Волкова была занята семейным торжеством, если в понедельник он пребывал в расстроенных чувствах и провел весь день и даже часть вторника в ее квартире, то что мешало ей так и сказать? Но она ведь не сказала. Ограничилась молчанием и коротким «не знаю». Почему?

Да потому, что не была готова к вопросу. Не придумала заранее, что отвечать, если спросят, не успела согласовать это с Кричевцом. Не предполагали они, что милиционеров с Петровки заинтересует такая деталь, как присутствие одного свидетеля на дне рождения другого. А может быть, согласовывать нужно было не только с Кричевцом, но и с Островским? Кто их знает, что там на самом деле произошло? Самая ходовая версия, лежащая на поверхности, — это, конечно, Дронов и багаевские боевики. Но на самом-то деле пара «заказчик — исполнитель» может выглядеть совсем по-другому. То есть исполнителями могут быть как ребята Руслана Багаева, так и любые другие, а заказчиком мог выступить, к примеру, сам Островский, его жена, Кричевец, не желающий рисковать хорошим отношением режиссера, да та же Анита Станиславовна Волкова, в конце концов. Или заказал убийство все тот же Дронов, но спровоцировать его мог любой из вышеперечисленных персонажей.

И встает перед Сережей Зарубиным такой вот незамысловатый вопросец: предположим, поведение Халиповой стало совсем уж вызывающим, предположим даже, что пока Анита Станиславовна пировала в воскресенье в кругу семьи, молодая актриса встретилась с Кричевцом и позволила себе что-то уж совсем немыслимое, вплоть до шантажа, дескать, либо ты будешь моим и бросишь свою старуху, либо я добьюсь, чтобы Островский порвал с тобой деловые

164

отношения. И в понедельник Кричевец с благословения Волковой встречается с Дроновым. Дронов человек занятой, он назначил время для встречи, и это оказался вечер понедельника, и не смог отчаявшийся и перепуганный Кричевец отказаться и попросить перенести встречу на другое время, сославшись на необходимость поприсутствовать на дне рождения режиссера. Несопоставимой важности дела оказались, тянуть нельзя, Юлия — девушка неуправляемая и непредсказуемая, свою угрозу может привести в исполнение в любой момент. Отложишь встречу — а там уже и поздно будет дергаться.

Могло так получиться? Вполне. А что нужно, чтобы это проверить? Да сущая малость. Нужно точно установить, где были в понедельник вечером Кричевец и Дронов. Хотя, возможно, с политиком встречался не Антон, а его подруга, и в таком случае нужно еще установить, где находилась в это время Волкова. Вот и все. Если окажется, что Дронов в понедельник вечером находился там же, где и Кричевец, или Анита, или оба вместе, то можно считать преступление раскрытым.

А вот если окажется, что они нигде не пересекались, мучительный вопрос о понедельнике встанет с новой силой. Если Кричевец и Волкова скрывают не встречу с Дроновым, то что? Что они скрывают?

Своими «понедельничными» терзаниями Сергей Зарубин делился только с Коротковым, боялся, что на смех поднимут. И пока остальные оперативники сбивали ноги и стирали языки, проверяя алиби всех до единого находящихся в Москве членов преступной группировки Багаева, Зарубин сосредоточил собственные усилия вокруг трех человек: политика Дронова, бывшего каскадера Антона Кричевца и доктора физико-математических наук Аниты Волковой. Дронов был Зарубину недоступен, если с ним кто и может поговорить, так только следователь. Кричевец, как предполагал Сергей, был слишком тесно связан с преступлением, поэтому наверняка будет напряженным и внимательным, следящим за каждым своим словом, так что начинать нужно с Волковой.

Анита Станиславовна работала системным администратором, на службу ходила ежедневно, имела нормированный рабочий день с девяти до восемнадцати, получала зарплату в рублях, равную двум тысячам долларов, на работе ни с кем близко не сходилась, и о ее личной жизни никто ничего не знал. Совершенно естественно, что никто не знал и о том, как она проводит выходные дни и вечера, в частности, роковой вечер понедельника. Но оставались еще родственники, которые могли оказаться более информированными. В списке родственников у Зарубина значились: мать Зоя Петровна Кабалкина, отчим Григорий Иванович Кабалкин, единоутробная сестра Любовь Григорьевна Кабалкина и единокровный брат Валерий Станиславович Риттер.

Из беседы с матерью и отчимом Волковой Зарубин ничего толкового не узнал. Зоя Петровна сказала, что поскольку они с Анитой виделись накануне, в воскресенье, и вдоволь наговорились, то в понедельник не созванивались. О планах дочери на вечер понедельника ей ничего не было известно, и была ли та дома, тоже сказать не может. Нет, и фамилию Дронова Анита никогда при них не произносила.

Два часа оказались потраченными впустую, ведь это только кажется, что дел на пять минут: пришел, задал два вопроса и ушел. Волкова пока даже не подозреваемая, она всего лишь свидетель, и в отношении ее ни в коем случае нельзя действовать топорно, иначе, во-первых, всех вокруг перепугаешь, тень на плетень наведешь, а потом окажется, что человек чист, аки младенец, во-вторых же, этот свидетель немедленно узнает, чем конкретно интересуются сыщики и что именно предпринимают для удовлетворения своего любопытства. Поэтому для всех, с кем предстояло побеседовать, нужно придумать красивую легенду, в подтверждение которой приходится задавать сотни других вопросов.

* * *

Любовь Григорьевна Кабалкина смотрела на Зарубина несчастными глазами, в которых стояли слезы.

— Не надо с отчеством, называйте меня просто Любой, мы с вами, наверное, ровесники, — тихонько сказала она Сергею. — Мне мама уже звонила. У Аниты какие-то неприятности?

— Нет, ни в коем случае, — поспешил успокоить ее Зарубин. — Просто идет следствие по серьезному преступлению, и нужно уточнить все показания, которые фигурируют в деле. Речь идет об убийстве актрисы Юлии Халиповой. Может, слышали?

— Да, по телевизору, — кивнула Люба. — Анита была с ней знакома.

— Ваша сестра что-нибудь рассказывала о Халиповой?

— Мало что, Анита вообще сплетничать не любит.

Она внезапно всхлипнула, быстро вытерла слезы зажатым в кулачке платком и отвернулась:

— Извините.

Чего это она? Вроде Сергей ничего такого ей не сказал, да и разговаривают они об убийстве совершенно постороннего человека.

— Так что она рассказывала о Халиповой? — настойчиво повторил Сергей свой вопрос.

— Что она взбалмошная и безответственная.

— И все?

— Ну, еще... что она любовница самого Островского.

— А еще что?

— Больше ничего, честное слово. Анита знаете какая? Она свои дела ни с кем не обсуждает, но и чужие кости за спиной не перемывает.

— А с Островским у нее хорошие отношения?

— Нормальные. Простите, вы не могли бы побыстрее переходить к сути? Мне нужно детей от мамы забирать, им скоро спать ложиться.

О, плакать перестала, зато занервничала. У вас, Любовь Григорьевна, тоже свои скелеты в шкафах пылятся? Впрочем, кажется, если в шкафах, то не пылятся... А что они там делают? Сохнут? Ладно, пока будем делать вид, что ничего не происходит.

— Так я уже вплотную к сути-то подошел. Ваша сестра говорила вам, что у Островского в прошлую субботу было шестидесятипятилетие?

— Говорила, конечно.

— Она собиралась пойти на банкет?

— Понимаете, ее с Антоном пригласили как раз на воскресенье, а в воскресенье день рождения нашей бабушки. И Анита не смогла пойти к Островскому. А Антон без нее вообще никуда не ходит.

— То есть бабушка для Аниты Станиславовны важнее, чем режиссер Островский, — одобрительно подвел итог Зарубин. — Это очень хорошо ее характеризует. В наше время, знаете ли, редко кто так любит своих бабушек. Ну а как насчет понедельника? Там же еще было чествование в Доме кино, и тоже с банкетом.

— Анита как раз и собиралась в понедельник идти, она мне в воскресенье говорила.

— Так почему же не пошла? — невинно спросил Зарубин.

Запел мобильник, лежащий на столе перед Любой. Та моментально схватила его, открыла крышку:

— Да!

И сразу лицо ее изменилось, будто на глазах завяло. Точно, она ждет чьего-то звонка, а звонят все не те. Оттого и нервничает. И хочет разговор с сыщиком побыстрее закончить и спровадить милиционера, чтобы он не слышал, о чем пойдет речь, когда долгожданный звонок все-таки поступит. Секреты у вас, Любовь Григорьевна... Ну да ладно, не его дело.

— Простите, — она закрыла телефон и положила аппарат на стол. — О чем вы спрашивали?

— О том, почему Анита Станиславовна не пошла в Дом кино, если уж собиралась, — вяло ответил Зарубин.

Неожиданности не получилось, он задал вопрос, а у Кабалкиной было время обдумать ответ, телефонный звонок поступил так не вовремя!

— А разве она не пошла?

Ему показалось, что удивление Кабалкиной было не наигранным.

— Да вот сам не знаю, — Сергей развел руками. — Ваша сестра говорит, что в Дом кино не ходила, а некоторые люди, которые там были, утверждают, что видели ее в понедельник на чествовании Островского. Вот и разбираемся теперь.

— Господи, почему же она не пошла? — озадаченно произнесла Люба. — Ведь она так хотела... Она собиралась, это точно. Вы не знаете, почему она не пошла?

— Люба, вы же сами только что сказали, что ваша сестра свои дела ни с кем не обсуждает. И я не исключение. Анита Станиславовна просто сказала, что в понедельник в Доме кино не была, а почему — не объяснила.

— Даже вам? Вы же милиция, вы ведь не просто так спрашиваете, не из любопытства. Вам-то она должна была сказать.

— Ну извините, — улыбнулся Сергей, — не оправдал надежд. Меня госпожа Волкова не сочла достойным. Так я вот думаю, может, она все-таки ходила в Дом кино, раз уж так хотела. Ведь есть же люди, которые утверждают, что видели ее там. Я, признаться, думал, что они или ошибаются, что-то путают, или лгут. Но, может быть, Анита Станиславовна почему-то хочет скрыть, что она там была? А, Люба? Как вы думаете?

— Ой, ну что вы такое говорите! Зачем Аните это скрывать? И потом, она должна понимать, что если была в Доме кино, так это все подтвердят, какой же смысл говорить, что ее там не было? Глупость же!

— Тоже верно, — Зарубин сделал вид, что согласился. — Тогда возникает вопрос, зачем другие свидетели лгут. Зачем говорят, что она там была, если ее не было? У них что, массовые галлюцинации?

— Не знаю, — Кабалкина пожала плечами. — А от меня-то что нужно?

— Ох, да сам не знаю, — притворно вздохнул Зарубин. — Вот ведь ерунда, и к убийству вроде никакого отношения не имеет, но, если есть хоть малейшее расхождение в показаниях свидетелей, приходится все выяснять досконально. Ищу теперь людей, которые могут сказать, где была ваша сестра в понедельник вечером, и не просто сказать, а подтвердить. Например, вы, Люба. Вы ей не звонили в понедельник вечером?

— В понедельник? — Она задумалась, потом тряхнула головой: — Точно нет. Я ведь была уверена, что она на банкете. Днем звонила... Нет, вру, это она мне звонила днем.

— Зачем? Вы договаривались об этом звонке? Или возник какой-то срочный вопрос?

— Почему срочный? — не поняла Кабалкина.

— Вы виделись накануне, на дне рождения бабушки. Наверное, обсудили все животрепещущее. Так что звонок в понедельник днем, когда вы обе на работе, мог быть только срочным. Разве нет?

— Ну... — Люба замялась. — Это семейный вопрос, к убийству отношения не имеет.

— И все-таки, Люба, я попрошу вас ответить.

Голос Зарубина стал жестким. Кабалкина посмотрела на часы и снова вздохнула. В который уже раз за время их разговора? Сергей сбился со счета. Просто какая-то машина, вырабатывающая вздохи и слезы, эта Любовь Григорьевна.

— У нас есть брат... Вернее, не у меня, у Аниты. Сын ее

отца от третьего брака. У нас с Анитой мама общая, а у нее с Валеркой — отец.

— Да, я в курсе.

— Простите, Сергей, давайте мы побыстрее закончим, у меня дети маленькие.

— Давайте, — с готовностью согласился он. — Вы мне быстренько рассказываете, зачем сестра позвонила вам в понедельник днем на работу, и я от вас отстану.

— Нет. — Люба решительно поднялась с дивана, взяла со стола мобильник, повесила на пояс юбки. — Я иду за детьми к маме. Если хотите, можете меня проводить, я по дороге отвечу на ваши вопросы. Это близко, на соседней улице.

— Я знаю, я же был у ваших родителей сегодня.

— Ну да, я забыла...

Ему пришлось подчиниться. Маленькие дети — это серьезно. Против этого аргументов нет и быть не может.

Дождь кончился, и к вечеру заметно похолодало. Люба, невысокая пухленькая толстушка, в теплой красной куртке казалась ярким воздушным шариком, легко подпрыгивающим вдоль тротуара. Она шла очень быстро, на полшага впереди Зарубина, словно вообще забыла о его существовании. А может, разговаривать не хотела?

— Люба, мы не закончили, — напомнил о себе Сергей. — Вы хотели мне рассказать о звонке вашей сестры в понедельник к вам на работу.

— Да ничего особенного, — она даже шаг не замедлила. — Анита позвонила и сказала, что пока не виделась с Валеркой, но, может быть, встретится с ним завтра. Вот и все.

— Что — все? — сердито спросил Зарубин. — Зачем она вам об этом сообщила? Это что, событие мирового масштаба? Или вы сообщаете друг другу о каждом своем шаге?

— Зачем вы так... — она уже чуть задыхалась, но темп не снижала. — В воскресенье я сказала Аните, что виделась с

Валеркой и он показался мне чем-то расстроенным, озабоченным. Вот она и позвонила мне на следующий день, чтобы сказать, что она помнит о нашем разговоре и обязательно встретится с ним и постарается все выяснить. Чтобы я не беспокоилась, если ему нужна помощь, то она все сделает.

— А почему вы беспокоились? Разве это ненормально, когда человек чем-то озабочен, тем более человек деловой, бизнесмен? Разве это повод впадать в панику?

— Вы не понимаете...

— Конечно, я не понимаю, — легко согласился он. — Вот вы мне и объясните, чтобы я понимал.

Лучше бы она на себя посмотрела! Сама-то ведь тоже расстроена и озабочена, слезы на глазах, вздохи, ожидание какого-то звонка. И что-то сестра не кидается, ломая ноги, ее спасать. Ну и семейка!

— У Валерки жена — наркоманка. Но это между нами, ладно, Сережа? Об этом знают, кроме Валерки, только три человека: его мама и мы с Анитой. Причем Валерка думает, что мне ничего не известно и в курсе только мать и Анита. Но Анита мне сказала, у нее от меня нет секретов. Поэтому, когда я увидела, что он совершенно неадекватный, я испугалась, что его жена что-то натворила.

— Что, например?

— Например, перешла на героин. Пока она только таблетки принимала, это все-таки не так страшно, как героин, я знаю. Если героин — то все, конец. И понятно, что Валерка со мной об этом говорить не станет, я же вроде как не при делах. Вот я и попросила Аниту выяснить, что там да как.

— Понятно.

Так, к убийству это уж точно отношения не имеет, только время впустую потрачено.

— И еще один вопрос, последний. — Кабалкина уже набрала код и теперь стояла, держась за ручку открытой двери и придерживая ее. — Ваша матушка сетовала, что Анита Станиславовна прячет от нее своего друга Антона Кричевца. Вы его знаете?

— Нет. Анита меня с ним не знакомила.

— Вас это не задевает? Ведь они вместе уже пятнадцать лет, Антон — это значительная часть ее жизни. Неужели не обидно, что она вам эту часть не показывает?

— Ничуть. Анита никого не пускает в свою жизнь, и все давно к этому привыкли. Характер такой. Всего доброго.

* * *

— Все, Юра, у меня осталась последняя надежда, — горестно констатировал Зарубин, сидя в кабинете Короткова. — Если брат Волковой действительно встречался с ней во вторник, накануне убийства, то, может быть, она хотя бы ему обмолвилась, где была в понедельник вечером и почему не была у Островского. Если и он ничего не знает, тогда совсем плохо.

— Серега, ты меня доконаешь. — Коротков пристально вгляделся в пустую чашку, в которой еще совсем недавно был горячий чай, и с недоумением убедился, что там больше ничего нет. — Ты с Каменской разговаривал?

— Я каждый день с ней разговариваю. Ежевечерние отчеты по телефону. А что?

— Да ничего! — взорвался Юрий. — Я уже слышать не могу про этот чертов понедельник вместе с чертовым юбилеем чертова Островского! Я специально ездил к ней в эти чертовы Болотники, чтобы все подробно обсудить, глаза в глаза, а не по телефону. И она пообещала, что постарается тебя унять.

— У нее нет чутья, — упрямо мотнул головой Сергей. — Ты сам прекрасно знаешь, и Настя Пална это знает. У нее мозги аналитические, а чутья нет и не было никогда.

— Ага, у тебя его, можно подумать, навалом, — провор-

173

чал Коротков. — Чемпион по чутью. Давай так договоримся. Я сейчас делаю один телефонный звонок и задаю один вопрос. И после этого ты оставляешь в покое свою затею и подключаешься к проверке багаевцев, а то ребята уже запарились каждого проверять.

Он перевернул листок на настольном календаре, нашел телефон приемной Дронова и снял трубку:

— День добрый, майор Коротков, Московский уголовный розыск. Будьте любезны, мне нужна одна небольшая справочка, я думаю, вы можете мне помочь. Не хочется с таким пустяком обращаться лично к господину Дронову... Да, спасибо. Так вот, в понедельник в Доме кино проходило чествование режиссера Островского. Знаете такого?.. О, тогда тем более. Там произошел небольшой инцидент, у одного из присутствующих пропал портфель с важными документами. Мы запросили весь список приглашенных, но ведь понятно, что кто-то пришел, кто-то нет, и нам нужно уточнить... Господин Дронов числится в списке. Вы мне не подскажете, он там был или нет?.. Ах, вот даже как... Понятно. Спасибо вам огромное. Еще раз простите за беспокойство.

Положив трубку, Коротков выразительно посмотрел на Зарубина:

— Вот такие дела, мой молодой друг. Господина Дронова в понедельник в Москве вообще не было. Равно как и в воскресенье, и в субботу. Он уехал в деловую поездку еще в четверг и вернулся тоже в четверг, то есть через день после убийства Халиповой.

— Алиби себе обеспечивал, — уверенно заявил Сергей.

— Ну, это тебе виднее, — усмехнулся Юра. — Но в любом случае ни с Волковой, ни с Кричевцом он в понедельник встречаться не мог. Так что, чем бы эта сладкая парочка ни занималась, пока Островского чествовали в Доме кино, к убийству это ну никак не относится.

— Они могли встречаться не с Дроновым, а с Багаевым, — продолжал упрямиться Зарубин.

— Ну конечно! Через голову Дронова? И откуда у них выход на Руслана? Они же не бизнесмены и не уголовники. Все, Серега, тема закрыта. Я согласен с тем, что убийство Халиповой связано с Дроновым, но вопрос о понедельнике должен быть исчерпан. Ты меня понял? Если ты считаешь, что Дронов уехал из Москвы, потому что знал о готовящемся убийстве своей любовницы, то и копай в этом направлении. Если ты считаешь, что Волкова и Кричевец могут быть к этому причастны, — ради бога, делай все, что считаешь нужным. Но забудь уже наконец про понедельник!

— Ладно, — хмуро пробормотал Зарубин. — Но с Риттером я все-таки встречусь.

— Твою мать! — заорал Коротков. — Ты что, глухой? Или я плохо объясняю?! Работы непочатый край, ребята зашиваются, что наши, что рубоповцы...

— Не кричи на меня. — Зарубин был спокоен и даже как будто весел, словно с ним на повышенных тонах разговаривал не замначальника отдела, а какой-то совершенно посторонний мужик, чье мнение в жизни Сергея ни малейшей роли не играло. — Я встречусь с ним в нерабочее время.

— У сыщика не бывает нерабочего времени, у нас с тобой ненормированный рабочий день. Не забыл? О господи, да почему же ты такой упрямый? Сам же видишь, что пустышку тянешь, а признаться не хочешь. И как с тобой разговаривать, если кричать на тебя нельзя, а нормальных слов ты не понимаешь! А кстати, почему на тебя нельзя кричать?

Зарубин хитро улыбнулся и подмигнул. Он понял, что гроза закончилась, Коротков выпустил пар и снова готов к человеческой беседе.

— Потому что я маленький. У меня знаешь какой жуткий комплекс из-за этого? Мной нельзя пренебрегать, меня нельзя ругать, и на меня нельзя кричать, а то я начинаю ужасно расстраиваться. А когда я расстраиваюсь, я тупею. И плохо работаю.

— Ты — маленький шантажист, — Коротков выставил вперед указательный палец.

— Ну да, — согласился Сергей. — А ты большой начальник. Короче, шеф, я все понял и сделаю, как ты сказал. А об остальном ты как будто не знаешь. Лады?

* * *

То, что прекратились постоянные дожди, это, конечно, Настю обрадовало, а вот похолодание наступило одновременно с неприятностями. На теплоцентрали случилась авария, и все дома в Болотниках оказались без отопления и горячей воды. В течение дня Насте кое-как удавалось спасаться от холода, но проведенная в борьбе с ним ночь истощила все запасы ее мужества. Прямо с утра она позвонила Дюжину и спросила, что в таких случаях нужно делать.

— Нормальные люди топят камин и включают водонагреватель, — спокойно ответил Павел. — Но тебя к нормальным причислить нельзя, во-первых, ты не в состоянии наколоть дров, а те, что наколол Коротков, мы в воскресенье все пожгли. Во-вторых, ты не знаешь, где и как включается водонагреватель.

— И что мне теперь делать? Ждать, пока я превращусь в мороженую селедку?

— Ждать, пока я приеду.

— Долго ждать-то? — жалобно спросила Настя. — Я уже изнемогаю.

— Часа полтора. Сейчас отпрошусь у Ивана и поеду.

Вот ведь незадача! Была бы нога здоровой, можно было бы одеться потеплей и полтора часа гулять по лесу быстрым шагом, и для здоровья полезно, и согреться помогает. А тут, как ни одевайся, все равно холодно, как будто на улице сидишь, да никакой особо теплой одежды у Насти с собой и не было, не рассчитывала она оказаться без отопления.

Ну хорошо, полчаса можно отдать лечебной прогулке, длительность которой уже доведена до тридцати минут. А еще час? Настя вспомнила, как мерзла целый день накануне и целую ночь, и решила, что после таких испытаний час-то уж точно продержится. Подумаешь, что такое один час, один малюсенький-коротюсенький часик по сравнению с целыми сутками, холодными и бесконечными!

Чистяков привез в Болотники много книг, но Настя, против ожидания, читала мало. Она предпочитала копаться в себе, выискивая первопричины собственных проблем. Она не верила в чудеса, но с того дня, как она набралась смелости и сказала сама себе все, что думает о собственных отношениях с начальником, нога стала болеть меньше. Трудно сказать, почему это произошло, потому ли, что кончились все сроки для болезни и дело пошло на поправку, потому ли, что Настя ведет более здоровый образ жизни, ежедневно гуляет, много спит и регулярно ест, или же потому, что Паша Дюжин был прав. Насте очень хотелось поговорить с ним об этом, но в выходные рядом все время был Лешка, а потом и Коротков появился, и вообще на даче царила веселая суета, а такой разговор ей казался серьезным и для чужих ушей не предназначенным. Особенно для Лешкиных, ведь он, физик-математик, человек прагматичный и приземленный, еще смеяться начнет. Она и сама училась в физико-математической школе и выросла воинствующей атеисткой, но у нее мышление какое-то не такое, как у Чистякова. Может быть, оттого, что она больше, чем муж, имеет дело с чужими судьбами и чужими поступками и хорошо знает, какие необъяснимые вещи происходят в человеческих головах и случаются в человеческих жизнях.

Как бы там ни было, неспешные размышления и над своим поведением, и над поведением других людей привели ее к неожиданному выводу: люди очень часто не используют собственные ресурсы, предпочитая ресурсы чужие, потому что изначально уверены в том, что у них ничего не получится. Под собственными ресурсами в данном случае Настя имела в виду душевные силы и психологические возможности. Чем больше самых обыденных жизненных ситуаций она вспоминала, тем четче проступала закономерность. Да взять хотя бы самый простой пример, с деньгами, которые берут в долг. Человек, скажем, зарабатывает определенную сумму и знает, что если он будет экономить, то через три года скопит достаточно, чтобы купить себе... ну, допустим, новую машину. Есть два варианта: копить, ждать и через три года осуществить задуманное либо взять деньги в долг на три года и купить машину уже сейчас, потому что та, которая есть, уже старенькая, или немодная, или маловата стала. Чаще всего идут по второму пути, потому что уверены: еще три года на этой колымаге они не выдержат. Ну нет же больше никаких сил! Не езда, а мучение. Перестать ездить на машине и на три года пересесть на общественный транспорт? Нет, что вы, я не смогу, я привык к машине, какие могут быть трамваи и троллейбусы! А если вдуматься, что значит «я больше не могу» или «я не смогу»? А еще «у меня больше нет сил», «я этого не вынесу», «я не в состоянии»? Да все то же: уверенность в том, что собственных сил не хватит. Не хватит терпения, выдержки, силы воли. Лучше прибегнуть к помощи чужих денег, чем задействовать внутренний ресурс и свои способности.

Конечно, зачастую мы, люди, лукавим. Мы вполне допускаем, что и сможем, и вынесем, и сил хватит, но очень уж неохота... Муторно, надоело, скучно. Иногда мучительно. Иногда больно. Сознательное претерпевание страдания или неудобства мы рассматриваем как некую жертву, которую приносить, естественно, не хотим. И стремимся сделать так, чтобы жертву приносили другие. Пусть они, эти другие, меняются, пусть делают свое поведение более удобным и приемлемым для нас, пусть принимают наши взгляды и разделяют наши вкусы, тогда нам легче будет с ними сосуществовать. Пусть делятся с нами своими деньгами, свободным временем, способностями. Им, другим, принести жертву легче, чем нам, таким усталым и измученным.

Но должна же быть причина, по которой люди не рассчитывают сами на себя. У каждого — своя, потому что каждый человек проживает индивидуальную жизнь со своим индивидуальным опытом, и у каждого когда-то случается ситуация, которая напрочь отбивает у него желание справляться собственными силами с тремя самыми часто встречающимися врагами: необходимостью преодолевать страх, ждать и терпеть.

А может быть, все дело в том, как взрослые люди обращаются с детьми? Маленький человечек по каждому поводу говорит: я сам, а взрослые по каждому поводу объясняют ему, что сам он не справится, что без помощи ему не обойтись. Детская душа стремится к тому, чтобы человечек научился использовать свои возможности, взрослая же душа стремится, порой неосознанно, сформировать у ребенка чувство зависимости от старших, в основном — от родителей. Без нас ты ничего не сможешь, без нас ты пропадешь, кто удержит тебя от неосмотрительных поступков и неправильных решений, кто защитит тебя от опасности, мы для тебя — все, ты без нас — ничто. В конце концов взрослые заражают детей своей идеологией, и вот результат.

Конечно, не все так просто и прямолинейно. Есть два полюса. На одном из них понимание того, что помогать другим — это хорошо и похвально, а попросить о помощи не зазорно и не стыдно. На другом же полюсе — вера в то, что человек может невероятно много и его душевные силы и возможности поистине безграничны. Просить о помощи можно и нужно, когда исчерпан собственный ресурс, но ведь большинство людей к нему даже и не обращаются, заранее полагая, что его и вовсе нет и нужно воспользоваться чужим ресурсом, материальным, физическим или духовным. У кого-то из писателей, кажется, у Коэльо, Настя нашла замечательную фразу о том, что у каждого человека есть все, что ему нужно. Вспомнив эти слова, она пришла к заключению, что настоящая мудрость состоит в том, чтобы это правильно понимать. У каждого человека есть ресурс, вполне достаточный, чтобы удовлетворить все его потребности и желания. Другое дело, что люди частенько не понимают, каковы их истинные потребности, и придумывают себе бог знает что, ориентируясь не на реалии, а на моду, мнение и образ жизни окружающих, господствующую идеологию. Вот есть у других модная тряпка — и я хочу такую же. Зачем она тебе? Тебе что, нечего носить? Ты ходишь в рванье и мерзнешь? Нет. Так зачем? Потому что есть господствующий в умах постулат: человек должен быть одет по моде. Но постулат этот, равно как и моду, придумали для того, чтобы люди покупали больше одежды, не дожидаясь, пока уже имеющаяся придет в негодность. Это все навязано нам умышленно, чтобы делать деньги на предметах потребления, заставляя нас раскошеливаться на совершенно, в сущности, ненужные нам вещи. Это же так просто! А мы, как ослы за морковкой, идем за хитрыми производителями, позволяя себя обирать и сетуя на то, что нет денег.

Мудрость состоит в том, чтобы уметь отделять истинные потребности от навязанных кем-то. У каждого человека есть потребность любить, и каждый может эту потребность реализовать. Но навязанное нам мнение говорит о том, что любовь должна быть взаимной, иначе это стыдно и как-то глупо и унизительно, и в тех случаях, когда взаимности нет, начинаются страдания... У каждого человека есть потребность быть любимым, и нет на свете человека, которого никто не любил бы, но опять же извне нам навязали представление о том, что если тебя любит принц или королева, то ты — замечательный, а если тебя любит ничем не выдающийся человек с ничем не примечательной внешностью, то такой любовью можно пренебречь, ибо она к твоему имиджу и твоей самооценке плюсов не добавляет. Такая любовь — это все равно что никакая. Если меня не любят самые лучшие и самые яркие, это все равно что меня не любит никто. И снова страдания.

Вот такие мысли занимали голову Насти Каменской, отвлекая ее от столь долгожданного отдыха с книгой в руках. И теперь ей казалось, что она, пожалуй, готова к разговору с Дюжиным.

* * *

Дюжин приехал, как и обещал, через полтора часа. Сразу же включил водонагреватель и, пока Настя отогревалась в горячей ванне, наколол дров и развел огонь в камине.

— Теперь можно жить, — радостно заявила она, появляясь в гостиной, красная и распаренная. — Только непонятно, что я буду ночью делать, камин же погаснет, и комната быстро остынет.

— Возьми еще пару одеял, наверху есть. Тебе осталось всего одну ночь промучиться, к завтрашнему дню аварию устранят, я звонил, узнавал, — успокоил ее Павел. — А до вечера поживешь с камином, я много дров принес, должно хватить.

— Ты надолго приехал?

— А что? Ты хочешь, чтобы я побыстрее убрался отсюда? У тебя назначено тайное свидание? — ехидно спросил он.

— Да ну тебя! — расхохоталась Настя. — Какие могут быть свидания с такой ногой? Я поговорить с тобой хотела. Как раз о моей хромой конечности.

— Тогда с тебя обед, — моментально отреагировал Дюжин.

— Что ты, Паша, — испугалась она. — У меня только замороженные полуфабрикаты, я же для себя не готовлю.

— М-да, по сравнению с поросенком это, конечно, слабовато, — он укоризненно покачал головой. — Ну да ладно, буду есть, что дают. На месте Чистякова я бы с тобой давно уже развелся.

— Я думаю, — со смехом ответила Настя, — что на месте Чистякова ты на мне даже и не женился бы.

Она вынула из морозильника пакет с китайской смесью, состоящей из риса, креветок и уймы каких-то овощей, высыпала содержимое в стеклянную кастрюлю, налила немножко воды и поставила в микроволновку. Такую смесь Настя покупала уже несколько раз, и ей казалось, что это довольно вкусно. Хотя Паша, возможно, с такой оценкой и не согласится.

Дюжин, однако, мужественно съел все, что было на тарелке, хотя по его лицу было видно, что безумного наслаждения он отнюдь не испытывал. Пока они обедали, комната заметно прогрелась, и Настя даже рискнула снять куртку и накинуть себе на плечи.

— Паша, мне кажется, я поняла, почему нога так долго не восстанавливается, — начала она. — Честно признаться, я не очень-то верила в то, что ты мне сказал тогда, в госпитале.

— Это насчет чего?

— Насчет того, что если нога так долго болит, причем левая, это означает, что я иду не по тому пути в выстраивании своих отношений с каким-то мужчиной. Я тебя правильно поняла?

— Правильно. Вообще-то это не совсем так...

— Ну вот, — рассердилась Настя, — начинается.

— Да погоди ты, — Павел улыбнулся. — Ты дослушай до конца. Ноги — это символ пути, по которому ты идешь. Если болят обе ноги, и правая, и левая, то это может быть связано, например, с тем, что ты в своей жизни что-то сделала не так, то есть пошла не по тому пути, и подсознательно раскаиваешься в этом. Выбрала не ту работу, не то образование, не тот город, не того мужа и так далее. Понимаешь? А если болит только одна нога, то нужно думать о пути, по которому ты пошла во взаимоотношениях, соответственно, с мужчиной, если нога левая, или с женщиной, если правая. Поскольку у тебя проблемы именно с левой ногой, я и сказал тебе о проблемах с мужчиной.

— Ну хорошо, я поняла, что неправильно строю свои отношения с начальником, и поэтому мне не хочется ходить на работу. Так может быть?

— Конечно. Это, кстати, очень часто бывает.

— То есть я не одинока, — усмехнулась Настя. — Это успокаивает. И что мне дальше делать?

— Работать с этим, — произнес Дюжин совершенно непонятную фразу. — Работать упорно, долго и терпеливо.

— Как именно?

— Ты мне сначала скажи, после того, как ты это поняла, что-нибудь произошло?

— Ну... Вроде бы нога стала меньше болеть, но ведь я тренируюсь, и массаж мне делают, и физиопроцедуры. И вообще ей пора уже начать выздоравливать, вот она и выздоравливает.

— Ясно. Иными словами, ты следствие с причиной пока не связываешь. Ты полагаешь, что понимание проблемы ничем тебе не помогло.

— Нет, Паша, — возразила она, — я просто не знаю этого точно. Откуда я могу знать, почему нога меньше болит?

— Не можешь, — согласился он. — Но поверь мне на слово, если ты не отработаешь свою проблему, нога будет болеть еще очень долго, потом, может быть, на какое-то время утихнет, а потом снова взбрыкнет. Одним словом, если ты сама с собой не разберешься, ты будешь иметь головную боль со своей ногой до конца жизни. Веришь?

— Нет, — честно призналась она. — Не верю.

— Тогда о чем ты собралась со мной разговаривать, если не веришь?

— Сама не знаю, — Настя растерялась. — Я хочу сказать, что все надо проверять опытным путем. Я, конечно, не верю в то, что ты говоришь, но... А вдруг это правда? У меня много времени, я ничем не занята, и я могла бы попробовать...

— Понятно, — вздохнул Дюжин. — Ты опять хочешь, чтобы я достал тебе кролика из шляпы. Не выйдет, Настюша. Другое дело, если ты искренне хочешь разобраться со своей проблемой, независимо от физического результата.

— Хочу, — твердо сказала она. — Потому что я не буду вечно сидеть на больничном. Рано или поздно настанет день, когда мне придется выйти на работу и встретиться с начальником. И мне бы хотелось, чтобы это не стало продолжением всего того неправильного, что я уже наворотила.

— А в чем суть проблемы, ты мне, конечно, не скажешь?

— Скажу. Я его оскорбила. И он меня возненавидел. Но у него хватает ума не вымещать на мне зло. Просто с того момента мы совершенно не можем нормально общаться. Помнишь, как в фильме «Мимино»: такую сильную личную неприязнь испытываю! И я не знаю, как мне себя вести, чтобы все вошло в какую-то приемлемую колею. Я могу перед ним извиниться, но я совершенно не уверена, что это поможет. А что поможет?

— Не знаю, — он покачал головой. — И никто не знает. Кроме тебя самой.

— Но я же не знаю! — почти в отчаянии воскликнула она.

— Ты знаешь, — возразил Павел. — Только это знание спрятано очень глубоко, под кучей всякого хлама. Хлам надо разгрести, тогда решение само появится. Оно придет, и ты не сможешь его не увидеть. Вот это разгребание хлама и есть та самая работа, о которой я тебе говорил. В первую очередь тебе нужно работать со своей гордыней.

— С гордыней? — удивленно переспросила Настя.

— Именно. Ты его оскорбила, значит, ты в тот момент сочла себя выше, сочла себя вправе его судить и осуждать. Это и есть гордыня.

— Надо же, — задумчиво протянула она, — я и не знала, что это так называется. То есть я уже отругала себя за это, я поняла свою неправоту, но не знала, что это была гордыня.

— Она, голубушка, она, любимая. Умерь гордыню, избавься от нее, а потом прости себя за то, что сделала.

— Простить? Мне кажется, наоборот, я должна себя корить и бранить за это, а ты говоришь «простить».

— Простить, Настюша. Обязательно. Если ты будешь себя корить и бранить, ты наживешь себе еще и чувство вины. Тебе это надо? Скажи себе, хочешь вслух, хочешь мысленно, все, что ты думаешь об этом своем поступке, выговорись, произнеси все самые неприятные слова, а потом прости. И отпусти.

— Это как?

— Это... Да, трудно с тобой. Ты что, духовную литературу вообще не читаешь?

— Ты имеешь в виду религиозную?

— Я имею в виду духовную. Ту, которая посвящена проблемам души и духа. Она может быть и религиозной, но далеко не всегда. Отпустить, Настюша, означает не держать в себе того человека, которым ты уже давно перестала быть. Когда все это случилось с твоим начальником?

— Прошлым летом.

— Вот видишь, сколько времени прошло! Ты за это время стала другой, тебе в голову за это время пришло столько разных мыслей, ты столько всего перечувствовала, ты стала старше почти на полтора года, а ты все держишься за «ту» Каменскую. Отпусти ее. Отругай за то, что она сделала, прости и расстанься с ней.

— А дальше? — Ей стало интересно, и на какое-то время Настя даже забыла, что не верит во все это.

— А дальше... Дальше работай с начальником. Процедура точно такая же, скажи все, что думаешь, потом прости его и отпусти. И самое главное — не забудь попросить у него прощения. Запомни формулу: «Ты меня прости. И я тебя прощаю и отпускаю с миром». Запомнила?

— Ты меня прости. И я тебя прощаю и отпускаю с миром, — послушно повторила она. — И все? Так просто?

— Ну что ты, — рассмеялся Павел. — Просто никогда не бывает. Это нужно повторять очень быстро и очень много раз, долго-долго. До тех пор, пока не почувствуешь, что вся вот эта твоя «очень сильная личная неприязнь» вышла из тебя вместе с выдохом. Я потом тебе все технические детали объясню, а пока поговорим о стратегии. Я так понимаю, что, кроме гордыни, в тебе есть еще что-то, что заставило тебя сделать такой шаг. Ведь есть?

— Есть, — кивнула Настя. — Страх, что я сама не справлюсь со своими проблемами, и попытка решить их за чужой счет.

— Замечательно, — он почему-то развеселился. — С этим тоже надо как следует поработать. Мысли о том, что ты не сможешь или не справишься, это есть грех уныния. От него надо избавляться.

— А еще?

— А еще нужно выучить и соблюдать космические законы.

— Паша! Ну вот, — расстроенно заговорила Настя, — все было так хорошо, чистая психология. И на тебе, пожалуйста, опять космические законы. А без божественного никак нельзя?

— А что, очень хочется, чтобы без божественного? — поддел ее Дюжин. — В бога верить не хочется, да? Конечно, без него-то куда как легче жить, делай глупости и гадости и ни о чем не думай.

— Паш, ну я серьезно...

Насте показалось, что в комнате стало совсем тепло, и она скинула куртку.

— Так и я серьезно. Настюша, космические законы — это не божественное. Это законы, описывающие оптимальный режим жизни человеческой души. Если их соблюдать, то душа будет спокойна, в ней не будет скапливаться всякий хлам, и правильные решения будут находиться легко и быстро. Если хочешь, можешь называть это гигиеной души. Всего этих законов пять, но я сейчас тебе расскажу только про два, которые тебе сегодня наиболее необходимы. Тем более один из пяти законов ты уже и так знаешь. Или забыла?

— Закон трех отрицаний? — уточнила Настя. — Не делай, не говори и не думай ничего, если тебя об этом не просят?

— Да-да. А как ты его назвала? — переспросил Дюжин. — Законом трех отрицаний? Интересно. Теперь следующий закон... Слушай, может, ты запишешь? А то я тебе столько всего рассказываю, ведь забудешь же половину.

— Ничего, я запомню, у меня память хорошая.

— Ну смотри, потом не жалуйся. Следующий закон: почитай своих родителей, учителей и старших.

— Так это же одна из десяти заповедей, — разочарованно протянула она. А ей-то казалось, что сейчас Паша скажет что-то невероятное, новое, неожиданное...

— А заповеди что, по-твоему, ерунда на постном масле? — обиделся он.

— Нет, не ерунда, конечно, но я думала... Впрочем, неважно. Рассказывай дальше.

— Нет, дальше еще рано, надо остановиться на этом законе, тем более речь идет о твоем начальнике. Каждый человек, с которым ты имеешь дело, в чем-то становится твоим учителем. В том числе и начальник, даже если ты его не любишь. Но ситуация, которая у тебя с ним сложилась, заставила тебя сегодня о чем-то задуматься, что-то понять.

Ты чему-то уже научилась и еще научишься благодаря ему. Понимаешь, о чем я?

— Понимаю, — тихо ответила она.

— Ты должна научиться его уважать. Относиться к нему с почтением и благодарностью хотя бы за то, что сегодня думаешь о своих проблемах и пытаешься их решать. А наверняка есть еще множество поводов уважать его. Ведь есть, я прав?

— Есть, — согласилась она.

Конечно, есть. Каким бы ни был ненавистный Афоня, но он хороший профессионал.

— Значит, твой урок по этому космическому закону — научиться видеть в каждом человеке своего учителя и почитать его. И последнее на сегодня. Но сначала вопрос.

— Какой?

— Когда в этом году деревья зазеленели?

— Что?!

Насте показалось, что она ослышалась. При чем тут деревья? И какая разница, когда они зазеленели? Или он проверяет ее наблюдательность? И при чем тут космические законы?

— Паш, я не понимаю... Какая связь?

— Да самая простая. Ты ответишь на вопрос?

— Нет, я не помню точно. Наверное, в конце мая, как обычно.

— В этом году, Настюша, к концу апреля все деревья стояли, покрытые сочной зеленью. Не зеленой дымкой, а полноценной густой листвой. Лето наступило на месяц раньше, чем обычно. Природа подарила нам целый дополнительный месяц лета. А ты и не заметила.

— Не заметила, — покаянно призналась Настя. — И что из этого следует?

— Из этого следует, что нужно быть благодарным всему, что нас окружает и с нами происходит. И тому, что был еще один летний месяц. И тому, что ты сломала ногу, потому что благодаря этому ты начала копаться в себе. И тому, что вчера похолодало, потому что иначе я сегодня не приехал бы и мы бы не поговорили. И тому, что твои родители встретились, и в результате появилась ты. Всему, понимаешь? Это не так легко, как ты думаешь, особенно при твоей работе. Сейчас тебе кажется, что это все ерунда, а вот попробуй-ка быть благодарной тому, что происходит, когда видишь убитого человека. И не только убитого человека, но и убитых горем его родных. И отвратительного, жестокого, порой в дымину пьяного убийцу. Как же благодарить судьбу за то, что она допускает такое?

— Да, Паша, тут с благодарностью, пожалуй, не выйдет.

— Выйдет, — убежденно ответил он. — Твоя задача — научиться находить повод для благодарности во всем без исключения. Это трудно, на это могут уйти не то что месяцы — годы. Но научиться нужно.

— А дальше?

Дюжин взглянул на часы и поднялся:

— На сегодня все, Настюша. И так я на тебя целый ворох информации вывалил, боюсь, ты и его-то не одолеешь. Нельзя перекармливать, ты освой то, что я тебе рассказал, обдумай как следует, а в следующий раз еще поговорим.

Вслед за Павлом Настя доковыляла до входной двери. По дому она уже пыталась ходить без палки, и хотя было больно, но получалось иногда очень даже неплохо.

— А когда ты приедешь? — как-то совсем по-детски спросила она.

— Не знаю. Может быть, в субботу. Я же не могу без конца отпрашиваться у Ивана. Он тебя, конечно, нежно любит и к тебе отпускает без вопросов, но совесть тоже иметь надо. Работай, Настюша, трудись. А когда убедишься, что нога как-то очень быстро перестает болеть, мы вернемся к разговору о том, во что ты веришь, а во что не веришь.

Она еще долго стояла на пороге, кутаясь в куртку, и глядела в ту сторону, куда уехала машина Дюжина. Вспомнила, что хотела спросить его о законе трех отрицаний, но так и не спросила. Забыла. Почему «не делай» и «не говори», ей более или менее понятно. Но вот почему «не думай»? От мыслей-то какой вред?

* * *

До встречи с Валерием Риттером дело так и не дошло. То есть Сергей Зарубин действительно собирался созвониться с ним и встретиться, но тут как раз позвонила сама Волкова.

— Сережа, — она говорила мягко и очень по-домашнему, — мне кажется, нам с вами нужно встретиться. Мне стало известно, что вы пытаетесь выяснить, где мы с Антоном были в понедельник, накануне убийства Юли. Мне не хотелось вам говорить, я признаю, что скрывала это от вас. Но поскольку вы начали теребить маму, отчима и сестру, я поняла, что должна признаться. Это все, в сущности, чепуха, просто история не совсем красивая, и мне неловко было о ней говорить.

Так, она придумала какую-то каверзу. Зарубин был в этом совершенно уверен. Она придумала какое-то вранье, которое сейчас попытается ему впарить. Ну что ж, послушаем.

— Конечно, Анита Станиславовна, — с демонстративной готовностью откликнулся он. — Когда и где?

— Я сейчас у Антона, пробуду здесь до завтра, домой не поеду. Если хотите, можете приехать сюда.

Естественно, он хотел. Сергей бросил все дела и помчался к Кричевцу. Ему не терпелось выслушать ложь Волковой.

Но его ждало разочарование. Жуткое, глубокое, бездонное, как пропасть из ночного кошмара.

Антон Кричевец не был в понедельник на юбилее ре-

190

жиссера Островского, потому что его вообще не было в Москве. Его не было в стране. Он выезжал на один день за границу, в Турцию. Улетел в понедельник утром, вернулся во вторник после обеда. Вот билеты в оба конца. Вот загранпаспорт со штампами российского и турецкого пограничного контроля.

А без Антона Аните на юбилее делать нечего. Они друг без друга на такие мероприятия не ходят. Собственно, ее лично никто и не приглашал, приглашали Антона, а ее — как приложение, как его даму. Почти жену.

Вот так. Причина, по которой Антон Кричевец должен был так срочно слетать в Турцию, была, действительно, не из самых благородных. Но уж какая есть.

Главное — она была. И все документы, подтверждающие его отсутствие в Москве, налицо.

Подвело чутье Серегу Зарубина. Ну что ж, бывает.

Глава 8

— На, держи, — следователь Высоткин с брезгливой гримасой протянул Селуянову заключения экспертов. — Перепиши там себе, что нужно, и давай работай.

Первое заключение было по орудию убийства. Из него следовало, что нож, которым были нанесены смертельные ранения Галине Васильевне Аничковой, является ножом хозяйственного назначения фирмы «Золинген». Такие ножи продаются в специализированных «золингеновских» магазинах, а также в магазинах сети «Бауклотц» и не являются холодным оружием, предназначенным для поражения живой цели. Приходи и покупай, никаких проблем.

Во втором заключении говорилось, что пригодных для идентификации следов пальцев рук на ноже не имеется. Из того, что написали эксперты, можно было сделать вывод, что нож сначала неоднократно брали голыми руками, вероятно, еще в магазине и в момент покупки, а потом прикасались к нему только в перчатках, смазывая все предыдущие следы.

И, наконец, третье заключение. То самое, которого Селуянов ждал с таким нетерпением. Восстановленный текст с вырванных из ежедневника страниц за 5—6 сентября 2002 года. Как Николай и ожидал, текст со страницы за 5 сентября удалось восстановить полностью, поскольку 7 и 8 числа падали на субботу и воскресенье, дел в эти дни у Галины Васильевны было немного, и страница, на которой размещались записи за оба выходных дня, оказалась почти пустой. Хуже обстояло дело с 6 сентября. Записи за этот день отпечатались на страничке за 4-е число, среду, и страничка оказалась так густо исписанной, что восстановить удалось далеко не все.

Ладно, решил Коля, быстро переписывая в блокнот сведения из экспертного заключения, будем работать с тем, что есть, не до жиру — быть бы живу. Он злился на следователя, который сдернул его с рабочего места, заставил приехать в прокуратуру лично, вместо того чтобы просто отксерокопировать заключения и прислать розыскникам с нарочным. А если своих людей нет, так мог бы позвонить Селуянову, так, мол, и так, подошли кого-нибудь из ребят, пусть заключения возьмут. Нет, Высоткину не нравилось раскрывать преступления, но зато нравилось строить из себя крутого босса, одним телефонным звонком ставящего перед собой «как лист перед травой» не оперативников, которые непосредственно с ним работают, а их начальника. Следователь считал ниже своего достоинства общаться с сыщиками, он признавал только руководство, через которое и передавал поручения и раздавал задания. В общем, Коля понимал, почему так происходит. Ведь оперативнику нужно действительно дать задание, предварительно обсудив с ним ситуацию в свете имеющихся доказательств и разной другой информации, а с замом по розыску или с начальником отдела можно в детали не вдаваться, ограничиваясь скупыми фразами наподобие «ну, ты сам знаешь, что нужно делать, не мне тебя учить». И в самом деле, как-то смешно будет выглядеть, если следователь начнет учить начальника сыщиков... Фокус, правда, состоял в том, что Высоткин никого и ничему научить не мог, ибо в деле расследования преступлений смыслил мало, но свою безграмотность он ловко прикрывал более опытными людьми, потому и не желал общаться с простыми операми, которые могут оказаться не особо квалифицированными в силу молодости или отсутствия длительной практики, а требовал к себе исключительно их начальников, которые по определению должны кое-чего смыслить.

— Все переписал? — с подозрением спросил Высоткин, глядя, как Селуянов закрывает блокнот и прячет его во внутренний карман куртки. Ну ни дать ни взять строгий учитель в школе, надзирающий за тем, чтобы нерадивый ученик, которого после полученной за диктант двойки специально оставили после уроков и велели 50 раз написать фразу без ошибок, не схалтурил и не написал ее не 50 раз, а 48.

— Все, — Коля посмотрел на следователя честными глазами.

— Ну иди работай, сам знаешь, что нужно делать, не буду тут тебе ликбез устраивать.

«И не надо, — мысленно ответил Николай, выскакивая из кабинета и бегом спускаясь по лестнице вниз, — и спасибо тебе большое, что учить не начал».

Переписывая сведения, он не думал над ними, сосредоточившись исключительно на том, чтобы не допустить ошибок и перенести информацию из заключения в блокнот, ничего не растеряв по дороге и не исказив. Оказавшись же в своем кабинете, он вызвал оперативников, работающих по убийству Аничковой, и теперь уже уставился в исписанные листы более осмысленным взглядом. Через пару минут Селуянову сообщили, что ни одного из вызванных сотрудников на месте нет, все на заданиях, что и немудрено, ведь, кроме двухнедельной давности убийства, на территории совершаются, и в немалом количестве, и квартирные кражи, и грабежи, и кражи вещей из автомобилей, и «ломка» валюты возле обменных пунктов, и много всякого прочего, малоинтересного с точки зрения описания в высокохудожественных романах, но требующего сил и времени на разбирательство и оформление бумаг.

Оставив дежурному строгое указание направить сыщиков к заму по розыску, как только они появятся в поле зрения, Николай попытался обдумать информацию, содержавшуюся в похищенном из ежедневника Аничковой листке, и с ужасом понял, что... ничего не понял. Да, он ровно неделю назад обсуждал с Каменской результаты анализа всех записей в ежедневнике, и во время этого обсуждения они оба оперировали фамилиями, адресами, названиями учреждений и фирм, но... Прошла неделя, целая огромная неделя, до краев заполненная информацией о массе других преступлений и фамилиями потерпевших, свидетелей и подозреваемых. Все перемешалось в голове у Селуянова, и, глядя на фразу «Костя, 17.30», он не мог вспомнить, кто такой этот Костя и упоминался ли он в ежедневнике когда-нибудь еще. Или вот, к примеру, «Надежда Семеновна, 7.00 — 9.30». Кто это такая? Откуда взялась?

Открыв сейф, он достал пластиковый файл с ксерокопией ежедневника и уныло вперил глаза в бумаги. Нет, не сможет он снова поднять эту громадину, у него голова забита кучей проблем. Правда, есть еще сводная таблица, которую составила для него Настя, может, по ней будет легче сориентироваться? Николай глянул в таблицу, и у него моментально заныли зубы. Кто бы знал, как не любит он все вот это... вот такое вот... Ему живое дело подавай, когда ноги в руки — и бегом, а таблицы, строчки, сведения — бр-р-р! Не его это хлеб.

Хлеб, хлеб... Кушать, однако, хочется. И дел невпроворот, на обед время никак не выкраивается.

Селуянов решительно снял трубку и набрал номер телефона в Болотниках. Каменская ответила не сразу, после девятого или десятого гудка.

— Разбудил, что ли? — Николай пытался звучать бодро и деловито, убеждая самого себя, что имеет право звонить Насте, он же не ради собственной выгоды «запрягает» ее в свою упряжку, не корысти ради, а токмо волею судьбы, пославшей ему такое несуразное убийство.

— С ума сошел! — возмутилась Настя. — Я, как приличная девушка, встаю в восемь утра.

— Ага, видал я таких приличных, — фыркнул он. — А чего ж так долго не подходила к телефону?

— Так я тебе не реактивный двигатель, между прочим. Еле ползаю, а теперь для тренировки по дому хожу без палки, это еще медленнее получается.

— Ладно, извини, — Коля покаянно посопел в трубку, изображая смущение. — Слышь, мать, у тебя память хорошая, может подскажешь навскидку, кто такой в жизни Аничковой был Костя?

— А что, эксперты прислали заключение? — оживилась она.

— Ну, — подтвердил Селуянов. — Так что там с Костей-то?

— Костя — это парикмахер, у которого Аничкова стриглась каждые месяц-полтора. Я же тебе говорила.

— Ну Аська, ну я тебе что, компьютер, что ли? — жалобно заныл он. — Ты говорила, а я забыл. Неделя прошла. У меня знаешь сколько дел в производстве? А у тебя одно убийство Аничковой. Так кто должен лучше помнить, ты или я?

— Во-первых, кроме твоей Аничковой, у меня еще одно убийство висит, не один ты такой умный. А во-вторых, я тебе сводную таблицу для чего делала?

— Чтобы я в нее смотрел, — вздохнул Коля.

— Ну? Так в чем дело? Открой и посмотри.

— Да не могу я! У меня от твоих таблиц судороги мозга начинаются! Ну, Аська, не вредничай, давай по-быстрому я у тебя все спрошу, ты мне все ответишь, и разойдемся друзьями.

— Ладно, — вздохнула она, — черт с тобой. Только подожди, я свои черновики возьму, у меня память тоже, знаешь ли, не идеальная.

Характерного стука Селуянов не услышал и понял, что Каменская положила трубку на что-то мягкое. Наверное, на диван, с мечтательной улыбкой решил Коля. Там такой диванчик в гостиной стоит, напротив камина, мягонький, уютненький, сказочный просто диванчик. Мечта усталого сыщика. Каменская говорила, что она на нем спит, потому что подниматься на второй этаж, где спальня, ей страшно. Очень уж лестница крутая и узкая. Небось на этом самом диванчике она и будет сидеть, разговаривая с ним. Эх, ему бы самому развалиться на мягких подушечках, пледиком накрыться и расслабиться хотя бы на пару часов...

Голос Насти вытащил его из сладких грез:

— Давай. Я готова.

Он потряс головой, отгоняя от себя карамельные видения, и придвинул поближе блокнот.

— Значит, так. Надежда Семеновна.

— Фурманова, сеансы каждую неделю, всего одиннадцать, теперь получается, что двенадцать. Дальше.

— Костя... ну, это я уже спросил. Теперь Лида, без отчества.

— Лидия Страшко, приятельница, день рождения 28 марта. Живет неподалеку от фитнес-клуба, где занималась Аничкова, и покойная почти всегда после занятий с ней встречалась.

— Угу, — Селуянов сделал пометку в блокноте. — Теперь у нас некто Некрасов Михаил.

— Есть такой. Всего два раза приходил, один раз до пятого-шестого сентября, еще в конце августа, второй раз в середине сентября. Получается, что он приходил три раза, потом бросил. Или решил свои проблемы. Кто еще?

— Еще Кабалкина Любовь, фирма «Планета». Не знаешь, что это за фирма? Чем занимается?

Каменская не отвечала.

— Эй, алло, мать! — Селуянов подул в трубку. — Ты там отключилась, что ли? Ты меня слышишь?

— Слышу, Коля, слышу. Чем занимается фирма «Планета», я не знаю, а вот Кабалкиной в ежедневнике нигде не было. Эта фамилия ни разу не мелькала. А фирма была.

— Точно?

— Абсолютно точно. Есть запись о визите в «Планету» в середине августа, там указан адрес, как проехать и контактные телефоны. И в сентябре к Аничковой начали ходить две дамы из этой фирмы, а в октябре появилась еще одна. Но среди этих троих никакой Кабалкиной не было.

— Что же это получается? Что Кабалкина пришла один раз и потом захотела скрыть факт знакомства с Аничковой? Получается, это именно она устроила удаление страницы из ежедневника? То есть она причастна к убийству? — возбужденно заговорил Николай.

— Погоди, Коля, не так быстро. Кабалкина могла договориться о встрече, но по каким-то причинам не пришла. Передумала обращаться к кинезиологу или не смогла, мало ли что. Давай все остальные записи проверим.

Они сверяли данные еще минут двадцать, но ничего подозрительного больше не обнаружили. Все остальные люди, поименованные на страницах за 5 и 6 сентября, контактировали с Аничковой неоднократно, и уничтожать запись об одной-единственной встрече никакого смысла не было.

Оставалась Любовь Кабалкина.

— Коля, ты счастливчик, — сказала ему Каменская. — Тебе жутко повезло.

— Это еще почему? — насторожился Селуянов.

— Потому что Любовью Кабалкиной очень интересовался Сережка Зарубин. И даже встречался с ней.

— Ну да? — Коля не поверил своей удаче. — Точно?

— Точно, точно. Кабалкина из фирмы «Планета». Ты ему позвони, он тебе расскажет.

— А что с ней не так?

— Да нет, все так. У нее есть сестра, так вот Зарубин, собственно, как раз сестрой занимается, а у Кабалкиной ее алиби проверял.

— А-а-а, — разочарованно протянул он, — а я-то уж обрадовался, что за ней что-то есть, сейчас мы бы ее тепленькую и взяли.

Но в любом случае это было лучше, чем совсем ничего. Первоначальная версия оказалась правильной, на похищенных страницах действительно упоминался человек, имя которого больше нигде в ежедневнике Аничковой не встречалось. Именно на этого человека и падало подозрение в первую очередь.

Селуянов записал фамилии трех сотрудниц фирмы «Планета», которые посещали сеансы у кинезиолога, и сладко потянулся. Теперь есть откуда начинать выдергивать конец ниточки, покуда весь клубок не распутается.

* * *

— Любочка, — голос матери бился в трубке, заливая ухо и через него, казалось, всю голову, — где ты, доченька? Я звоню на работу — тебя нет, дома тебя нет, а время-то уже десятый час, мальчики сонные совсем. Ты когда придешь?

— Не знаю, мама, — вяло ответила Люба. — Тут все сложно... Уложи их у себя, ладно?

— Что-то случилось? — переполошилась Зоя Петровна. — Ты где, Люба?

— Я в дороге, в машине еду.

Она почти не солгала. Она действительно сидела в машине. Только ни в какой дороге Люба Кабалкина не была. Машина давно уже стояла с выключенным двигателем за два квартала до дома и примерно за три — до дома родителей, где ее ждали мальчики, ее дети.

У нее не было сил ехать. Ни домой, ни к матери и детям. У нее не было сил даже на то, чтобы принять решение, забирать ли мальчиков или оставить на ночь у родителей. И если бы мать не позвонила сама, неизвестно, когда бы Люба сообразила, что сыновьям давно пора спать.

После периода слез и напряженного ожидания она впала в ступор. Плохо соображала, работа валилась из рук, она с трудом произносила какие-то обязательные слова, без которых невозможно обойтись, когда работаешь в коллективе или покупаешь продукты в магазине. Но Любе казалось, что она сама себя не слышит.

Что же с ней случилось? Как это все случилось? Она, Люба Кабалкина, всегда улыбающаяся, всегда готовая отдавать окружающим свою любовь, внимание, заботу, бесконечно добрая, невероятно энергичная, жизнерадостная, — и вот, пожалуйста, сидит в своей машине, раздавленная страхом и отчаянием, и не знает, что ей делать.

...А началось все тогда еще, в августе, когда зам генерального по персоналу собрал всех руководителей служб, в том числе и Любу, как главного финансиста фирмы.

— Не открою вам никакого секрета, если скажу, что успешная работа организации в значительной степени зависит от психологического климата в коллективе, — начал он. — А психологический климат, как известно, зависит от того, как люди относятся, во-первых, к своей работе и, во-вторых, друг к другу. Существует положительный опыт использования специалистов-психологов для создания позитивного климата в коллективе, в том числе и с применением нетрадиционных методов. Есть очень хорошие специалисты, их услугами уже воспользовались некоторые фирмы, и результаты превзошли все ожидания. Поэтому с одобрения нашего генерального директора мы заключили договор с одним из таких специалистов. Я убедительно прошу всех вас отнестись к этому с должной серьезностью и провести в своих подразделениях разъяснительную работу. Скажу сразу: все будет происходить строго конфиденциально, один на один с психологом, никакая информация личного характера разглашаться не будет, сеансы у психолога оплачивает фирма. Так что прислушайтесь к себе, господа, и прислушайтесь повнимательнее. Если вы чувствуете, что у вас есть проблемы, которые мешают вам с должным уважением и приязнью относиться к своей работе и к своим коллегам, — милости просим к Галине Васильевне Аничковой. Уверен, она сможет оказать большую помощь каждому из сотрудников фирмы.

Зам по персоналу раздал каждому из присутствующих по пачке визиток, на которых были записаны имя и телефон психолога. Люба, вернувшись к себе, добросовестно выполнила указание и проинформировала всех финансистов фирмы, раздала визитные карточки. Оставшиеся несколько штук — пять или шесть — небрежно бросила на свой рабочий стол. Уж у нее-то, у Любы Кабалкиной, проблем нет и быть не может. Она так любит свою работу, ей интересно то, что она делает, ей нравятся ее подчиненные, с которыми она никогда и ни по какому поводу не конфликтует и которые относятся к ней с уважением. Зачем ей какой-то там кинезиолог! Она и слова-то такого отродясь не слыхала. Выдумают тоже еще... Небось шарлатанство какое-нибудь.

Однако же мысль о том, что у нее нет проблем, вертелась в голове подозрительно интенсивно, и через несколько дней Люба призналась себе, что проблема у нее все-таки есть. Правда, она не имеет никакого отношения к работе, эта проблема, но она есть. И это совершенно очевидно.

Мать всегда говорила Любе:

— Доченька, ты плохо училась, ты никогда не умела рукодельничать, у тебя нет таких талантов, как у Аниты. Зато ты умеешь любить людей, и это очень хорошо. Ты умеешь любить не только своих кавалеров, но и подруг, и родственников, и всех, с кем сталкиваешься. Это очень большой талант, он не каждому дан.

В юности Люба не совсем понимала слова матери и в глубине души считала, что Зоя Петровна просто ищет, чем бы ее утешить, чтобы девочка не страдала от собственной обыкновенности и заурядности рядом с такой звездой, как старшая сестра Анита. Став старше и научившись смотреть на себя со стороны, она поняла, о чем толкует мать. Да, действительно, уж что-что, а любить людей Люба Кабалкина умеет, этого у нее не отнять.

Мудрая мать, променявшая карьеру киноактрисы и статус супруги знаменитого мужа на любовь, знала, о чем говорила. Люба радовалась каждому новому знакомству, радовалась, когда открывала в человеке хоть какое-то достоинство, радовалась, что можно радоваться этому достоинству, наслаждаться им, любить его. А раз любить, то прощать все, что достоинствами не является. Ей было легко хорошо относиться к людям. Она любила всех уже заранее, ни в ком не видя врага, ни от кого не ожидая неприятностей или подвохов, и было все это настолько искренним, настолько настоящим, неподдельным, что никому и в голову не приходило делать ей гадости или подлости. Своей открытостью и готовностью любить Люба вызывала к себе только доброе расположение.

И вдруг это чувство стыда... Вылезшее из каких-то неведомых темных глубин подсознания, оно отравляло ей жизнь, вынуждало лгать, скрывать, изворачиваться. Боже мой, никогда в жизни она не стыдилась своих чувств и поступков, она никогда не боялась ни в чем признаваться, потому что любила людей и была уверена, что все они умные, добрые, все понимающие, они поймут ее и не станут осуждать, ведь они относятся к ней с такой же любовью, как и она сама. Ей и в голову не приходило стесняться того, что она родила двух детей от разных мужчин, ни с одним из которых не состояла в браке. Отцов своих мальчиков она искренне любила и полагала, что этим все сказано.

И Люба никогда, ни одной минуты не комплексовала из-за того, что она не такая красивая, не такая умная и одаренная, как ее старшая сестра. Она не стремилась быть похожей на Аниту, не пыталась ей подражать и, уж конечно, не завидовала. Она просто любила ее.

Но все-таки появилось в ее жизни то, в чем ей признаваться было стыдно.

Да, у нее есть проблема. Но к работе это не имеет никакого отношения, поэтому ни к какому кинезиологу она не пойдет.

Так решила Люба Кабалкина в конце августа.

А потом начало происходить что-то невероятное. Невозможное. Такое, с чем она не могла справиться.

И вот теперь она сидит в своей машине, не в силах пошевелиться, тупо смотрит на приборную панель и не понимает, что ей делать.

* * *

У Харченко оставалась последняя соломинка, за которую можно было попробовать ухватиться. Отведенный ему срок становился все короче, его конец приближался с катастрофической скоростью, а решение проблемы все не находилось. Где взять семьсот тысяч? Или — как вариант — как уклониться от необходимости платить? Он прикидывал и так, и эдак, но ничего путного не придумывалось. А те четверо постоянно попадались ему на глаза, и утром, когда он выходил из дома, и вечером, когда возвращался со службы. Дескать, мы о тебе не забыли, и не надейся.

И он позвонил.

— Я уже не спрашиваю, как это могло произойти, — начал он, стараясь быть спокойным и выдержанным. — Теперь это не имеет значения. Речь о другом.

— О чем?

— Помоги мне, пожалуйста. Ты можешь.

— Каким образом?

— Мне нужны деньги. Газета не хочет платить по мировому соглашению, они требуют деньги с меня. А где их взять? У меня столько нет.

— Ты собираешься просить у меня денег?

— Да. Ты ведь можешь, я знаю... Пожалуйста.

— К сожалению, я не могу тебе помочь. Это слишком большая сумма.

— Я верну, честное слово! Я же прошу только в долг.

— Да? И с чего ты будешь отдавать, интересно? Продашь квартиру, мебель, одежду, машину? Или у тебя есть еще какое-то имущество? Так продай все это уже сейчас, отдай деньги и спи спокойно.

— Послушай... Нам нужно встретиться.

— Я не могу. У меня очень много дел.

— Но нам нужно поговорить! Нам срочно нужно встретиться и обо всем поговорить!

— Нам не о чем говорить. Всего доброго.

Вот так. Последняя соломинка с оглушительным хрустом сломалась прямо в руках. Ну уж нет, не на такого напали! Никто не может безнаказанно заявлять ему, Владимиру Харченко, что «нам не о чем говорить». Этот номер не пройдет. Его подставили, и тот, кто это сделал, заплатит за все.

* * *

В доме снова стало тепло, и Настя с удивлением поймала себя на мысли: жаль, что не нужно больше топить камин. Собственно, топить его можно было сколько угодно, но не было необходимости, да и дров Паша наколол ей ровно столько, чтобы хватило до устранения аварии на теплотрассе. Ей нравилось смотреть на открытый огонь, сидя на диване и повторяя шепотом или про себя:

— Слава Афанасьев, прости меня, и я тебя прощаю и отпускаю. Ты меня прости, и я тебя прощаю и отпускаю. Прости, прощаю, отпускаю, прости, прощаю, отпускаю...

Было в этих словах что-то завораживающее, магическое. Первое время на душе было муторно и как-то грязно, но постепенно муть и грязь куда-то расползлись, и с каждой минутой, с каждой фразой становилось легче и радостнее. В какой-то момент ей привиделось, что начальник стоит рядом, внимательно слушает ее, потом улыбается, ласково так, мягко улыбается и уходит. Нет, не уходит, а как-то отодвигается от нее, не поворачиваясь спиной, словно стоит на движущейся ленте, которая уносит его от Насти. Он машет ей рукой, будто прощаясь, и она внезапно понимает, что это не сегодняшний Вячеслав Михайлович Афанасьев, а тот, прошлогодний, которого она обидела. Это прошлогодний Афанасьев прощается с прошлогодней Настей, уступая место Афанасьеву сегодняшнему, который может построить новые отношения с сегодняшней Каменской. Может, это и называется «отпустить»?

Как и советовал Дюжин, сначала Настя упорно занималась тем, что «прощала и отпускала» прошлогоднюю себя, но не была уверена, что делает все правильно. Ей никак не давался смысл слова «отпустить». Она честно посвятила прощению себя полдня и никак не могла понять, достаточно уже или нужно еще работать. И только теперь, зацепив краем сознания эту странную картинку с отодвигающимся Афанасьевым, почувствовала, что недоработала. Нужно вернуться к себе и «отпускать» до тех пор, пока не увидится внутренним зрением что-нибудь подобное. Пусть не такое же по содержанию, но что-то, что позволит вздохнуть с облегчением и сказать себе: «Все. Я простилась с ней. Я ее отпустила. Ее больше нет».

«Отпустить» себя оказалось куда сложнее. И в самом деле, как же можно добровольно расстаться с частью себя? Даже не с частью, а просто с собой, целиком? И что станется с сегодняшней Настей, если в ней не будет Насти вчерашней, с ее опытом, с ее мыслями, ее чувствами, ее болью и радостью? Какая-то самокастрация получается. Нет, тут должно быть что-то другое, какой-то другой смысл во всем этом. Речь ведь идет о чисто психологическом методе, а ни один психологический метод не может быть направлен на коррекцию прошлого. Он может только корректировать отношение к нему. Все факты, все события ее жизни сохраняются, они никуда не уходят, но нужно перестать цепляться за свои переживания по поводу этих событий. А переживания суть неотъемлемый элемент личности. Вот, кажется, здесь... Кажется, сейчас придет осознание того, что же такое это ускользающее «отпустить»... Нужно помнить, что была Настя Каменская, переживающая по такому-то конкретному поводу. Была. Но была вчера, позавчера, когда-то. Одним словом, не сегодня. Она была и остается, она никуда не исчезла, но она должна существовать отдельно от сегодняшней Насти, сама по себе. Не нужно уподобляться шампуню «два в одном». Нужно разделиться. Не держать в себе прежнюю Настю, не цепляться за нее как за единственную подругу, которая всегда права и у которой нужно по любому поводу спрашивать совета. Отделить от себя, аккуратненько поставить, и пусть себе стоит. Или уходит, это уж как ей захочется. Но стоять она должна не внутри сегодняшней Каменской, а сама по себе. С ней даже можно поговорить, поспорить, обсудить то событие, по поводу которого было сожжено столько нервных клеток...

И точно так же, как Афанасьева на движущейся ленте, увидела вдруг Настя себя. Прошлогоднюю. Это совершенно точно, потому что прическа была, как прошлым летом, и белые джинсы, которые давно уже приказали долго жить, будучи по рассеянности засунутыми в стиральную машину вместе с синей и черной футболками. Прошлогодняя Настя сидела в кабинете на Петровке и горько плакала. Себя сегодняшнюю Настя не видела, но знала, как это обычно бывает во сне, что стоит рядом с «той» Настей и утешает ее, гладит по голове. Звонит телефон, «та» Настя вытирает слезы, снимает трубку и сразу погружается в какой-то деловой разговор. Слов не слышно, осознание происходящего идет на уровне чувства. Сегодняшняя Настя видит, как «та» хмурится, что-то ищет на столе среди бумаг, что-то доказывает невидимому собеседнику, и с облегчением думает: «Ну слава богу, она проревелась и теперь займется делом и больше об этом и не вспомнит. Можно со спокойной совестью оставить ее одну».

«А может быть, это тоже называется «отпустить»?»

Жаль, что кончились дрова и нет возможности смотреть на огонь. Настя, правда, во время лечебного вояжа обошла вокруг дома, заглянула в дровяной сарай, поискала глазами топор и плашку. Взяла одно полено, поставила, попыталась, отставив палку, поднять топор обеими руками и сразу же поняла, что дровосек из нее не вышел. И, вероятнее всего, уже не выйдет никогда. Топор оказался для ее нетренированных рук слишком тяжелым, а полторы ноги — слишком неустойчивой опорой. Ничего, она подождет, пока кто-нибудь приедет, Чистяков, или Дюжин, или кто-нибудь из ребят с работы. Они все сделают как надо, и у нее будут дрова, и огонь в камине, и долгие часы мучительно-сладких и упоительно-горьких размышлений...

А пока можно работать с собой, сидя в кресле или лежа на диване. Уже десятый час, а Зарубин что-то не звонит, обычно он уже часам к восьми объявляется с рассказами. Интересно, связался с ним Коля Селуянов или нет? Надо же, как все сошлось на этой Кабалкиной! Даже смешно. Такие совпадения бывают, конечно, но не каждый день. Интересно было бы взглянуть на нее, на Кабалкину эту.

Сережка говорил, что она какая-то нервная, напряженная, то плачет, то замыкается. Ну да, станешь тут нервной, когда за плечами убийство или причастность к нему. Но вряд ли она сама совершала преступление. Тем более племяннику убитой звонил мужчина. Надо отрабатывать связи Кабалкиной, искать подельника. Наверняка любовник, настоящий или бывший.

Настя, мысленно упоминая фамилию Кабалкиной, все не могла понять, почему ей делается смешно, почему она не может всерьез отнестись к мысли о том, что эта женщина, мать двоих маленьких детей, может оказаться преступницей. И вдруг до нее дошло: ну конечно, университет, курс гражданского права, толстый сборник «Гражданское законодательство», составитель — Кабалкин. Эта книга была для нее самым страшным воспоминанием о всех пяти годах обучения. И хотя преподаватель, который вел у них в группе семинары по гражданскому праву, постоянно повторял: «Вам не нужно знать наизусть все, что здесь написано, вы должны только точно представлять себе, в каком разделе искать ответ на любой вопрос», все равно полторы тысячи страниц текста, набранного петитом, внушали ей священный трепет, граничащий с ужасом. Это невозможно не то что выучить, это не под силу даже просто прочитать один раз. На это уйдет целая жизнь. Само слово «Кабалкин» было среди Настиных сокурсников символом чего-то невозможного, без чего и обойтись нельзя (а как же, на семинаре-то спрашивают, и контрольную без него не напишешь, и к экзамену не подготовишься), и к чему даже не прикоснешься без содрогания.

Да, не смешно... То есть вспомнить-то смешно, а вот Любовь Григорьевна Кабалкина может оказаться самой настоящей преступницей, жестокой, предусмотрительной и изощренной. Такую нахрапом не возьмешь, здесь нужна тщательная подготовка. Ну что же Зарубин-то не звонит?! Паршивец. Как ничего не получается, так по два раза в день «Настя Пална» да «Настя Пална», а как свет забрезжил, так все сам. Самостоятельный. И Колька Селуянов тоже хорош, мог бы хоть пару слов сказать, что там у него вырисовывается с этой Кабалкиной, помог ли ему Зарубин.

Нет, одернула себя Настя, все неправильно. Какое право она имеет сердиться на ребят? Они работают, а она дурака валяет, отдыхает на природе, с камином и мягким диванчиком. Ей даже продукты на дом приносят, и медсестра домой приходит массаж делать и процедуры. Барыней заделалась, вот от скуки и лезут в голову злые мысли. Если у Коли или Сережки появится полтора десятка свободных минут, так пусть лучше поедят или просто посидят в тишине, мозги в порядок приведут. А уж к Зарубину она и вовсе несправедлива, какой там свет у него мог сегодня забрезжить? От того, что Кабалкина оказалась причастной к убийству Аничковой, ему ни жарко ни холодно, на дело актрисы Халиповой это никаким боком не влияет.

Ладно, нечего сиднем сидеть, пойдем-ка поупражняемся. Начиная с воскресенья Настя взяла за правило хотя бы два раза в день подниматься на второй этаж, постепенно сокращая интервалы между подъемом и спуском. Ноге это мероприятие не нравилось категорически, и если ходить по ровной поверхности она еще кое-как соглашалась, то вставать на ступеньку и поднимать на себе все Настины килограммы ей было откровенно не в радость. Но она, нога то есть, все-таки поддавалась разумному убеждению и с каждым разом капризничала все меньше и тише. А может, просто поняла, что все бесполезно и ее все равно будут таскать вверх-вниз в качестве опорной ноги. Настя не стала себя обманывать, ставя на каждую ступеньку сначала здоровую правую ногу, а потом подтягивая левую, она пыталась ходить, как нормальный человек, шаг правой — шаг левой. Получалось медленно и очень больно. Но ведь получалось же!

Сунув в один карман теплой вязаной кофты мобильник, в другой — трубку от стационарного телефона, она начала восхождение на свою Фудзияму. Если ей кто-нибудь позвонит, пока она находится на лестнице, то ответа в ближайшее время не дождется, если не взять с собой обе трубки. Ух, какая она стала предусмотрительная!

Ну вот и последняя ступенька на пути вверх, теперь можно отдышаться и посидеть в одной из комнат. В воскресенье Настя сидела в детской — самой ближней к лестнице. Сегодня она решила увеличить нагрузку и, несмотря на обжигающую боль, протащить себя до дальней комнаты, которая была чем-то вроде гостевой спальни пополам с кабинетом. Там стоял рабочий стол с компьютером, были полки для книг и кассет, телевизор и большой диван, раскладывающийся в двухспальное ложе. Десять минут на отдых — невероятный прогресс по сравнению с получасом в воскресенье — и в обратный путь. Мимо хозяйской спальни, мимо хозяйского санузла (гостевой, которым пользовалась Настя, находится на первом этаже), мимо детской — и к ненавистной лестнице. Нет, нельзя так думать, это неправильно. Лестница чудесная, прекрасная, просто отличная лестница, самая лучшая на свете. Чем труднее по ней ходить, тем больше нагрузка на ноги, следовательно, тем эффективнее упражнение, тем ближе выздоровление. Будь благодарен всему, что тебя окружает. Даже если это всего лишь крутая узкая винтовая лестница, на которой ничего не стоит шею свернуть. Спасибо тебе, лестница, за то, что ты такая, я тебя люблю. Спасибо теплотрассе за то, что на ней случилась авария, потому что благодаря ей я теперь знаю, как это здорово — сидеть перед горящим камином и смотреть на огонь. Спасибо тебе, нога, за то, что ты сломалась, иначе мне в голову могли бы никогда не прийти те мысли, которые пришли. Я учусь быть благодарной всему, что со мной происходит и меня окружает...

Уф-ф! Все. Первый этаж. Настя взмокла от усилий и боли, ей стало душно. Она дошла до окна, распахнула его, несколько раз глубоко втянула в себя сырой холодный воздух. Ей сразу стало легче, сердце забилось ровнее. Спасибо тебе, осень, за то, что ты осень и у тебя такой холодный влажный воздух, а не сплошная летняя пыльная духота. Будь благодарной всему...

Телефон. В первый момент Настя даже не сообразила, в каком кармане звенит, засуетилась, попеременно вытаскивая то мобильник, то радиотрубку и бестолково нажимая кнопки.

— Это я, Настя Пална, — послышался усталый голос Сережи Зарубина. — Ты еще не спишь? Извини, что поздно.

— Ничего, нормально. — Она отошла от окна и присела в кресло. — Рассказывай.

— Да нечего особенно рассказывать, багаевских ребят трясем. Их, как ты понимаешь, много, нас — мало, так что все в рабочем режиме. Пока ничего не вытрясли.

— Селуянов тебе звонил?

— Звонил.

— А ты что?

— Ну а что я? Я маленький добрый мальчик, отдал ему все, что у меня было по Кабалкиной. Мне не жалко, пусть пользуется, мне эта многодетная мать больше не нужна. У меня теперь совесть спокойна.

— В каком смысле?

— Ну, я же все смотрел, как она дергается, нервничает, и думал, что она Волкову покрывает, поэтому врет мне. Ни одному ее слову не верил. А теперь понятно, отчего она такая психованная. Стало быть, ее показаниям насчет Волковой вполне можно доверять.

— Все-таки занятно получится, если она окажется связанной с убийством Аничковой. Редчайшее совпадение. Ну что ты такой кислый, Сережа? Порадовался бы за товарища.

— Я не кислый, — вздохнул в трубку Зарубин. — Я горем убитый.

— Что-то случилось? — заботливо спросила Настя.

— Ага. С Гулей поссорился. Теперь она отказывается

выходить за меня замуж. Вот ведь козел же я! Еще год назад твердо решил сделать ей предложение и почти сделал, довел бы тогда дело до конца — сейчас были бы женаты, и никуда бы Гулька от меня не делась.

— Она и так никуда не денется, — успокоила его Настя. — Ты же сокровище, Сержик, таких, как ты, делают раз в сто лет, и Гуля твоя это прекрасно понимает.

— Думаешь? — с сомнением спросил он.

— Точно тебе говорю. Поверь мне, я старая и мудрая черепаха Тортила. Все обойдется, и вы помиритесь, вот увидишь.

Настя снова сунула трубку в карман, вытянула ноги и положила расслабленные руки на мягкие подлокотники. Господи, как же хорошо! Какая тишина, покой, прохлада...

Ей показалось? Или под окном что-то влажно прошуршало? Крыса? Бродячая кошка? Или человек?

Ей стало страшно. Она совсем одна в доме, рядом лес, и окно нараспашку. Если там, за окном, человек, то кто? Кто-то из своих решил напугать? Или чужой? Зачем он стоит под окном? Чего ждет? О господи, ей даже защититься нечем...

Каминные щипцы. Вот они, совсем рядом, встать с кресла и сделать три шага, протянуть руку и взять их. Они тяжелые, чугунные, хоть на что-нибудь да сгодятся.

Да, действительно тяжелые. Одно дело поворошить ими угли, и совсем другое — размахнуться и нанести удар. Будь благодарна... Спасибо тебе, камин, за то, что ты есть, и, следовательно, рядом с тобой есть чугунные щипцы.

А если он сейчас смотрит на меня в окно, видит, как я хромаю с тяжеленными щипцами в руках, и смеется надо мной? Господи, да о чем я думаю! Черт с ним, пусть смотрит, пусть смеется, лишь бы не убил.

И вообще, что это она разнервничалась не в меру? Еще совершенно неизвестно, что это было, может, зверек какой или вовсе слуховая галлюцинация. Она — неспортивная и в

211

данный момент не особенно физически здоровая женщина средних лет, не привыкшая жить за городом, вот и мерещатся с перепугу всякие страсти-мордасти. Надо спокойно подойти к окну, выглянуть наружу, убедиться, что там никого нет или, наоборот, сидит какой-нибудь безобидный бродячий кот, закрыть окно, потом дойти до входной двери, запереть изнутри замок и ложиться спать. Такой простой план.

Но почему же так трудно его осуществить? От страха тело плохо слушается, ноги не идут, руки не поднимаются. Все будет хорошо, все будет просто отлично, никто не собирается ее убивать, она никому не нужна, одинокая хромоножка, единственное украшение которой — обручальное кольцо.

Она собралась с силами и выглянула в окно.

От дома мелькнула чья-то фигура, похожая на тень. Послышались быстрые удаляющиеся шаги.

Значит, ей не показалось. Ну и что теперь делать? Запереться на все замки, сидеть всю ночь без сна, дрожа и обливаясь потом от страха, а утром звонить... Кому? Дюжину? Лешке? Чтобы они... что? Бросили все и сидели тут с ней до полного выздоровления? А может, позвонить в поселковую охрану, у них тут есть какая-то служба безопасности, Пашка оставлял ей все телефоны, в том числе и этот. Да, правильно, нужно им позвонить, предупредить, что возле дома шатается какая-то неустановленная личность, пусть проявят бдительность. Территория поселка не охраняется, забора и шлагбаума нет, въезд на нее свободный, но местная служба безопасности все-таки наличествует. Интересно, для чего? Чтобы вывозить трупы после уже состоявшихся нападений? Тьфу, глупость какая! Надо звонить.

Ей вежливо ответили, что в случае опасности она должна нажать кнопку сигнализации, в доме Дюжина таких кнопок целых пять, по всему помещению понатыканы. Разве Павел Васильевич ее не предупредил?

— Да, — удрученно пробормотала Настя, — предупредил. Но я от страха забыла. Теперь вот вспомнила.

— Ничего страшного. Завтра к вам подойдет наш представитель, который устанавливал сигнализацию, и еще раз покажет вам расположение всех кнопок. Мы прибываем на место в течение двух-трех минут после получения сигнала тревоги. И чтобы вы не беспокоились, мы в течение ночи будем регулярно патрулировать ваш участок.

Мужчина из местной охраны был нетороплив, обстоятелен и действовал на Настю успокаивающе. И в самом деле, Пашка говорил ей про кнопки и про сигнализацию, как же она забыла! За щипцы схватилась, дуреха...

Ничего с ней не случится, охрана о ней позаботится. И кнопки есть. Но все же кто-то стоял под окном и наблюдал за ней.

Кто? И зачем?

Глава 9

— Это никуда не годится.

— Опять? — тоскливо спросил Антон.

Он валялся на диване в квартире Аниты и тупо таращился в потолок, изнывая от скуки и одновременно опасаясь того момента, когда придется вступать в разговор независимо от темы. Ему вообще не хотелось разговаривать. Старые джинсы своей мятой мягкостью уютно обволакивали длинные ноги, а давно потерявший форму джемпер — домашняя униформа, постоянно хранящаяся у Аниты, — не стеснял движений, какую бы затейливую позу ни принимал Антон. Он всегда поражался тому, что Анита дома одевалась так, будто в любой момент могли прийти посторонние. Не нарядно, но прилично. Ни разу не видел он, чтобы днем она ходила не то что в халате, а даже хотя бы в неглаженой футболке. Халат существовал только для первых десяти минут после утреннего пробуждения и последних десяти — перед сном, после душа. Всегда аккуратно причесанная и тщательно одетая, чаще всего — в узкие брючки и какую-нибудь облегающую кофточку или свитерок. И никаких украшений. Зато всегда духи и непременно оригинальная заколка, удерживающая тяжелый узел гладких шелковистых волос.

Вот и сейчас она сидела над сценарием, такая красивая, с прямой спиной и изящно изогнутой шеей, такая собранная и серьезная, словно не у себя дома, а по меньшей мере в публичной библиотеке. Ну что там опять с этим сценарием? Это, кажется, уже седьмой или восьмой вариант. Костя Островский озвереет, если Анита снова завернет работу сценариста, которую сам Костя вроде бы считает приличной, иначе не принес бы показывать.

— Что на этот раз тебя не устраивает? Тебе же нравилось, когда ты начала читать.

— К тридцатой минуте весь сюжет проваливается. Сначала все было отлично, а потом как в вату все уходит, тускло, глухо. Нет, Антон, пусть Костя поговорит со сценаристом. Так не пойдет.

Кричевец нехотя поднялся с дивана, подошел к Аните, сидящей в кресле с папкой на коленях. Присел перед ней на корточки, положив голову прямо на листы с текстом.

— Радость моя, мне кажется, ты привередничаешь.

— Нет, — Анита отрицательно покачала головой и запустила пальцы в длинные густые волосы Антона, — вот я-то как раз не привередничаю, а добросовестно вчитываюсь в сценарий и вижу в нем огромное количество дыр.

— А я не вижу, — упрямо возразил он.

— Это потому, что ты ленишься.

— Я ленюсь?

— Ты, ты, милый. Я же видела вчера, как ты читал. По странице каждые полминуты. Что ты мог понять при такой скорости?

— Я быстро читаю, — вяло огрызнулся Кричевец.

— Вот и плохо, — мягко улыбнулась Анита. — Сценарий нужно читать медленно, мысленно представляя себе каждую сцену. Ты должен не за сюжетом следить, а видеть, как это будет смотреться на экране. А ты, зайка, мечтал только о том, как бы побыстрее отделаться и снова залечь на диван и смотреть телевизор.

Антон молчал, осторожно втягивая ноздрями запах, исходящий от ее пальцев. Запах был сложным, составленным из крема для рук, духов, которыми пропитались рукава тонкого свитера, и мандарина. Мандарины Анита любила больше всех прочих фруктов, постоянно их ела, и в ее доме всегда стояла замысловатой формы синяя керамическая широкая ваза, доверху заполненная радостно-оранжевыми шариками.

— О чем ты так глубоко задумался? — негромко спросила она, массируя пальцами затылок Антона.

— О том, что теперь весь «Мосфильм» будет знать о моих турецких делах. Неужели так необходимо было говорить об этом тому мальчишке из милиции?

— Послушай меня, Антон, — голос Аниты стал строгим, будто только что звучавшая в нем любовная мягкость замерзла и превратилась в твердую непробиваемую массу, — эта история если кого и компрометирует, то только меня, а вовсе не тебя. Ну что такого особенного ты сделал? Поехал отдыхать в Турцию, один, без меня, увлекся девушкой, продавщицей из отельного магазина, соблазнил ее. Ты же не мог предполагать, что там такие суровые нравы. А она, между прочим, должна была тебя предупредить, что утрата невинности может обернуться для нее трагическими последствиями. Ты поступил как нормальный мужик: узнав, что ей предстоит освидетельствование, отвез ей денег, чтобы она могла быстренько выехать за границу и сделать себе операцию. В чем тебя можно упрекнуть? За что в тебя можно бросить камень? Это мне нужно убиваться и страдать, что ты так пошло мне изменил. Но я же не убиваюсь.

215

— Ты не убиваешься... — он тяжко вздохнул. — Ты вообще никогда не убиваешься, но одно дело ты, а другое — я. Ты же не такая, как все. А я самый обычный мужик и выгляжу в этой истории полным идиотом.

— Почему? Современные мужики, самые обычные, всегда заводят курортные романы, некоторые даже умудряются делать это в присутствии жен. А ты ездил один. Святое дело.

— Анита, ну как ты не понимаешь! — Он поднял голову, резко стряхнув с волос ее пальцы, поднялся во весь рост. — Да, нормальные мужики всегда пользуются случаем, своего не упускают. Но я что-то не слышал, чтобы кто-то из них потом раскошеливался на операции. На аборты — да, бывает, но не на эту... как ее... гименопластику... Тем более все понимают, что своих денег у меня нет, значит, я взял у тебя. Представляешь, что обо мне будут говорить?

Анита тоже встала, отложив папку со сценарием на стол, и отошла к окну. На фоне светлого осеннего неба ее силуэт с точеными плечами и гладкой прической казался Антону изящной фигуркой из полированного дерева. Теперь она стояла к нему спиной и говорила, не оборачиваясь:

— Милый ты мой, это обо мне будут говорить, а не о тебе. Обо мне скажут, что я до такой степени превратилась для тебя в мамку-няньку, что покрываю и оплачиваю твои постельные грешки. Что я до такой степени вцепилась в тебя, что готова все тебе прощать, вплоть до измен. Что я готова быть униженной, обманутой и обобранной, только бы ты меня не бросил. Ты думаешь, мне это приятно? А о тебе скажут всего лишь, что ты молодец, ловко устроился и полностью прибрал меня к рукам. Можешь рассматривать это как тонкий комплимент, который льстит твоему самолюбию.

— Что-то мне не льстит, — буркнул Кричевец. — Не-

216

ужели нельзя было ничего придумать, чтобы не рассказывать всего этого?

— Нельзя, милый.

Она повернулась, и на лице у нее было выражение спокойного терпения. Этот разговор Антон затевал уже в сотый раз, и у нее хватало сил не раздражаться и не срываться, снова и снова объясняя ему логику своих и его поступков.

— Нельзя, — повторила Анита. — Совершенно очевидно, что милиция подозревает нас с тобой в связях с Дроновым. И совершенно очевидно, что никаких связей с ним у нас с тобой не было и нет. Они прицепились к тому, что мы почему-то не пошли к Косте на юбилей, и думали, что мы в это время встречались с Юлькиным любовником и жаловались на ее сексуальные аппетиты. И что мы с тобой должны были делать? Покорно, как агнцы, которых ведут на заклание, соглашаться с этим? Да, мы не были у Кости, но и с Дроновым мы не встречались. Если бы мы знали, что все так обернется, что Юлька... погибнет и нас с тобой станут подозревать только потому, что мы не пришли к Островскому на юбилей, я бы весь вечер понедельника провела на людях, чтобы они могли каждую минуту мою подтвердить. Но я же, как верная подруга, отвезла тебя утром в аэропорт, а после работы сидела дома, вот в этом самом кресле, как привязанная, ждала сообщений от тебя. От телефона не отходила. Если бы у меня был мобильный телефон, я могла бы спокойно ждать твоего звонка где угодно, в любом месте, где меня могут видеть. Но мобильника у меня нет. Если бы мы знали, что все так обернется, мы бы отменили запланированную встречу с Костей во вторник, сходили бы к нему на юбилей, а в Турцию ты полетел бы во вторник или в среду. Сейчас не сезон, с билетами проблем нет. Но ведь девочка позвонила тебе в воскресенье поздно вечером, рыдала, билась в истерике, говорила о самоубийстве. Что ты должен был ей ответить? «Подожди лезть в петлю, у меня завтра день рождения шефа, я с ним водки попью, а потом прилечу тебя успокаивать»? Ты считаешь, что так было бы лучше, человечнее?

— Господи, Анита, ну почему ты такая правильная? — простонал Кричевец, подходя и обнимая ее. — Мне с тобой страшно. Я рядом с тобой чувствую себя совершенно неполноценным.

Она на мгновение прижалась к нему, потом решительно отстранилась:

— Ну все, зайка, прекращай ныть. Чем выпутываться из дурацких и совершенно необоснованных подозрений, лучше объяснить милиционерам, что тебя не было в Москве. А я ни с каким Дроновым не встречалась, потому что сидела дома, привязанная к телефону. Сколько раз ты мне звонил из Турции в понедельник вечером?

— Раз пять, наверное, — он пожал плечами, — или шесть. Не помню точно.

— Ну вот видишь, милиционеры запросят телефонную компанию, там подтвердят, что с твоего мобильного вечером в понедельник были постоянные звонки на мой домашний номер, и мы с тобой разговаривали. Так что я совершенно точно была дома. Поверь мне, Антон, так лучше.

— Ничего не лучше! — внезапно взорвался он. — Для чего было выворачивать наше грязное белье наизнанку, если потом выяснилось, что Дронова вообще в Москве не было? Не было его, понимаешь? Так что где именно мы с тобой провели вечер того понедельника, никакого значения не имеет, мы все равно не могли с ним встречаться.

— Мы могли встречаться с его дружками-уголовниками. И потом, мы же действительно не знали, что его нет в Москве, и боялись, что нам еще долго не дадут спокойно жить эти тупые менты. Они принялись допрашивать маму, Любу, они приходили ко мне на работу, и бог его знает, что они там еще придумали бы. А о том, что Дронов был в отъезде, нам этот маленький дурачок с Петровки рассказал только после того, как мы ему признались насчет твоей поездки в Турцию. Тебе не в чем меня упрекнуть, Антон.

— Ты уверена? — прищурившись, спросил он и тут же сам испугался тех слов, которые помимо воли слетели с его языка.

Анита ответила не сразу. Отошла от окна, медленно прошла мимо Антона, даже не взглянув на него, протянула руку к стоящей посередине стола синей вазе с мандаринами, взяла один, несколько раз подкинула вверх, поймала, задумчиво поглядела на него и положила обратно.

— Судя по твоему вопросу, милый, ты в этом далеко не уверен, — ровным голосом произнесла она, делая шаг к двери. — Я не хозяйка твоим мыслям, так что ты имеешь право думать все, что угодно. Но не нужно этим правом злоупотреблять.

Кричевец остался в комнате один, кляня себя последними словами за несдержанность. Он, безработный бывший каскадер, живет на деньги своей любовницы и еще смеет в чем-то ее упрекать!

Через несколько минут из другой комнаты послышались бархатные звука саксофона. Анита играла старое танго «Маленький цветок». Она всегда играла именно эту, свою любимую, вещь, когда была расстроена словами или поступками Антона. Не рассержена, а именно расстроена, то есть опечалена и готова к примирению, если у него хватит ума сделать первый шаг.

Ума у него всегда хватало. Любовник Аниты Станиславовны Волковой был не особенно удачлив в делах, но уж дураком-то он точно не был. В противном случае не удержался бы рядом с ней на протяжении целых пятнадцати лет.

* * *

Все-таки она позвонила Чистякову. Боролась с собой долго, уговаривая саму себя, что Лешка работает, он занят и нет никакой нужды гонять его из Жуковского в Болотники — чай, не ближний свет! — только из-за того, что ей, видите ли, страшно. Охрана есть, сигнализация есть, чего трепыхаться попусту?

В Насте истово боролись рассудочный и хладнокровный сотрудник уголовного розыска и слабая испуганная женщина, которая не может ни убежать, ни постоять за себя. Оттого ли, что болезнь из ноги умудрилась пролезть в душу и плотно осесть в ней осознанием собственной слабости, оттого ли, что ей, Насте, вдруг ужасно захотелось увидеть мужа, но женщина в ней победила милиционера. И она позвонила.

Чистяков вовсе не отнесся к просьбе жены как к капризу, он знал, что капризы и истерики — не Настин репертуар, пообещал немедленно разгрести все дела, перенеся все, что можно, на завтра и отменив все остальное, что перенести нельзя, и приехать.

Попытки поспать ночью оказались малоудачными, то и дело Насте удавалось задремать, но от малейшего звука она вскакивала и начинала напряженно прислушиваться, раздражаясь оттого, что колотящееся где-то в ушах испуганное сердце бухает так громко, что мешает ей слышать и она не может понять, действительно ли кто-то пытается открыть дверь или окно, или это ей только кажется.

Промучившись часов до семи, она встала, убрала постель, сложила диван и поплелась в ванную. Потом долго сидела на кухне, наливая себе попеременно то кофе, то чай и с отвращением глядя на пушистые булочки, которые ежедневно с огромным удовольствием поедала на завтрак, намазывая маслом и джемом.

Будь благодарна всему, что с тобой происходит... За что бы поблагодарить вчерашнее происшествие? За то, что она удосужилась наконец прояснить вопрос с охраной и сигнализацией? А что, вполне подходяще. Ведь вчера, в сущности, ничего особенного не случилось, зато, если теперь опасность нагрянет в полный рост в виде какого-нибудь оборзевшего бомжа, наркомана или вора, Настя будет в полной готовности. Теперь-то уж она не забудет, где расположены кнопки сигнализации и какой рычажок нужно дернуть, чтобы включился ревун. Так что спасибо тебе, неизвестный человек, подслушивавший под окном и неуловимой тенью скрывшийся в темноте, отныне ты Настю врасплох не застанешь.

А еще спасибо тебе, вчерашнее происшествие, за то, что ты напомнило мне как-то подзабытую истину: ближе Лешки у нее никого нет. Ночью, во время длинных перерывов между короткими периодами дремы, она думала только о том, как хорошо было бы, если бы он приехал и немного побыл с ней. И о том, какая она бессовестная и своей нервозностью и трусостью готова создать ему проблемы. И о том, что ей сейчас очень нужно его присутствие, его тепло, его насмешливость, уверенность, забота. И о том, что ей хочется поговорить с ним.

Ей нужно, чтобы Чистяков приехал и побыл с ней. Не Павлик Дюжин, хозяин этого дома и носитель какой-то странной, но притягательной мудрости. Не Юрка Коротков, такой надежный и проверенный, который уж наверняка в сложной ситуации окажется куда лучшим защитником, нежели Леша или тот же Дюжин. Юрка и стреляет отлично, и самбо владеет, и вообще он оперативник от бога, ни в какой переделке не растеряется. Можно было бы даже позвонить Татьяне Образцовой и попросить «одолжить» на время Ирочку, сослаться на то, что скучно и одиноко, Ирочка бы с радостью приехала, и ее муж Миша Доценко наверняка возражать не стал бы. Но Насте не нужны были ни Дюжин, ни старый верный друг Коротков, ни милая и веселая заботливая Ирочка.

Ей нужен был Леша Чистяков. И она позвонила, кляня себя за малодушие и истеричность. Почему-то совершенно естественное желание видеть мужа Настя расценила именно так.

Позвонила, вымыла чашки, старательно протерла стол на кухне, подмела пол, притащила стул в просторную прихожую-холл, где рядом с входной дверью находится окно, и заняла позицию. До кнопки сигнализации можно дотянуться рукой. И вообще, если кто-то подойдет к двери, она сразу увидит.

«Буду вот так сидеть, как бабушка в окошке, и наблюдать за жизнью, — с улыбкой подумала Настя. — Нет чтоб почитать или кино посмотреть, вон целая сумка с кассетами стоит. Точно, старость не за горами».

Первым в поле зрения появился смуглый вертлявый паренек, который каждое утро приносил свежие молочные продукты — кефир и йогурт. Настя расплатилась с ним и попросила ближе к обеду принести кусок телятины, посимпатичнее.

— Гостей ждете? — понимающе кивнул магазинный курьер, уже усвоивший, что для себя хромоногая жиличка дюжинской дачи берет только полуфабрикаты, которые достаточно просто поставить в микроволновку.

— Муж приедет. Да, и еще хлеба, «Бородинского», полбуханки. Ладно? Остальное вроде все есть.

— Если что забыли — позвоните! — крикнул парнишка уже на бегу.

Еще через полчаса на горизонте возник обещанный накануне специалист по охранной сигнализации. Увидев его, Настя пожалела, что не позвонила в охрану. Ведь собиралась же и забыла. Растяпа! Она еще вчера, вспомнив указания Дюжина, нашла все кнопки, зачем же человека попусту гонять. Теперь, чтобы он не чувствовал себя напрасно вызванным, придется таскаться с ним по всему дому и изображать внимательную заинтересованность, разглядывая каждую кнопочку и слушая его подробные объяснения. А ведь из пяти кнопок две находятся на втором этаже, в детской и в хозяйской спальне. Вот радость-то!

Специалист по охране, назвавшийся Иваном, с первого взгляда оценил стул у окна в холле, но даже не усмехнулся.

— Ну, кнопку у двери, я смотрю, вы сами нашли. Пойдемте, я покажу вам остальные.

Настя на всякий случай взяла палку, хотя по дому ходила уже без нее. Пусть этот обстоятельный Иван не сильно увлекается своей обстоятельностью, пусть видит, что женщине трудно ходить, и побыстрее сворачивается.

На Ивана, однако, палка не произвела ровным счетом никакого впечатления. И на второй этаж тащиться все равно пришлось. Впрочем, какая разница? Так или иначе, а два подъема по лестнице у Насти стоят в плане, вот и выполним один пункт. Правда, она не сможет сразу же двинуться в обратный путь, ей нужно будет посидеть минут десять, чтобы унять боль. Добравшись до последней кнопки в самом дальнем углу второго этажа, Настя собралась было открыть рот, чтобы объяснить Ивану, что ей нужна передышка и пусть он спускается вниз один, но внезапно поняла, что вполне может проделать обратный путь. Может. Ей больно, нет слов, но не так, как вчера, не до такой степени, чтобы непременно отдыхать. А что, если рискнуть? В конце концов, она не одна в доме, и если боль вдруг станет такой нестерпимой, что она не сможет больше идти, есть кому ей помочь.

Охранник оказался человеком деликатным и по лестнице шел впереди Насти медленно, держась всего на две ступеньки ниже. Видно, подозревал, что хромая дамочка может-таки оступиться.

Но она не оступилась. Только расстегнула замок-«молнию» на спортивной куртке, потому что от боли бросало в жар. Старательно поблагодарила Ивана за ознакомительную экскурсию, извинилась за беспокойство и свою бестолковость, закрыла за ним дверь и снова уселась у окошка, подперев подбородок кулачками.

Ну, кто следующий? Лешка? Или неизвестный человек,

который накануне отирался возле дома с неустановленными намерениями? Хорошо бы все-таки Лешка.

Конечно же, это оказался Чистяков на немыслимо грязных «Жигулях». А ведь когда он приезжал на выходные, машина была только-только из мойки и радостно сверкала беленьким кузовом. Что же это за дороги у нас такие?!

Настя схватила с вешалки куртку, отперла дверь и вышла на крыльцо. И с удивлением увидела, что следом за Лешкиными «Жигулями» подъехала еще одна машина, точно такая же грязная, только синяя. И вышел из нее совершенно незнакомый мужчина. Вид у него был едва ли получше, чем у «Жигулей». Хотя, похоже, когда он выходил утром из дому, выглядел этот незнакомец очень даже ничего: светлая куртка, светлые брюки, и ботинки наверняка сияли глянцевым блеском. Как же это его так угораздило?

— Привет! — Чистяков поцеловал жену и виновато кивнул в сторону незнакомца, сиротливо топтавшегося возле своей машины. — Асенька, я с гостем.

— Нет-нет, не беспокойтесь, — тут же подал голос владелец синей машины, — я не гость, мне бы только руки помыть и почиститься немного. Алексей Михайлович был так любезен...

— Проходите, пожалуйста, — громко сказала Настя, — не стесняйтесь.

Она продолжала стоять на крыльце, с любопытством разглядывая неожиданного гостя. Симпатичный дядька, решила она, глаза умные, улыбка хорошая. На вид лет сорок пять, может, чуть меньше, если лицо отмоет. Интересно, где он так изгваздался?

Дядька тем временем оставил в прихожей ботинки и под предводительством Чистякова отправился в ванную, не сняв куртку.

— Слушай, это кто? — негромко спросила Настя, когда муж снова появился в комнате. — На какой помойке ты его подобрал?

— Не на помойке, а на болоте, — усмехнулся Леша. — Точнее, на подъезде к Болотникам. Этот вшивый интеллигент, одевшись во все белое, решил, понимаешь ли, колесо поменять. Это по нашей-то осенней грязи! При этом, кроме запасного колеса, у него практически ничего не было. Даже опыта, не говоря уж о перчатках. Он машину купил полгода назад, колеса менять ни разу не приходилось. И вот результат. Еду мимо, гляжу — мать честная! Стоит мужик приличного вида, весь грязный, лицо несчастное, чуть не плачет. И стоит-то, главное дело, прямо в грязи, колесо сантиметров на десять в месиво ушло. Пришлось помочь.

— А сюда-то ты его зачем привез?

— Пусть хоть руки помоет. Ну, может, там с курткой можно что-то сделать, она вроде кожаная, грязь должна отойти. Жалко ведь мужика-то! Я как его увидел — себя вспомнил, когда был начинающим водилой. Тоже, между прочим, вот так попадал на загородной дороге, и ведь ни одна собака не остановится и не поможет. Помнишь, сколько раз я по первости к тебе грязным являлся? Это уж потом я стал опытным, и домкрат всегда в багажнике, и трос, и инструменты, и перчатки, и бахилы, и даже резиновый фартук. А у этого бедолаги — совсем ничего, полный ноль. Ну как было не сжалиться?

— Никак, — согласилась Настя. — Я бы тоже сжалилась.

Видно, что-то в ее голосе Леше не понравилось, потому что он спросил:

— Ты что, сердишься? Асенька, он через пять минут уйдет, вымоет руки и лицо, почистит куртку и уедет. По-моему, это все выеденного яйца не стоит.

Действительно, чего она разозлилась? Разве сама поступила бы иначе? Нет, сделала бы то же самое. Просто она все утро представляла себе, как Лешка приедет, как они разожгут камин, сядут рядышком на диване, обнимутся и будут долго-долго разговаривать, глядя на огонь и чувствуя тепло друг друга. Ей хотелось спросить у него, часто ли она его обижала, проговорить вслух каждую ситуацию, попросить у него прощения, попытаться найти в себе причину, которая заставляла ее так себя вести. Ей хотелось рассказать ему все то, что она узнала от Дюжина, и обсудить то, что поняла потом, работая с собой, как он велел.

А вместо этого какой-то грязный начинающий автолюбитель, которого, конечно же, законы гостеприимства не велят отпустить без чая. И уютные посиделки с разговорами придется отложить на неопределенное время.

Будь благодарна... Кому? За что? Незнакомцу, который оказался здесь так некстати? Или Лешке, который его сюда привез?

— Ты хотя бы знаешь, как его зовут? — миролюбиво спросила Настя.

— Валентин Николаевич. Он так представился. Кандидат филологических наук, преподает литературу в каком-то навороченном колледже. Школьный учитель, короче.

— А-а, ну тогда конечно, — протянула она. — Школьный учитель литературы и колесо на грязной дороге — две вещи несовместные, как гений и злодейство. Пойди, кстати, узнай, как он там, может, ему нужно что-нибудь, а он попросить стесняется.

Чистяков вернулся довольно быстро и сообщил, что отмывшийся от грязи филолог просит оказать любезность и выдать ему ненужную тряпочку, чтобы он мог намочить ее и отчистить куртку, а потом этой же тряпицей протереть внутри салона все то, за что он успел схватиться мокрыми грязными руками.

В течение примерно получаса несчастный литературовед, судя по последовательности шумов, отмывал куртку, пытался замыть грязь на брюках, несколько раз выбегал из дома к машине и возвращался назад, чтобы прополоскать выданную ему тряпку, потом чистил ботинки. Все это время Настя с Лешей сидели на кухне и вполголоса обсуждали происшествие, заставившее ее с утра пораньше позвонить мужу и попросить его приехать.

— Это не может быть связано с работой, потому что ты сейчас не работаешь, — рассуждал Чистяков. — Значит, остаются только два варианта. Либо это уголовник, то есть банальный ворюга, пытающийся поживиться тем, что есть в доме, или маньяк какой-нибудь, нападающий на одиноких женщин, либо кто-то хочет с тобой разделаться из соображений мести. То есть по старым делам. Тебе что больше нравится?

— Мне больше нравится маньяк, — решительно заявила Настя. — Потому что когда он меня разглядит, то откажется от своего гнусного намерения. Я слишком старая и неинтересная, чтобы на меня сексуально нападать.

— Ищешь легких путей, матушка.

— А кто их не ищет? Ты много видел дураков, которые любят, чтобы было потрудней? Но тут мне более или менее понятно, что нужно делать. Я свяжусь с Чернышевым из областного управления, он мне скажет, бродит у нас по окрестностям маньяк или нет. Правда, он может оказаться начинающим, тогда хуже.

— Почему? — не понял Алексей.

— Потому что если он пока еще ничего не сделал, если он только еще примеривается к своему первому преступлению, то на него и материалов никаких нет, и не ищет его никто. А вообще-то ворюга тоже ничего, сойдет. Вот, предположим, он вчера заглянул через окно в дом, увидел, что здесь брать особо нечего, или, наоборот, что-то ему приглянулось. Но дом не пустой. Это для него минус. Допустим, он не сразу отказался от своего намерения, а решил посмотреть, понаблюдать. И увидел, что ночью рядом с домом периодически ходит охрана. То есть она в поселке имеется и дом без внимания не оставляет. Это еще один минус. Полезет он сюда, если у него хоть капля разума есть?

— Если капля есть — то не полезет, — согласился Леша. — А если и ее нет? У бомжей, молодежи и наркоманов с каплями, знаешь ли, проблематично.

— Это верно. Но мы с тобой зря время тратим, потому что охранник по имени Иван популярно растолковал мне, что я могу, ложась спать, сдавать дом под охрану. И если хоть кто-нибудь попытается залезть ко мне ночью, сигнализация сработает автоматически. Самое главное — не забыть утром, прежде чем открыть окно или дверь, позвонить им и снять дом с охраны. Как ты думаешь, я не забуду?

— Наверняка забудешь, — уверенно ответил Чистяков. — Уж мне ли не знать. Ляжешь спать, поворочаешься без сна часок-другой, потом встанешь, пойдешь на кухню покурить, потом откроешь окно, чтобы проветрить, и готово. Оставшуюся часть ночи ты будешь отстреливаться от охраны и доказывать им, что ты не воровка.

— Да ну тебя! Что ты меня пугаешь-то? Я по всему дому бумажки развешу с напоминанием. В общем, все не так страшно, как мне показалось вначале. Правда?

— С точки зрения уголовников — да, правда. А если это месть?

— Тогда хуже, — погрустнела Настя. — Но ты же не можешь поселиться здесь со мной навсегда. И между прочим, если это месть, то как этот народный мститель меня нашел на дюжинской даче?

— Хороший вопрос, — одобрительно кивнул Чистяков. — Позвони-ка домой и спроси, не искал ли тебя кто-нибудь и не говорили ли твои родственники кому-нибудь твой адрес и телефон.

— Я же просила их этого не делать! Ни в коем случае.

— Мало ли что ты просила. Там девочка маленькая по полдня одна, к телефону подходит, как ты ее проконтролируешь? И потом, опытный человек так может уболтать, что ты ему все свои секреты выложишь, не то что чужой адрес.

— Извините...

На пороге кухни возник смущенный филолог. Теперь

он был куда более чистым, но зато гораздо более мокрым. С куртки неторопливо капала вода, в прошлом светло-серые брюки превратились в пятнисто-темные.

— Спасибо вам огромное, что выручили. Извините, что обременил вас. Тряпочку, что вы дали, я постирал и повесил там, в ванной, на батарею. Ничего? Или нужно было в другое место?

— Раздевайтесь, — решительно сказала Настя.

Ей вдруг стало до слез жаль этого тихого, не приспособленного к автомобильной технике интеллигента, попавшего в такую передрягу на грязной осенней дороге.

— Снимайте куртку, ее нужно повесить куда-нибудь, пусть высохнет. И с брюками надо что-то придумать, в них нельзя ехать, они же мокрые насквозь.

— Можно утюгом высушить, — предложил Чистяков. — Здесь есть утюг?

— Не знаю, я им не пользовалась. Но наверняка где-то есть.

Она поймала недоуменный взгляд мокрого гостя и с улыбкой пояснила:

— Это дача наших друзей, мы здесь всего на месяц поселились, поэтому не всегда точно знаем, что где находится и есть ли оно вообще. Леш, посмотри там, наверху, какие-нибудь Пашкины штаны, Валентина Николаевича надо быстренько переодеть, пока он окончательно не простудился.

— Спасибо, — филолог, казалось, окончательно смутился и растерялся. — Столько хлопот из-за меня... Право, не стоит, я поеду...

Он еще долго стеснялся и порывался уехать, а Настя и Леша его уговаривали, объясняя, что никаких хлопот он им не доставит, что гладить свои брюки он будет сам, что воду для чая варит чайник, а обед готовить им все равно придется, тем более мясо уже заказано и его скоро принесут. Наконец все как-то улеглось, утюг нашелся, а вместе с ним и

229

гладильная доска, филолог из колледжа занялся делом, из магазина принесли отличную парную телятину, и Чистяков взялся за мясо, а жене поручил то, что нельзя испортить, — чистку картофеля.

— Я вот тут думаю, — неторопливо изрек Леша, отирая тыльной стороной ладони слезы, выступившие от репчатого лука, — приревновать тебя, что ли? Так, для разнообразия.

— Это к кому же? — неподдельно удивилась Настя.

— Да к нашему гостю незваному. То ты его страсть как не хотела, а потом, когда разглядела поближе, кинулась уговаривать остаться. Как это можно расценить?

— Как нормальное человеческое отношение. — Она ловко выковырнула из картофелины черный глазок. — Некоторые называют это добротой. Но таким холодным математикам, как ты, такое понятие неизвестно.

— Зато это понятие хорошо известно циничным милиционерам, которые от рождения отличались редкостным эгоизмом. Асенька, пойми меня правильно, я совершенно не против, что он остался, более того, я считаю, что ты поступила благородно и гуманно. И если я в этом деле не проявил инициативу первым, то исключительно потому, что был уверен: тебя это рассердит, ты этого не одобришь. Тебя всегда раздражают посторонние люди в доме, особенно если это требует от тебя каких-то усилий и хлопот. То, что ты сделала, совершенно не в твоем характере. Я имею полное право удивиться по этому поводу.

Она бросила в кастрюлю с водой очередную очищенную картофелину и осторожно почесала голову кончиком ножа.

— Леш, я сейчас скажу тебе одну вещь, только не смейся сразу, ладно?

— Ладно, — согласился он покладисто, — сразу не буду. Потом посмеюсь.

— Понимаешь, ничего в жизни не бывает случайным. Это только на первый взгляд кажется, что все происходит

230

как броуновское движение. На самом деле во всем, в каждом столкновении двух частиц, есть тайный смысл, который может быть непонятным в первый момент, но который потом обязательно проявится.

— Глубокая мысль, — Чистяков с трудом сдержал усмешку, памятуя свое обещание не смеяться сразу. — И что из этого следует?

Но Настя скрытую усмешку все-таки заметила и рассердилась.

— Ничего не следует. Раз тебе смешно, я больше говорить не буду.

— Ну все-все, — он снова отер глаза, — прости. Продолжай, пожалуйста.

— Я поняла, — она внезапно улыбнулась. — Я просто не с того начала, не так объясняю. Давай я начну с другого конца.

— Валяй.

— Есть такое правило: будь благодарен всему, что с тобой происходит и тебя окружает. Ты сейчас не спрашивай, что это за правило и откуда оно взялось, я потом расскажу. Просто прими за аксиому, что оно есть. И вот я очень долго над ним думала, примеряла к своей жизни, к тому, что со мной происходит. И знаешь что получилось? Даже те события, которые меня ужасно злили, или расстраивали, или я считала их лишними в своей жизни, мешающими, обременительными и все такое... так вот по прошествии времени эти события оборачивались чем-то хорошим для меня, чем-то полезным. Понимаешь? То есть, что бы ни случилось, нужно твердо знать, что это в конце концов обернется к твоему благу, и благодарить судьбу за это. Даже когда происходит что-то очень горькое, очень тяжелое, и тебе кажется, что это невозможно пережить, все равно надо верить, что вот ты это переживешь и приобретешь новую мудрость, новое понимание жизни, новое отношение к ней.

— Замечательно. Только я не вижу в этом ничего смешного. Над чем я должен был смеяться-то?

— Короче говоря, все, что происходит, для чего-то нужно. И если сегодня в нашем доме оказался этот грязный филолог, то это тоже для чего-нибудь нужно. И нельзя было его просто так отпускать. Конечно, если бы он ужасно торопился и рвался уезжать, тогда мы его отпустили бы, и это было бы правильно. Но он не торопился и не рвался, он хотел уехать только потому, что ужасно стеснялся и не хотел обременять нас лишними хлопотами и своим присутствием. То есть объективно все было за то, чтобы он остался. Он не случайно оказался сегодня с нами. Значит, это для чего-то нужно. Все. Теперь можешь смеяться. Я закончила с картошкой, принимай работу.

— Ха-ха-ха, — раздельно произнес Чистяков. — Откуда в тебе этот фатализм? Это тебя Дюжин напичкал такими сверхидеями?

— Ну, Дюжин, — угрюмо подтвердила Настя. — Леш, если ты с чем-то не согласен, это не значит, что это глупо. Просто ты с этим не согласен, и все.

— А ты согласна?

— Я — да.

— Ну и ладно. — Он улыбнулся, запустил руку в кастрюлю с начищенным картофелем, поворошил клубни, проверяя качество очистки, и удовлетворенно кивнул: — Картошку ты чистишь хорошо, и за это я готов многое тебе простить. И поскольку ты у меня мастер по построению версий, ну-ка расскажи, зачем в нашей с тобой жизни нужен этот литературный недотепа.

— Не знаю, — призналась она. — Может быть, во время разговора он скажет что-нибудь, одну фразу или хотя бы слово, и это натолкнет меня или тебя на интересную мысль. А если бы мы от него этого не услышали, то сами не додумались бы. Или вдруг окажется, что у него жена или близкий друг — самый-самый-пресамый крупный специалист по больным ногам и как раз мой случай — это его специальность, он именно по таким болезням диссертацию защищал. Или выяснится, что его родной брат — владелец или директор огромного банка, и им для каких-нибудь компьютерных дел нужен именно такой специалист, как ты, и они завтра же готовы взять тебя на работу, предоставить тебе немыслимый оклад и трехкомнатную квартиру в центре Москвы.

— Слушай, как ты с такой фантазией ухитряешься преступления раскрывать, а? Я-то думал, у меня жена — железный логик, а она оказалась кремлевским мечтателем. Вернее, болотниковским. А еще вернее — болотным. Ты много видела докторов физико-математических наук, которые сидели бы в банках на компьютерах? Там в основном мальчики-яппи подвизаются.

А кстати... была же у нее мысль спросить у Лешки, а она все забывала. Вот и вспомнилось к слову.

— Леш, — Настя оживилась, — ты ничего не слышал про доктора наук Волкову Аниту Станиславовну? Она должна быть по твоей специальности.

— Волкова А.С.? Была такая, но как-то незаметно. По-моему, даже красивая.

— Что значит «была, но незаметно»?

— А то и значит, что в сборниках периодически попадались статьи, подписанные этим именем. И даже, кажется, в каких-то монографиях я ее встречал в списке авторского коллектива. Пару раз она выступала на конференциях, очень давно. Но ничего выдающегося. Ни открытий, ни новых направлений, ни собственной школы. Она небось даже не профессор.

— Не знаю. А что это значит, если она не профессор?

— Это значит, что у нее нет учеников. Под ее руководством не защищались диссертации. Если бы у нее была хоть одна толковая монография, написанная не в соавторстве, а ею лично, с ее собственными оригинальными идеями и подходами, я бы тебе с ходу рассказал, что такое Волкова А.С.

— А разве так бывает, что ты доктор наук, а тебя никто в твоей науке не знает, кроме ближайшего окружения?

— Еще как бывает. Сплошь и рядом. Докторов уйма, а имен среди них — единицы. Твоя Волкова — доктор, но не имя. Она давно докторскую защищала?

— Давно, лет семнадцать назад примерно.

— Ну вот видишь! Она уже семнадцать лет доктор наук, а в науке за эти семнадцать лет от нее что осталось? След какой-нибудь заметный? Научная школа? Толпы учеников? Она не ученый, Асенька, а пшик, дутая величина. Уровень добросовестного старшего научного сотрудника, не более.

— Но она же докторскую все-таки написала, — возразила Настя. — Значит, не такой уж она пшик.

— Асечка, солнышко мое, одно дело — один раз напрячься и года за два-три написать докторскую диссертацию, и совсем другое — потом всю оставшуюся жизнь подтверждать, что ты действительно доктор наук. Руководить аспирантами, помогать им доводить их работы до ума, генерировать новые идеи, отстаивать их в трудах и публичных дискуссиях, создавать научную школу. Первое куда проще, нежели второе, поверь мне. Именно поэтому остепененных много, а настоящих ученых — по пальцам перечесть. А что тебе далась эта Волкова А.С.?

— А она как раз, будучи доктором наук, работает системным администратором. Мы про это заговорили, я и вспомнила. Как ты думаешь, наш литературный дружок свои портки не сожжет?

— Пойди проверь, — предложил ей Чистяков, помешивая на сковороде жарящийся лук.

— Я хромая! — возмутилась Настя. — Совесть имей.

— Имею. Я не могу доверить тебе лук, ты его проморгаешь. Значит, идти должна ты. Другого варианта нет.

— Но на второй этаж! Я уже сегодня один раз поднималась.

— А тебе нужно два, — невозмутимо ответствовал Алексей. — И вообще, пора уже подключать третий подъем. Ты мало тренируешь ногу. Давай иди, нечего рассиживаться.

— Ты не оставляешь мне выбора, — с горечью констатировала она. — А как же моя свобода?

— Напротив, Асенька, я предоставляю тебе полную свободу выбора. Вот смотри. Ты можешь пойти наверх, потому что я тебе велю. В смысле — приказываю, а ты не смеешь ослушаться. Ты можешь пойти, потому что не хочешь со мной пререкаться и нарываться на скандал. Ты можешь пойти, потому что признаешь, что я всегда даю тебе правильные советы, и если я говорю, что надо идти, то идти действительно надо. Просто потому, что я умнее и опытнее. И наконец, ты можешь идти потому, что знаешь, что нога нуждается в постоянном тренинге, и чем больше ты будешь ее нагружать, тем быстрее поправишься. У тебя выбор из четырех вариантов, а ты говоришь — свободы нет! Вот она, свобода, выбирай — не хочу.

— Ты хочешь сказать, что если не можешь выбрать действие, то всегда можешь выбрать мотивацию?

— Умна не по годам, — восхитился Чистяков. — Не зря я тебя столько лет пестовал. Вот я, между прочим, настоящий профессор, потому что у меня есть такая ученица, как ты. Это дорогого стоит.

Настя послушно поплелась к лестнице, повторяя про себя только что услышанное. Да, бывает, что ты не можешь выбирать, что тебе делать, потому что есть только один вариант. Он тебе неприятен, ты этого не хочешь, но у тебя нет выбора. Тогда что остается? Выбрать мотивацию, по которой ты это делаешь. Ты никогда не окажешься загнанным в угол, потому что у тебя всегда остается возможность выбора если не самого действия, то мотивов, по которым ты это действие все-таки совершаешь. И ты всегда свободен выбрать именно тот мотив, который сделает такое неприятное и трудное действие если не легким, то по крайней мере приемлемым. А если довести ситуацию до абсурда? Например, человек приговорен к смертной казни. Он не может уже ничего выбирать в своей жизни, потому что за него приняли решение: он должен умереть. И сбежать он не может, в тюрьме стены толстые и хорошо охраняются. И выжить он не может. Тогда что?

У него остается свобода выбора решить, почему он должен умереть. Потому, что так решило сволочное государство в лице сволочей-судей. Или потому, что так распорядилась судьба. Или потому, что он совершил отвратительное и жестокое преступление и теперь должен за это расплатиться, это справедливо. Или потому, что он сделал на этом свете все, что хотел, и больше ему все равно жить не для чего. Или потому, что все, что было на земле интересного, он уже увидел и узнал, и теперь ему хочется увидеть и узнать, а как «там»?

Большой выбор. И человек может выбрать ту мотивацию, с которой ему легче будет уходить.

Не существует угла, в который можно загнать. Потому что всегда есть выбор.

Последняя ступенька. Надо побольше думать, когда так углубляешься в размышления, то боли не замечаешь. Где там наш школьный автомобилист со своими мокрыми штанами? Если бы не он, Насте не пришлось бы сейчас подниматься на второй этаж. И не было бы препирательств с Чистяковым. И не сказал бы он эту замечательную фразу про возможность выбора мотивации, если не можешь выбрать действие.

Может быть, именно для этого судьба послала им начинающего автолюбителя? Ничего не происходит просто так, во всем есть скрытый глубинный смысл, который может проявиться далеко не сразу...

* * *

— Понимаете ли, на самом деле я графоман, — с открытой улыбкой заявил Валентин Николаевич за обедом.

Он добросовестно высушил брюки при помощи утюга, после чего выяснилось, что на них остались ужасающего вида грязные разводы и потеки. И поскольку обед был уже почти готов, было высказано предложение сесть за стол, а многострадальные светло-серые брюки бросить в стиральную машину. Хуже в любом случае не будет. Филолог Валентин Николаевич опять начал ужасно стесняться, но при этом признался, что торопиться ему совершенно некуда. Машину он купил действительно полгода назад, но права получил только в начале осени. Колледж закрыли на год в связи с необходимостью капитального ремонта помещения, всех педагогов отправили в неоплачиваемый отпуск, и теперь Валентин Николаевич использует неожиданно образовавшееся свободное время для того, чтобы научиться как следует водить машину и написать наконец давно задуманную книгу.

С машиной все было понятно, он выезжал рано поутру, пока центр города еще относительно свободен, рулил направо и налево, изучая повороты и проезды, а к разгару рабочего дня выбирался за Кольцевую и наматывал километраж вместе с опытом. Потом останавливался где-нибудь в приличном месте, отдыхал, обедал, долго пил кофе и делал наброски к будущей книге. Под вечер, когда основная масса автомобилей двигалась из центра в спальные районы и за город, ехал в обратном направлении.

И так каждый день. Его упорству можно было позавидовать.

— А о чем будет ваша книга? Литературоведческое эссе? — поинтересовалась Настя.

Вот в этом самом месте Валентин Николаевич и признался, что он графоман.

— Я хочу написать детектив. И не один, а много.

— Хотите прославиться? — с едва скрытым ехидством спросил Алексей.

— Да ну что вы! — рассмеялся филолог, блеснув отличными зубами, совершенно точно не искусственными. — Денег хочу заработать. На сегодняшний день детектив — самый денежный жанр. У меня есть свободный год, просто грех не воспользоваться им, чтобы создать хоть какой-то материальный фундамент для семьи.

— В общем разумно, — не могла не согласиться Настя. — Но почему вы уверены, что у вас получится?

— А я и не уверен. Но хочу попробовать: а вдруг да получится? Стилем и слогом я вполне владею, сюжеты можно брать из газет и всяческой криминальной хроники, этого сейчас много. Правда, я совсем ничего не понимаю в этих следственных делах, кто кому подчиняется, кто чем занимается, кто за что отчитывается. Но это не беда, можно ведь писать про частных сыщиков, или про журналистские расследования, или вообще про мстителей-одиночек. Именно так сегодня почти все и пишут, в милицейской работе ведь мало кто понимает. Вот вы сами любите детективы?

— Обожаю, — признался Чистяков, — особенно детективов. Некоторых.

Настя фыркнула и расхохоталась.

Валентин Николаевич перевел глаза с него на Настю, потом снова посмотрел на Алексея и слегка нахмурился:

— Я не понял вашей шутки, Алексей Михайлович. Я задал неуместный вопрос? Тогда прошу меня извинить.

— Нет, это вы меня извините, — Чистяков покаянно склонил голову. — Дело в том, что Анастасия самый настоящий детектив, она работает в уголовном розыске. И я ее очень люблю. Просто обожаю.

— Что вы говорите?!

Его глаза стали огромными, как плошки. И вообще, в своем явно недешевом джемпере и в старых дюжинских

238

спортивных штанах с лампасами он выглядел достаточно нелепо, а тут еще это выражение крайнего изумления, смешанного с недоверием... И не донесенная до рта рука с зажатым в ней огурцом. Короче, картинка та еще.

— Вы работаете в уголовном розыске?

— Работаю, — подтвердила Настя, стараясь не смотреть на гостя, чтобы не подавиться от смеха.

— Честное слово?

— Честное. Хотите, удостоверение покажу?

— Нет, что вы, это я так... От смущения веду себя как ребенок. А ваша нога — это... да? Ранение во время выполнения задания?

У него на лице огромными буквами было написано желание услышать подтверждение своей догадке и страшную историю о том, как брали маньяка, который отстреливался и ранил женщину-оперативника. Господи, подумала Настя, все мужики как дети, даже если они кандидаты филологических наук и учат детей в колледже разумному, доброму и вечному. Помани их стрелялкой, и они тут же теряют всю свою строгую научность и превращаются в мальчишек.

— Нет, Валентин Николаевич, мне придется вас разочаровать. Это было не задержание, а самая обычная автоавария. Так что учитесь водить машину как следует.

К тому времени, когда стоящая в ванной на первом этаже стиральная машина зазвенела, раздраженно сообщая, что она сделала все, что могла, а кто может лучше, тот пусть и делает, они успели не только закончить обедать, но и дважды варили кофе и выпили по чашке чаю с пушистыми булочками, которые теперь пришлись как нельзя кстати. Выстиранные и подсушенные «под утюг» брюки были подвергнуты придирчивому осмотру. В целом ничего, на прием к французскому послу, конечно, в них идти уже нельзя, но ездить на машине и заходить в придорожные ресторанчики — вполне можно. Многострадальный филолог снова полез на второй этаж работать утюгом. И Настя с удовольствием подумала о том, что он сейчас уедет и она сядет рядом с Лешкой на диванчик перед камином и попросит у него прощения. За все, за все. За двадцать семь лет знакомства, наверное, много обид у него накопилось. Вот обо всех и поговорим.

— Ася, я побуду с тобой до завтрашнего утра, а дальше что? — неожиданно спросил Алексей.

— А дальше ты уедешь и вернешься только к выходным, — беззаботно ответила она.

— Но ты ведь будешь бояться.

— Не буду. Леш, утром я поддалась дурацкой панике, я ведь не знала, что дом можно сдавать на охрану. Я и буду его сдавать, и не только ночью, но и днем. Видишь, как все просто. Я с тобой поговорила, все обсудила, и теперь мне совсем не страшно. Правда-правда, честное-пречестное.

— Я вот о чем подумал... Только ты сразу не рычи на меня, ладно?

— Не буду. Я буду пищать, как полураздавленная мышь. Так о чем ты подумал?

— Мы могли бы заключить с этим графоманом взаимовыгодный контракт. Он будет приезжать сюда каждый день, ему ведь все равно, в какую сторону кататься, лишь бы километры мотать. Если нужно, наколет тебе дров или сделает что-нибудь полезное, такое, что тебе самой не под силу. Ты напоишь его чаем, дашь пару бутербродов, пусть отдыхает и развлекает тебя разговорами.

— Меня не нужно развлекать, — сердито возразила Настя. — Мне здесь совсем не скучно. И меня не нужно охранять, здесь есть профессиональная охрана, а из него защитник, прости за выражение, как из пластилина пуля. Что ты выдумал, Чистяков?

— Ася, я хорошо тебя знаю. Это пока за окнами светло, ты такая самостоятельная и никто тебе не нужен. А как стемнеет, всю эту дурь как рукой снимет, и ты снова начнешь бояться, и прислушиваться к каждому шороху, и си-

240

деть в трех сантиметрах от спасительной кнопки, боясь отойти в туалет. Что я, не знаю, что ли? Ты все утро на стуле у окошка просидела, забыла? И хочешь так целыми днями сидеть? И особенно вечерами, когда за окном уже ничего не видно, и от этого еще страшнее?

В каждом его слове была правда, Настя не могла этого не признать. Он действительно хорошо ее знал, гораздо лучше, чем она знала себя сама.

— И что ты предлагаешь? — дрогнувшим голосом спросила она.

— Я предлагаю попросить Валентина Николаевича, чтобы он в будние дни приезжал сюда во второй половине дня, часам к шести, когда начнет темнеть, и находился здесь до десяти вечера. Или до одиннадцати, это уж как он сможет. Потом ты сдаешь дом под охрану и ложишься спать.

— И как ты собираешься его уговорить? Ему-то это зачем нужно? Предложишь ему денег?

— Ну зачем же, я предложу ему тебя.

— Думаешь, польстится? — Настя с сомнением оглядела себя, остановив взгляд на больной ноге.

— На то, о чем ты подумала, — точно не польстится, — усмехнулся Леша. — Ты будешь рассказывать ему то, что он так хочет узнать, чтобы создавать свои бессмертные детективы. Как устроены ваши службы, кто кому подчиняется, кто за что отвечает и так далее. Расскажешь ему всякие страшные истории, и смешные тоже. Мне кажется, обмен равноценный.

— Это тебе так кажется. У него может быть принципиально иное мнение на этот счет.

— Может быть, — не стал возражать Алексей. — Но сначала мне хотелось бы узнать твое мнение.

Ей очень хотелось отказаться. Ей не нужен был этот совершенно чужой человек, хотя и очень милый, обаятельный, и приятный собеседник, и вообще он симпатичный, образованный... Но он ей не нужен. Она прекрасно справится сама, без всяких там филологов-графоманов.

Но тут же она вспомнила вчерашний вечер. И ей стало жутко. Лешка прав, она храбрая, только пока светло. Есть у нее, Насти Каменской, такая особенность. И вроде бы темноты она особо не боится, но именно в темноте легко впадает в панику, начинает видеть то, чего нет, и слышать звуки, которых не было. Именно в темноте в голову ей лезут чудовищные, нагоняющие ужас мысли. Именно в темноте она теряет способность мыслить хладнокровно и последовательно. Это появилось только в последние годы, раньше такого не было.

Но что будет, если она все-таки откажется от Лешкиной идеи? Тогда Лешка, ломая весь свой рабочий график, будет приезжать к ней каждый вечер. И она постоянно будет чувствовать себя виноватой перед ним.

— Хорошо, — вздохнула она. — Попробуй поговорить с ним. Я не против.

К ее удивлению, филолог тоже оказался не против. Он догладил свои брюки, переоделся, натянул высохшую куртку, горячо поблагодарил за помощь и пообещал приехать завтра к шести вечера.

* * *

— Ну что, дружище Олег? Можно считать, что мы победили? — Игорь Васильевич Чуйков радостно потер руки и разлил дорогой коньяк в два пузатых бокала на низких ножках.

Олег Ахалая, заместитель Чуйкова, не был в этом так уж уверен. Денег они пока не получили, но редакция газетенки, нагло оболгавшей их, сегодня выразила готовность пойти на мировое соглашение и выплатить требуемую сумму в размере семисот тысяч долларов. В рублях, конечно, но это сути не меняло. Другой вопрос, что устно можно согласиться с чем угодно, а вот ждать обещанного обычно приходится долго. Но Чуйков подстраховался, для разговора с владельцем газетки взял с собой не только своего зама Ахалая, но и Руслана Багаева. Багаев не был прямой «крышей» Чуйкова, но он связан с Дроновым, а Дронов-то как раз и есть покровитель фирмы «Практис-Плюс». Владелец газеты тоже привел «своего» авторитета, некоего Гамзата. Встречались в ресторане. Пока Чуйков, Ахалая и газетчик попивали минералку и кофеек, Руслан с Гамзатом о чем-то базарили вполголоса, отойдя в другой конец зала и заняв отдельный столик.

Потом дислокация поменялась. Гамзат присел за стол к владельцу газеты, а Чуйков с Олегом отошли и сели вместе с Русланом.

— Он заплатит, — процедил медленно Руслан. — Никуда не денется. Сроку просит десять дней. Соглашаешься?

Игорь Васильевич вопросительно посмотрел на Олега. Слишком покладистым быть тоже нехорошо.

— Десять дней — много, — так же медленно ответил Олег, нарочито утрируя кавказский акцент, которого у него, коренного москвича, отродясь не было. — Восемь дней.

Еще полчаса переговоров, и стороны наконец приступили к обеду, сойдясь за одним столом. Если деньги не будут вовремя выплачены, в дело вступят Багаев и Гамзат. Гамзат выступает гарантом того, что деньги будут заплачены, Багаев же гарантирует, что, если этого не произойдет на добровольных началах, он применит аргументы своеобразного порядка. Но будем надеяться, что до этого не дойдет.

Чуйков вернулся в офис окрыленным. Надо же, все получилось, как та девица и предсказывала. Надо бы поблагодарить ее, подарок какой-то сделать или долю отстегнуть. Хотя насчет доли она ни слова не говорила, когда предлагала фирме Чуйкова свой странный план. Даже телефона своего не оставила. Только имя ее известно: Ксения. Как ее искать?

— Надо будет — сама нас найдет, — с ледяным спокойствием ответил Ахалая, отпивая коньяк маленькими глоточками. — Но поблагодарить надо, тут ты прав. Неблагодарность — это нехорошо, бог не простит.

— Странно все-таки, что она не объявляется, — покачал головой Чуйков. — Неужели ей деньги не нужны?

— Может, и не нужны.

— Тогда зачем она это все придумала?

— Газету разорить хотела. Или просто подставить. Может, там главный редактор и сам хозяин — ее любовник, который ее бросил. Или кинул. Бабы, Игорек, не такие корыстные, как мы, мужики. Но зато они ужасно мстительные. Ты это запомни на будущее. И если она появится, стелись перед ней ниже травы, чтобы, не дай бог, ничем не обидеть. Если такая, как эта Ксения, захочет тебе отомстить, тебе не выжить.

Глава 10

Свое десятилетие холдинг «Планета» отмечал с известным шиком, сняв для этих целей один из залов в «Славянской-Рэдиссон». Помимо сотрудников холдинга, были приглашены и почетные гости, и так называемые «друзья фирмы» — люди, оказывавшие «Планете» те или иные ценные услуги. Разумеется, в числе приглашенных был и Валерий Риттер, как человек, дававший фирме полезные и дельные консультации по организации менеджмента. Риттера, как требуют правила хорошего тона, пригласили с супругой, но он пришел один. Коренастый, медведеподобный, с некрасивым умным лицом и в идеально сидящем смокинге, он переходил от одной группы гостей к другой, постоянно с кем-то общался, но выражение озабоченности, отмеченное присутствующими в начале вечера, постепенно сменилось сначала раздражением, а потом и тревогой. Он то и дело выходил из зала, где было довольно шумно, доставал из кармана мобильник и куда-то звонил. И после каждого звонка сердился и тревожился все сильнее.

— Валерий! Наконец-то я тебя нашла! Тут столько народу — не протолкнуться.

Он обернулся и увидел Любочку, финансового директора «Планеты» и младшую сестру Аниты.

— Ты один? А Лариса где?

— Она работает, — сухо ответил Риттер. — Лара не любит отвлекаться, когда у нее прилив трудового энтузиазма. А ты здесь с кавалером?

— Тоже одна, — улыбнулась Люба, и Риттеру показалось, что губы у нее дрогнули, будто она собиралась заплакать.

— Ладно, будешь моей дамой на этот вечер. Тебе что-нибудь принести? Выпить, закусить?

— Спиртного не надо, мне еще домой ехать, я за рулем. Водички какой-нибудь с газом... — неуверенно попросила Люба.

— Может, сок? Или кофе?

— Можно и сок. Вишневый. Там, кажется, есть. Или персиковый.

— А из закусок?

— Ничего не нужно, Валерий, я не голодна.

Взяв для нее сок, а для себя виски, Риттер сквозь плотную толпу пробирался к Любе, издалека разглядывая родственницу. По ее виду не скажешь, что не голодна. Скорее ей кусок в горло не лезет. Несмотря на тщательный макияж, выглядела Люба не лучшим образом, и красиво наложенные тени не скрывали потухший взгляд, а тональная пудра только подчеркивала углубившиеся носогубные складки и скорбно опущенные уголки губ. Даже дорогой костюм, обычно плотно обтягивающий ее пухленькую округлую фигурку, казался висящим на манекене, словно был велик на два размера. Похудела Любаша, что ли?

— Ты отлично выглядишь, — бодро заявил Риттер, протягивая ей стакан с соком. — Очень похудела. Или это костюм тебя так стройнит?

— Ерунда, ничего я не похудела, если верить весам, то все мои килограммы при мне.

Она отпила сок и постаралась улыбнуться, но вымученность застывших губ не укрылась от Валерия.

— Тогда я скажу иначе. Ты очень плохо выглядишь, Люба. Что-то случилось? Ты не болеешь?

Риттер никогда без особой нужды не прибегал к таким глупостям, как деликатность и тактичность. Некоторые считали его грубоватым, сам же он называл эту черту своего характера прямотой.

Где-то совсем рядом грянул оркестр, перекричать который не было никакой возможности, и Люба вместо ответа только покачала головой.

— Давай отойдем, — громко произнес Риттер прямо ей в ухо.

Она молча кивнула и двинулась следом за ним. Даже походка у нее стала какой-то тяжелой и неуверенной, отметил Валерий, а ведь Люба всегда ходила легко и стремительно, будто бежала навстречу чему-то неизвестному, но необыкновенно приятному.

Им удалось найти свободный столик подальше от музыкантов, правда, за ним можно было только стоять, но это все-таки лучше, чем ходить по залу с бокалами и тарелками в руках. Ни руку протянуть для приветствия, ни расслабиться.

— Если ты не хочешь рассказывать о своих неприятностях, то и не надо. Скажи только, я могу тебе чем-нибудь помочь?

— Нет, Валера.

Он молча проглотил «Валеру», хотя в другое время непременно поправил бы ее и напомнил, что не терпит уменьшительных имен по отношению к себе.

— Ну хорошо, я не могу быть тебе полезным. А кто-нибудь вообще может? Если да, то я могу помочь найти такого человека.

— Спасибо, Валера. Мне никто не может помочь. Спасибо тебе за заботу, но тут я сама... Я должна сама справляться.

«Наверняка любовная история, — подумал Риттер. — Тут действительно никто помочь не может. И зря я к ней пристаю».

— Ты справишься, — с преувеличенной уверенностью сказал он, легко потрепав Любу по руке, — ты же умная и сильная. Все пройдет, все забудется, поверь мне. Давай-ка я принесу тебе осетрины, очень вкусная, я уже пробовал.

И, не дожидаясь ни согласия, ни отказа, он решительно направился к буфету. Однако, когда Валерий вернулся к столику, Любы за ним не было. Высокий стакан из тонкого стекла с недопитым вишневым соком стоял в компании с пустым низким толстостенным стаканом, из которого Риттер пил виски. В пепельнице дымилась сигарета со следами красно-коричневой помады на фильтре. Куда это Любаша сорвалась, осетрины не дождалась, сигарету не докурила? Не иначе, в туалет побежала, плакать. Ничего, проплачется и вернется.

Он собрался было отправить в рот аппетитный кусочек рыбы, но внезапно снова накатило раздражение, и Риттер со злостью бросил вилку на стол. Достал телефон, позвонил Ларисе в мастерскую. Никто не ответил. Перезвонил на ее мобильный. Абонент временно недоступен. Отключила? Батарея разрядилась? Или находится там, куда мобильная связь не достает? Например, в метро. Или в каком-нибудь подвале. Хотя у Ларки своя машина, но с этими ее сомнительными подружками, лесбиянками и наркоманками, она может оказаться где угодно. А может быть, она уже дома, мирно пьет чай в компании с Ниной Максимовной или смотрит телевизор? Нет, не может быть, Нина тут же перезвонила бы ему и сказала, что Ларка вернулась, мать знает, как он нервничает, со вчерашнего вечера не может жену найти. Дома она не ночевала, но это дело обычное, хотя прежде она всегда отвечала на звонки и Валерий точно знал, что она спит в мастерской. Целые сутки от нее ни слуху ни духу. Это может означать только одно: пристрастие к наркотикам сделало новый виток, теперь она или дозу сильно увеличила, или употребляет что-то другое, от чего мозги напрочь отшибаются и теряется представление о том, что нужно все-таки хотя бы звонить домой, пусть не приходить, но хоть объявляться, чтобы близкие не сходили с ума от волнения и не искали по подворотням, милициям и моргам.

Но домой он на всякий случай позвонил. И ничего нового не услышал. Нина Максимовна тоже тревожилась, правда, по несколько иному поводу.

— Сынок, приезжай, пожалуйста, — жалобно попросила она. — Я боюсь. Если Лариса такое себе позволяет, то я могу представить, в каком состоянии она явится домой. Я боюсь оставаться с ней одна.

Конечно, мать думала только о том, что будет, когда невестка вернется домой. А Риттеру было все равно, что будет, лишь бы вернулась наконец. Лишь бы нашлась. Или хотя бы позвонила.

Надо ехать в мастерскую, открывать дверь своим ключом и смотреть, что там и как. Может быть, Ларка сдуру передознулась и теперь лежит там одна, без сознания, и некому ей помочь?

Эта мысль приходила ему в голову неоднократно в течение всего дня, и Риттер уже брался за пальто, собираясь ехать, но вспоминал отвратительную картину, которую увидел, когда неожиданно нагрянул в мастерскую вместе с Анитой, и снова вешал пальто в шкаф и возвращался в кабинет. Нет, не готов он столкнуться с этим еще раз. А ведь может быть и кое-что похуже, например, не одна партнерша, а несколько. Или свальный грех, разнузданная оргия. Зачем ему это видеть? Достаточно того, что он вполне допускает: это может быть. Он понимает, почему это происходит, и знает, кто в этом виноват. Не Ларка, а он сам. Он не сделал все возможное, чтобы ей помочь, а сама себе она, дурочка, может помочь только таким вот идиотским способом, подхлестывая воображение и испытывая на прочность эмоции.

Но вдруг с ней беда и она нуждается в помощи? Надо ехать, твердил себе Риттер, быстро проталкиваясь сквозь толпу гостей и машинально раскланиваясь со знакомыми. Надо ехать. Он подойдет к двери и послушает. Если там шум и веселье, значит, с женой все в относительном порядке, он тихонько развернется и уйдет. Если там тишина, он осторожно откроет дверь и войдет. Он только посмотрит. Он не станет устраивать сцены, не будет никого выгонять, не начнет орать и махать руками. Ему только нужно убедиться, что Лара не нуждается в помощи, что она жива. Он даже постарается, чтобы его никто не заметил. Он только убедится, успокоится и тут же уйдет.

А если ее нет в мастерской? Что тогда делать?

По длинному коридору, мимо ресторанов и бутиков, Риттер шагал в гардероб, продолжая автоматически отвечать на приветствия и пожимать руки. Впереди мелькнул знакомый костюм. Любаша?

Он догнал ее уже в гардеробе, когда Люба судорожно просовывала руки в рукава длинного плаща.

— Ты уходишь? — удивился он.

— Ты тоже, — сквозь зубы ответила она, не глядя на него.

— У меня срочные дела, — зачем-то начал оправдываться он. — И потом, я все-таки гость, это не мой праздник. А ты работаешь в «Планете»...

— Я работаю матерью, и у меня маленькие дети.

Люба выглядела не то встревоженной, не то сердитой — Риттер не разобрал. Но ему и не хотелось сейчас вникать, у него свои проблемы, с ними бы разобраться, а Любашино настроение само как-нибудь наладится.

К выходу они шли вместе. И не сказали друг другу ни слова, пока не оказались на крыльце гостиницы. Риттер позвонил водителю и велел подъезжать к входу.

— Где твоя машина?

— Вон там, — Люба показала куда-то в сторону. — Счастливо тебе. Передавай привет Нине Максимовне и Ларисе.

— Спасибо, передам.

Спустившись по ступенькам, Люба обернулась, помахала ему рукой и улыбнулась как-то жалко и потерянно. Валерий помахал в ответ и долго смотрел, как она идет к машине своей новой походкой, тяжелой и безрадостной.

* * *

Приглашение на прием по случаю десятилетия холдинга «Планета» Селуянов получил без труда.

Накануне он просидел добрых два часа в кабинете у заместителя генерального директора по персоналу и в итоге вместе с новой информацией унес с собой пригласительный билет на два лица, который поклялся использовать не для того, чтобы привести девицу на светскую тусовку и нажраться на халяву, а исключительно в служебных целях.

Зам генерального по фамилии Исканцев, как показалось Селуянову, искренне горевал о Галине Васильевне Аничковой.

— С Галиной Васильевной занималась моя падчерица, дочь жены от первого брака. У девушки была тяжелейшая депрессия, а после курса у Аничковой она буквально расцвела. И никаких таблеток! Для меня было очень важным, чтобы без лекарств, понимаете?

— Понимаю, — кивнул Селуянов. — Откуда вы узнали про Аничкову? Кто вас с ней свел?

— Приятель, владелец одной торговой фирмы. У него как-то вдруг дела пошли очень успешно, я, естественно, поинтересовался, в чем секрет, он мне и рассказал про Галину Васильевну и про то, что заключил с Аничковой корпоративный договор. Он использовал очень правильный, на мой взгляд, метод. Ведь наш русский человек страсть как не любит признаваться в том, что у него проблемы и он ходит к психологу или там к психоаналитику. Все стараются это скрыть. А проблемы-то есть, и совершенно очевидно, что они мешают успешно работать, а если успешно не работают отдельные сотрудники, то какой же может быть успех у всех вместе?

— Никакого, — согласился Николай. — И что сделал ваш приятель из торговой фирмы?

— Он оповестил весь личный состав, что фирма оплачивает услуги психолога для всех. При этом никто не обязан отчитываться или ставить кого бы то ни было в известность, занимается он с Аничковой или нет. Более того, даже желательно, чтобы все было строго конфиденциально. С Аничковой заключается что-то вроде трудового соглашения, в котором записано, что она в течение шести месяцев является как бы штатным психологом фирмы и занимается со всеми, кто пожелает. За это ей выплачивается гарантированное вознаграждение, достаточно высокое. Мы пошли по такой же схеме.

— Что-то я не понял, — остановил Исканцева Селуянов. — Ведь у Аничковой должен был быть оплачен каждый сеанс, верно?

— Верно.

— Как же вы могли заранее знать, сколько человек к

ней обратится и сколько сеансов она проведет за эти шесть месяцев?

— Мы и не знали. Мы исходили из средних показателей. Аничкова уже несколько раз работала на фирмы, и по ее опыту выходило, что к ней обращается примерно каждая десятая женщина из числа сотрудников, а мужчины — только в единичных случаях. Крайне редко, одним словом. Мы прикинули, сколько женщин из нашего персонала могут гипотетически захотеть позаниматься с кинезиологом, но коллектив у нас преимущественно мужской, женщины работают в основном в финансовой службе и в рекламном отделе. Ну так вот, прикинули количество женщин, добавили несколько единиц на мужчин и получили сумму гонорара, которая устроила и ее, и нас.

— А если бы к Аничковой обратилось меньше людей, чем вы запланировали? Получается, вы бы переплатили.

— Значит, это наш риск, — Исканцев развел руками. — Мы на него пошли.

— А если бы, наоборот, народу оказалось больше, чем вы посчитали, Аничковой пришлось бы с частью людей работать бесплатно?

— Это ее риск. И Галина Васильевна с ним согласилась. Она говорила, что в ее практике бывало и так, и эдак, но в итоге среднестатистический показатель все равно выдерживается. Поймите, Николай Александрович, мы вынуждены идти на это, чтобы сохранить конфиденциальность. Если бы мы стали требовать от сотрудников приносить в бухгалтерию справки от Аничковой, подтверждающие, что с ними был проведен сеанс, вся идея умерла бы на корню. Никто бы к ней не пошел, кроме самых любопытных. Не те пошли бы, заметьте себе, кто действительно нуждается в помощи психолога, а те, кому просто интересно, что же это за штука такая — кинезиология, и кто к тому же не страдает комплексами и не боится признаться, что ходил к психологу. Нет-нет, и мое собственное понимание ситуации, и опыт всех других фирм, с которыми работала Аничкова, показывают, что только полная конфиденциальность может дать положительный результат. Разумеется, есть люди, которые с удовольствием рассказывают коллегам о своих визитах к такому специалисту, но их очень мало, уверяю вас.

— То есть вы лично не знаете, кто из персонала «Планеты» занимался с Аничковой?

— Представления не имею.

— И даже не знаете примерно, сколько человек к ней обратились?

— Нет, Николай Александрович, не знаю.

— А если бы Галина Васильевна была жива, вы могли бы у нее спросить?

— Странный вопрос... — Исканцев слегка поерзал в кресле, поискал глазами что-то на потолке, но, вероятнее всего, не нашел, потому что снова посмотрел на Селуянова. — Она не ответила бы. Вернее, не так. Если бы я спросил, сколько человек из нашей фирмы ходят на ее сеансы, она бы, разумеется, ответила, ведь это необходимо для оценки финансовой стороны наших с ней отношений. Но фамилий она не назвала бы. Это совершенно точно.

— Почему вы в этом уверены?

— У нее такая репутация. Это ее железный принцип. Она никогда и ни при каких условиях не разглашала имена своих клиентов, не говоря уж о том, что ни с кем не обсуждала их дела и проблемы.

Это Селуянов уже слышал неоднократно, поскольку после гибели Аничковой оперативники опросили огромное число людей, как клиентов Галины Васильевны, так и просто знакомых и друзей.

— Получается, что, если я найду среди ваших сотрудников хотя бы одного клиента Аничковой, этот человек не сможет мне сказать, были ли другие клиенты и кто именно, — уточнил Николай.

— Скорее всего, так и будет. Если только это не две задушевные подружки, которые все друг о друге знают. А вы, собственно, к чему клоните-то?

— Да есть у меня одно соображение... Видите ли, в отличие от вас я знаю имена тех ваших сотрудников, кто ходил на сеансы к Галине Васильевне.

— Даже так? — вздернул брови Исканцев. — Откуда, позвольте спросить?

— Из личных бумаг Аничковой. Она действительно никому ничего не рассказывала, но для себя-то записи делала. И мне необходимо с этими людьми подробно побеседовать.

— Зачем? Что они могут знать об убийстве? Или вы кого-то из них подозреваете? Глупости! — решительно оборвал сам себя Исканцев. — Зачем человеку убивать своего психолога?

— Ну что вы, зачем же так, — поспешил успокоить его Селуянов. — Мы никого из них ни в чем не подозреваем. Но обстоятельства сложились так, что все они были на сеансах у Аничковой накануне и в день ее смерти. И может быть, она говорила им что-нибудь, например, об угрозах, или о том, что ее шантажируют, или она чего-то боится, или какие-то странные события происходят в ее жизни. Нам важна каждая мелочь, вплоть до настроения, в котором находилась Аничкова перед убийством. Но если я буду вызывать этих людей в милицию или беседовать с ними в помещении фирмы, всем станет ясно, почему я интересуюсь именно ими, и будет нарушена та самая конфиденциальность, о которой вы так печетесь. И я, кажется, знаю, как мне поговорить с ними, чтобы не вызвать ни у кого лишних вопросов.

Селуянов врал вдохновенно и без запинки. Никто из сотрудников «Планеты» не был у Аничковой ни в день убийства, ни накануне. Всех, с кем она общалась в течение последних дней перед гибелью, уже по десять раз опросили сыщики и тщательно допросил следователь. Ни на угрозы, ни на шантаж, ни на странные события Галина Васильевна никому не жаловалась, была весела, жизнерадостна и приветлива, как всегда.

Но нужно было найти хитрый и незаметный способ подобраться к Любови Григорьевне Кабалкиной, которая договорилась с Аничковой о встрече, а потом зачем-то решила этот факт скрыть. Зачем? От кого? Ведь Аничкова все равно никому ничего не рассказала бы.

Кабалкина причастна к убийству кинезиолога. Но, судя по тому, что она не скрылась, а спокойно продолжает ходить на службу, она не очень-то опасается за свою судьбу. Сейчас ей впору и вовсе успокоиться, ведь две недели прошло с момента убийства, а ее и пальцем никто не тронул, ни одного вопроса не задали. Значит, обошлось. Значит, ее имя не всплыло и можно не дергаться. Она знает о репутации Аничковой, стало быть, уверена, что никто из сотрудников «Планеты» о том единственном визите ничего не знает. Сама же Кабалкина, естественно, никому ничего не говорила и теперь пребывает в полной уверенности, что уничтоженный листок из ежедневника окончательно решил все проблемы. Никто и никогда не сможет связать ее с кинезиологом.

Вот и не нужно, чтобы она дергалась.

Но зачем надо было убивать Аничкову? Что между ними произошло? Какая тайна, разглашения которой так боялась Кабалкина, их связывала? Ведь Аничкова умела хранить чужие секреты, она бы никому не проболталась, что бы Кабалкина ей ни наговорила, в какие бы откровения ни пустилась. Чертовщина какая-то!

Но в ежедневнике была еще одна запись, которая и натолкнула Селуянова на вполне хулиганскую мысль. Запись свидетельствовала о том, что Галина Васильевна была приглашена на вечеринку по поводу десятилетия холдинга «Планета».

— Насколько я знаю, вы приглашали Аничкову на свой праздник, — сказал он Исканцеву. — Если я не ошибаюсь, он состоится как раз завтра.

— Да, — грустно подтвердил зам генерального по персоналу, — это был бы очень хороший ход, мне его подсказал мой приятель, ну тот, из торговой фирмы. У них тоже был какой-то повод коллективно собраться, не то Новый год, не то Рождество, и он пригласил Аничкову и публично представил ее всему коллективу. Вот, мол, если кто еще не знает, это та самая наша Галина Васильевна, которая так успешно работает со многими из нас и очень нам помогает. На самом деле к ней на тот момент ходили только два человека, но все купились, решили, что действительно ходят многие, а они сами чем хуже? Тем более если помогает. После этого народ буквально валом повалил. Тут ведь большую роль играют личные впечатления. Вам, к сожалению, не довелось встречаться с Галиной Васильевной, а я с ней неоднократно общался, еще когда падчерицу к ней привозил. Необыкновенного обаяния была женщина, от нее такая положительная энергетика исходила, что вот только подойдешь к ней — и настроение само поднимается, как бы хреново тебе ни было в тот момент. Удивительная была женщина!

В его словах звучала неподдельная горечь, видно, этот Исканцев по-настоящему хорошо относился к Аничковой.

— Мне нужно попасть на ваш завтрашний прием, — твердо заявил Селуянов. — Только не спрашивайте, зачем. Договорились?

— Конечно, конечно.

Исканцев вытащил из ящика пригласительный билет с незаполненной строчкой после витиевато выпечатанных слов «Уважаемый господин (госпожа)».

— На ваше имя? — спросил он.

— Да. Селуянов Николай Александрович. Но на два лица, — на всякий случай напомнил Коля.

— Разумеется.

Исканцев собственноручно вписал в билет имя и протянул Селуянову.

— И еще, — не унимался Коля. — Я приду с человеком, которого вы, наверное, знаете.

— Кто же это?

— Племянник Галины Васильевны.

— А, да-да, конечно, я неоднократно видел его, когда приезжал с Леночкой... Неприятный тип. По-моему, он алкоголик.

— По-моему, тоже, — легко согласился Николай.

— Вы полагаете, ему место на таком мероприятии, как празднование...

— Господин Исканцев, — строго перебил его Селуянов, — я полагаю, что присутствие племянника Аничковой на завтрашнем празднике нужно мне для дела. Поэтому я попрошу вас, если придется, делать вид, что вы лично его пригласили и рады его присутствию. Не вздумайте говорить, что вы не знаете, кто это и как он сюда попал. Вы меня поняли?

— Понял я вас, понял, — с тяжким вздохом ответствовал Исканцев.

— Тогда я пошел, — Коля лучезарно улыбнулся. — То, что я занимаюсь убийством Аничковой, в вашей фирме знают все. Так что никаких излишних секретов вокруг моей персоны разводить не стоит. Но содержание нашего с вами разговора должно остаться между нами. Это тоже понятно?

— Уж куда понятней...

Выйдя из офиса «Планеты», Селуянов помчался на квартиру Аничковой, где пока еще проживал ее беспутный племянник. Дома его не оказалось, но благодаря основательной проверке версии о причастности молодого человека к убийству были хорошо известны все места, где его скорее всего можно отыскать. Николай методично обследовал все записанные в блокноте адреса и уже через полтора часа нашел Геннадия Аничкова в дешевой пивнушке в компании с тремя похожими друг на друга молодцами, застрявшими в своем физическом облике ровно на середине пути от дворовой шпаны к рано постаревшему бомжу. Впрочем, к точке «бомж» они были, пожалуй, ближе.

Селуянова Гена узнал, и никакой радости встреча у него не вызвала. Он зачем-то схватил кружку с пивом обеими руками и начал быстро-быстро хлебать мутный напиток, как будто сыщик явился единственно за тем, чтобы отобрать у него то, что он еще не успел выпить.

— Ну, чего еще? — недовольно спросил Аничков, когда Селуянов подошел к столику.

— Да много чего, — усмехнулся Коля. — Пошли, поговорить надо.

— О чем еще говорить-то? Все уж переговорено сто раз.

— Ничего, сто первый тоже лишним не будет. Пошли-пошли, ты все равно уже все выпил.

Полубомжи заняли нейтралитет, в разговор не вмешивались и всем своим видом показывали, что ежели Селуянов из легавки и у него к Генке есть вопросы, то они с этим Генкой незнакомы, ничего не знают и лучше их ни о чем не спрашивать.

На улице, один на один с Селуяновым гонору у Геннадия заметно поубавилось: видно, находясь в компании собутыльников, он рассчитывал на их поддержку.

— Чего надо-то? — снова спросил он, но уже без откровенного хамства.

— Помощь твоя нужна, Гена. Ты не забывай, ты листок из ежедневника украл? Украл. За деньги отдал? Отдал. То есть ты являешься пособником убийцы. Это понятно?

— Да никакой я не... — попытался возмутиться Аничков, но захлебнулся.

— Я спрашиваю: понятно или нет?

— Ну, понятно. И чего? В тюрьму теперь, что ли?

— В тюрьму пока рано. На прием пойдешь.

— На... куда?! — вытаращил глаза Генка.

— В общем, Аничков, слушай меня внимательно. Два раза повторять не буду. Сейчас ты идешь в парикмахерскую и приводишь в порядок голову. Сосулек вот этих, — Селуянов больно дернул прядь сальных бесцветных волос, — чтоб не было. Потом идешь домой, отмываешься в ванной до скрипа и ложишься в постель. Спишь до утра. И никакой выпивки. Завтра... Да, кстати, у тебя костюм есть, приличный какой-нибудь?

— Есть.

— Откуда?

— Тетя Галя в том году еще купила, когда я на работу устраивался.

— Чистый?

— Да неношеный совсем, два раза всего надел...

— Нормально, сойдет, все и так знают, что ты не бизнесмен. Значит, завтра спишь как можно дольше, из дому не выходишь, водку не пьешь, пиво тоже. Я тебе напишу на бумажке слова, ты должен их выучить наизусть и произносить легко и непринужденно, как будто ты на самом деле так думаешь. К пяти часам ты должен быть умыт, причесан и одет. Желательно зубы почистить. Я за тобой заеду.

— Это для чего надо-то, я не понял?

— Что «для чего надо»? Зубы для чего чистить? — поддразнил его Селуянов. — Или умываться для чего надо?

— Костюм надевать, слова какие-то учить... Вы меня не втягивайте!

— Ой-ой-ой, нужен ты больно, втягивать тебя во что-то, — презрительно протянул Николай. — Да кто тебя будет втягивать, ты ж дурак дураком, на тебя надежды никакой, любое дело завалишь. Себе дороже выйдет.

Он достаточно пообщался с племянником покойной Галины Васильевны в первые дни после убийства и хорошо представлял себе, как нужно с ним разговаривать, чтобы добиться своего.

И конечно же, своего Селуянов добился. Сам лично довел Гену до парикмахерской, объяснил мастеру, что не нужно ничего сверхсложного, только помыть волосы и чуть-чуть постричь, чтобы было прилично. Сам же с мастером и расплатился, благо, оказалось недорого. Отвел парня домой, еще раз проинструктировал, забрал ключи, запер дверь и ушел. На прощание сказал:

— И помни, Гена, если ты будешь умницей, то завтра окажешься в таком месте, в каком никогда не был и больше не будешь. Пятизвездочный отель, жратвы и выпивки навалом — и все бесплатно. Наделаешь глупостей — упустишь свой шанс, такая возможность больше не повторится. Грязным, мятым и пьяным я тебя туда не возьму. Поэтому ключи я забираю, а если вздумаешь из окна вылезать — костей не соберешь. Усвоил?

Похоже, Геннадий Аничков был не совсем безнадежен, потому что сказанное усвоил. Когда назавтра Селуянов явился, как и обещал, к пяти часам, молодой человек был при костюме с галстуком, выбрит и даже чем-то благоухал. Коля подозревал, что это были духи его тетушки, потому как вряд ли этот оболтус имел собственную туалетную воду.

— Молодец, — похвалил его Николай. — Слова выучил?

— Вроде...

— Давай проверим.

Прорепетировали несколько раз, получилось, по мнению Селуянова, очень даже неплохо.

— Ну, Гена, поехали благословясь. Ты куртку-то не надевай, она у тебя позорная, в такой в гостиницу не пустят, — остановил его Николай, когда Гена попытался напялить поверх костюма то, в чем он сидел в пивнушке.

— А как же? Холодно ведь, — растерялся Аничков.

— Ничего, потерпишь. В машине тепло.

Дорога до «Славянской» по московским вечерним пробкам заняла много времени, и на праздник, начало которого было объявлено на шесть вечера, Селуянов со своим спутником прибыли только к семи. Народу к этому времени набралось уже достаточно, чтобы можно было легко затеряться в толпе. Теперь нужно было отыскать Любовь Григорьевну Кабалкину и улучить удобный момент. Кабалкину Коля видел один раз, и то издалека, попросил Сережку Зарубина показать ему фигурантку. Серега привез Селуянова вечером к дому, где жили родители Кабалкиной, и они терпеливо ждали, сидя в машине, пока Любовь Григорьевна выйдет, держа за руки сыновей.

— А выпить когда можно? — Гена нетерпеливо дергал Селуянова за рукав.

— Уже можно, — разрешил Коля. — Только немного, мы еще дело не сделали. Вот сделаем — тогда можешь пить сколько хочешь.

— А жрачку можно брать?

Глаза парня горели огнем голода, возбуждения и любопытства.

— Бери, бери, только без свинства.

Минут через тридцать Коля увидел Кабалкину. Она выходила из зала в холл. Сыщик, схватив Аничкова за руку, дернул следом, но на пороге остановился: Кабалкина разговаривала с каким-то коренастым, внушительного вида хмурым мужиком. Нет, так не пойдет, для осуществления задуманного нужно, чтобы дамочка была совсем одна, ни с кем не разговаривала и ни на что не отвлекалась, иначе выстрел может оказаться холостым. Коле обязательно нужно было, чтобы она услышала то, что должна была услышать.

— Это мы ее, что ли, пасем? — с азартом новообращенного детектива прошептал Аничков.

— Ага, ее.

— А она ничего, аппетитненькая. Это она тетку грохнула, да?

— Ты бы заткнулся, — вполне доброжелательно посоветовал Селуянов. — Пойди возьми пару бутербродов, на мою долю тоже.

Как назло, стоило Геннадию отойти к буфету, как Кабалкина осталась одна, ее кавалер, или кем там он ей приходится, отправился за напитками. Черт, вот жалость-то! Такой момент упущен. Ладно, будем ждать следующего.

Кабалкина в сопровождении мужика вернулась в зал, потом громко заиграла музыка, и парочка стала пробираться в дальний угол, где потише. Они встали за столик, поставили стаканы, о чем-то заговорили.

— Смотри, Гена, — тихонько проговорил Селуянов, — они встали за столик, значит, скорее всего, будут есть. Если все по правилам, то мужчина пойдет за едой, а женщина останется караулить столик, потому что если они отойдут оба, то столик через пять секунд займут. Давай-ка, дружочек, готовность номер один — и ловим момент.

Николай рассчитал правильно. Очень скоро мужчина направился в сторону буфета, а Кабалкина отпила еще немного из своего стакана и достала из сумочки сигареты и зажигалку.

— Вперед, — скомандовал Селуянов, подталкивая Гену в спину.

Они встали за спиной у Кабалкиной, но так, чтобы она имела возможность, слегка повернув голову или даже просто скосив глаза, увидеть лицо Аничкова.

— Не скучно тебе здесь, Гена? — задал вопрос Селуянов и подмигнул.

— Да ну, рожи все знакомые, — брюзгливо, как и просил Николай, затянул свою партию Аничков. — Я каждого второго у тети Гали видел, всем двери открывал.

— Так уж и каждого второго?

— Ну, не второго, так пятого. Не верите? У меня зрительная память знаете какая? Кого раз увижу — до смерти не забуду. Вообще-то тетя Галя, покойница, меня стеснялась, клиентам не больно-то показывала, даже когда я дома был. Но мне-то любопытно, она с ними в комнате разговаривает, а я в замочную скважину подглядываю.

— Нехорошо, Гена, — укоризненно произнес Николай. — Зачем же подглядывать?

— А ну, какая разница-то, хорошо — нехорошо. Вон тетя Галя, покойница, всю жизнь как праведница прожила, только то, что хорошо, делала, а толку? Убили, сволочи, не пожалели, не посмотрели, что праведница. Ножом пырнули и в грязи под дождем бросили. А она так хотела на этот праздник прийти! Только и разговоров было... Даже костюм новый купила...

Гена, в соответствии со сценарием, захлюпал носом и достал из кармана платок. Платок был чистым, потому как принадлежал Селуянову, своего у парня не оказалось, это еще дома обнаружилось.

Кабалкина бросила в пепельницу недокуренную сигарету, метнула на стоящих за спиной мужчин быстрый взгляд, полезла в сумку и достала мобильник.

— Алло! Я слушаю!

Кому это она там «алекает»? Селуянов мог бы поклясться, что телефон у нее не звонил. Кабалкина тем временем, прижимая аппарат к уху, быстро направилась к выходу из зала. Вроде как плохо слышно, шумно очень. Селуянову прекрасно известны были эти приемчики с телефонами, чтобы переместиться из одного места в другое.

Ну что ж, Любовь Григорьевна, мы довели до вашего сведения, что есть человек, который мог видеть вас у Аничковой, и если видел, то непременно узнает в лицо, память у него хорошая. Посмотрим, что вы будете делать дальше.

Ага, стоите возле лестницы и кому-то названиваете. Что-то вам никто не отвечает... Не везет, Любовь Григорьевна. Бывает. Сыщикам тоже не всегда везет. Уж не сообщника ли своего вы пытаетесь разыскать, чтобы срочно сообщить ему пренеприятнейшее известие? К вам едет ревизор. Из Петербурга, с секретным предписанием.

Что, опять никто не отвечает? Ай-яй-яй, беда какая. Ну и дальше что? Вниз, по коридору, мимо ресторанов и бутиков, к гардеробу. Уходить с праздника, стало быть, решили. Чего ж так рано-то? Там еще столько всего вкусного осталось.

Ого, а вот и кавалер ваш следом за вами кинулся. Что ж вы его бросили, не попрощались даже? Нехорошо, некрасиво, воспитанные дамы так не поступают. Уходите вместе, но как чужие, вроде и рядом идете, и как будто порознь. Еще бы, его можно понять, он таким вашим поведением недоволен, а вам и оправдываться неохота, уж больно вы озабочены своими собственными проблемами.

Так, как будем разъезжаться? Порознь? Каждый на своей машине? Ага, вот и ручкой друг другу помахали, стало быть, действительно прощаются.

Ну и ладно, номер машины вашего спутника мы срисуем и уже завтра будем знать о нем все, что нужно. Может, это и есть ваш сообщник? Может, это ему вы пытались быстренько позвонить, чтобы не метаться в толпе и не искать его по всему залу? А он не ответил, потому что буфетная стойка находится прямо рядом с оркестром и там никакой звонок не слышен, хоть обзвонись.

Но если эта горилла в смокинге — ваш, мадам Кабалкина, сообщник, то почему вы уезжаете не вместе? Вам бы сейчас самое время сесть рядком да потолковать ладком, обсудить ситуацию. А вы разъезжаетесь.

Впрочем, с чего Селуянов решил, что они разъезжаются? Вполне возможно, они едут в одно и то же место, только каждый на своей машине. У богатых, говорят, это принято.

Коля увидел, как от стоянки отъехала неприметная «девятка» и двинулась следом за машиной Кабалкиной. Умница, Витек, хоть и не гигант речи, но дело свое знает. Теперь можно спокойно возвращаться в зал, где его ждет голодный и жаждущий выпивки Генка Аничков. Он свою роль сыграл и теперь должен получить обещанное вознаграждение. Обещания нужно выполнять.

* * *

Уже глубоко за полночь судебно-медицинский эксперт закончил осмотр трупа. Ему ужасно хотелось одновременно пить и спать, и он никак не мог решить, чего хочет сильнее.

Эксперт широко зевнул, с трудом поднялся на ноги, при этом суставы его выразительно хрустнули. Молоденький оперативник протянул ему бланк протокола осмотра тела, который заполнял под диктовку медика. Тот быстро пробежал глазами написанное и одобрительно кивнул:

— Ничего не напутал, хвалю. Личность-то установили?

— А как же, — отозвался оперативник постарше, с которым медик уже много раз встречался на местах происшествий. — Риттер Лариса Сергеевна.

— Риттер Лариса Сергеевна, — судебный медик произнес эти слова медленно, со вкусом. — Красивое имя. И девка красивая была. Жалко.

— А некрасивых тебе не жалко? — усмехнулся оперативник.

— Мне всяких жалко. А больше всех — себя. Сколько нормальный человек за свою жизнь трупов видит? А я сколько вижу? Вот то-то.

Он медленно побрел к двери и стал натягивать старенькое пальто поверх халата. Пить или спать? Нет, пожалуй, все-таки пить. Какой-то гадостью накормили его сегодня в столовой.

Глава 11

Уютный разговор с Чистяковым у камина так и не состоялся, сперва все что-то мешало: то новоиспеченный автолюбитель со своим колесом, вернее, с последствиями его смены, потом медсестра, делавшая массаж, потом обязательная прогулка, потом ужин... И настроение пропало.

Тем более часть времени пришлось потратить на телефонные звонки, как запланированные, так и внеплановые.

В первую очередь Настя позвонила к себе домой и долго выпытывала у всех проживающих, кто ей звонил. Ведь для того, чтобы найти ее на чужой даче в Болотниках, требовались некоторые усилия. Конечно, если человек, подглядывавший за ней накануне, был обычным уголовником, присматривающим очередную добычу, то ему было совершенно все равно, Каменская живет в этом доме или какой-нибудь Иванов-Петров-Сидоров. Но если что-то замышлялось конкретно против нее, Анастасии Павловны Каменской, то нужно было каким-то образом узнавать, где она находится.

Дома ей сообщили, что никто так уж сильно ее и не разыскивал, в основном все звонящие удовлетворялись ответом, что она в санатории на долечивании, и дополнительных вопросов не задавали. Единственное исключение составил некий дядя Женя, который позвонил, когда дома была только девочка-дошкольница. Дядя Женя проявил настойчивость и выпытал-таки у ребенка, что тетя Настя ни в каком не в санатории, а вовсе даже на даче у своего знакомого дяденьки, только где эта дача — неизвестно. Телефон там есть, наверное, но его никто не знает, потому что, если надо, тете Насте звонят на мобильник. Нет, тете Насте там не скучно, потому что к ней каждую неделю на выходные приезжает дядя Леша.

Вот такие дела... Настя терялась в догадках, кем мог бы быть этот таинственный дядя Женя, даже всю записную книжку на всякий случай пролистала два раза и старательно перезвонила всем знакомым абонентам по имени Евгений. Никто из них ее не искал, да их и всего-то оказалось трое: двое — с Петровки, один — из другого города, где он вполне благополучно и пребывал, ответив на Настин звонок по домашнему телефону.

— Глупость какая-то! — в сердцах бросила она, швыряя записную книжку на диван. — Что еще за Женя меня ра-

266

зыскивал? И почему у него есть мой телефон, если он сам в записной книжке у меня не числится?

— А какая связь? — не понял Чистяков.

— Это означает, что я сама ему свой телефон не давала. Леша, я, может, и плохой опер, но все-таки милиционер, я не раздаю свои телефоны, особенно домашний, направо и налево, я телефонами только обмениваюсь, понимаешь? Если я готова общаться с человеком, я даю ему свой номер и записываю его. Мне очень не нравятся ситуации, когда у кого-то есть мой телефон и он или она могут мне звонить, когда захотят, а я даже не знаю, где этого человека искать и как ему позвонить.

— Ты не злись, — посоветовал Леша, — от твоей злости ответы на вопросы не появятся.

Настя безнадежно махнула рукой:

— Да я не злюсь, просто я не люблю, когда я не понимаю. Этот таинственный Женя мог элементарно выследить тебя по пути из Жуковского сюда, в Болотники.

— Мог, — согласился Чистяков, укладывая дрова в камине, — но для этого он должен знать по меньшей мере, где я живу или работаю и как выгляжу. Вот тебе и будет чем заняться до завтрашнего утра. Повспоминай, кто из твоих доброжелателей знает меня или хотя бы видел нас вместе.

— Когда Тришкана брали, — сразу же ответила Настя первое, что пришло на ум. — Там и ты был, и я. Когда он Арсена убил, помнишь?

— А как его звали, Тришкана этого?

— Виктором, по-моему. Да, точно, Виктор Тришкан.

— Не Женя, значит... — разочарованно протянул Алексей.

— Ой, Леш, да ничего это не значит, он по телефону мог назваться как угодно, хоть королем Иордании Хусейном. Важно, что он видел нас вместе и что с того момента прошло достаточно лет, чтобы он мог отсидеть и выйти на свободу. И вообще, это может быть кто угодно из конторы Арсена, контору-то мы до конца не разгромили, так только, верхушку сняли, кто под руку попался. А они ведь следили тогда за мной очень серьезно, и телефон мой знали, и адрес, и каждый мой шаг фотографировали.

— Н-да, малоприятно. А еще кого-нибудь вспоминаешь?

— Еще, еще, еще... — задумчиво бормотала Настя. — Да, вот еще был случай, когда мы годовщину свадьбы с Сашкой и Дашкой в ресторане отмечали, помнишь?

— Миллион лет назад.

— Не преувеличивай, всего шесть. Там в этот день гулял издатель, которого мы разрабатывали, ужинал с деловыми партнерами, и я с ним даже танцевала. Сначала Санька пригласил на танец его даму, а потом уж сам издатель повел танцевать меня.

— Помню, как же, — зло усмехнулся Чистяков, — сначала ты пыталась меня заставить ее пригласить.

— А ты отказался. Зато верный брат Саша принял удар на себя.

— И что, издатель таки оказался страшным преступником и теперь может тебе столь же страшно мстить?

— Да нет, по нашей части там ничего не высветилось, все больше по налогам и сборам, ну и еще кое-чего по мелочи, на судебный приговор не хватило. Мы им занимались, потому что он был организатором убийства, но доказать не смогли, привлекли только исполнителей. Леш, мы с тобой не в том направлении ищем.

— Почему?

— Потому что сыщикам не мстят. Преступники прекрасно понимают, что мы их ловим не от ненависти, а по обязанности, работа у нас такая. Если мы ее не выполним, нам начальство голову отвернет. Ни нам, ни следователям не мстят. Мстят, Лешенька, только судьям. Потому что от нашего добровольного решения не зависит, поймать или не поймать, нам приказано поймать — и мы ловим. А вот судья выносит приговор, руководствуясь внутренним убеждением, и если в статье, допустим, указана санкция «от трех до восьми лет лишения свободы», то он может дать восемь, а может ведь и три, а еще закон разрешает ему назначить наказание ниже низшего предела, то есть он может и не три года дать, а два или год. Или сколько угодно лет, но условно. Или вообще признать обвинение недоказанным и освободить подсудимого в зале суда. Поэтому судье за приговор очень даже мстят.

— А с сыщиками и следователями что делают, если им не мстят?

— Их, Леш, используют. Или качают из них информацию, или запугивают, чтобы они что-то делали или чего-то не делали. Какой смысл меня запугивать? Я же ничего, ну ровным счетом ничего не делаю. Я болею, никого не трогаю и тихо починяю свой примус. В смысле — ногу.

— Тогда это маньяк, — сделал оптимистичный вывод Чистяков. — Ты, кажется, собиралась звонить в областное управление.

— Маньяк звонил мне домой и назывался дядей Женей? — усомнилась она. — Как-то это, знаешь ли...

— Маньяк — это маньяк, а Женя сам по себе. Тайный поклонник какой-нибудь, ты с ним потом разберешься.

Настя позвонила Андрею Чернышеву, недавно назначенному на один из руководящих постов в областном управлении внутренних дел, и попросила его выяснить насчет пока не пойманных преступников, орудующих на территории области, в частности, в том районе, где находится поселок Болотники. Чернышев обещал перезвонить в течение получаса.

Теперь нужно было звонить Короткову. Где-то тут валялась бумажка, на которой Настя записала номер машины... Да где же она? Ведь недавно совсем на глаза попадалась!

— Леша, ты бумажку не видел?

Иногда ей удавалось формулировать свои вопросы с потрясающей точностью. Зато формулировка ответов у ее мужа-математика получалась просто фантастической.

— Какую именно и где именно я должен был ее видеть?

— Маленькая такая, желтенькая, стикер. Там номер был записан.

— Какой номер?

Терпения Чистякову было не занимать, и Настя это оценила.

— Прости, солнышко, что-то я сегодня выражаюсь невразумительно. Я записала номер машины нашего филолога на маленькую желтенькую бумажку. Она тебе не попадалась?

— Ася, маленькая желтенькая бумажка висит прямо перед твоим носом, ты ее на стенку приклеила. Посмотри, это она?

Так и есть, она. Висит прямо перед Настиными глазами.

— И зачем ты записала номер его машины?

— Лешенька, я тебе уже говорила, что я, может, и плохой опер, но все-таки милиционер. Неужели ты думаешь, что я буду ежедневно проводить время в пустом доме с человеком, который неизвестно откуда взялся и неизвестно что собой представляет? Я пока еще в своем уме.

— Ты что, не поверила ему? — изумился Чистяков.

— А почему я должна ему доверять? Он назвал свое имя и профессию, но документов-то я не видела. Мало ли каким проходимцем он может оказаться.

— Ну-ну, проверяй, — скептически произнес Алексей.

Коротков долго не мог взять в толк, зачем ей нужно узнать, кто является владельцем синих «Жигулей» шестой модели.

— Дурь какая-то, — недовольно ворчал он, разобравшись наконец в Настиных объяснениях. — Друзей, что ли, нет? Обязательно надо чужого человека приваживать? Совсем ты, мать, обалдела в своих выселках.

— Юрик, в том-то все и дело, что это выселки. Друзей

не так уж и много, и все работают, и машина есть далеко не у каждого. А тут подвернулся человек с машиной, которому все равно, куда ездить, лишь бы ездить, и который временно не работает, и у которого есть интерес ко мне приезжать, а не просто чувство долга. Во всяком случае, он так сказал. Короче, если тебе неохота возиться, так и скажи, я кого-нибудь другого попрошу.

— Да, как же, попросит она, — продолжал бухтеть Юра, хватаясь за ручку и подтягивая к себе чистый лист бумаги. — Давай диктуй.

В ожидании ответов от Андрея Чернышева и от Короткова Настя прилегла на диван и уставилась на огонь, пылающий в камине. Почему-то сегодня вид пляшущего пламени не завораживал ее, даже, наоборот, мешал и раздражал. Неужели она так сильно испугалась и перенервничала? Или дело в том, что огонь хорош для работы души, но не очень-то подходит для профессиональных размышлений?

Первым отзвонился Чернышев. Никаких действующих маньяков на данный момент на территории области не зафиксировано, но, конечно, Настя права, это может быть человек, только собирающийся совершить свое первое преступление. Андрей пообещал связаться с отделом милиции, на территории обслуживания которого расположен поселок, и попросить проверить на всякий случай всех, кого надо. Так сказать, в профилактических целях. Если же это не маньяк-убийца или насильник, а вор или грабитель, то дело безнадежное, пока он ничего не совершит, никто и возиться не станет. Такие нынче нравы в милицейской среде.

Спокойней от такой информации не стало. Настя без аппетита поужинала, пытаясь отвлечься разговорами о пустяках. Лешка был прав, ох как прав — как только стемнело, тревога стала нагнетаться с какой-то невероятной скоростью. Днем, при белом свете, все страхи казались ей ерундовыми и легко преодолимыми, ведь есть сигнализация, и

271

можно сдать саму себя в запертом доме под охрану, и вообще бояться совершенно нечего. Но как только окна превратились в темные четырехугольники, мысли сразу утратили бесшабашность и беззаботность.

Чистяков включил телевизор, с восьми до половины одиннадцатого — его время, Настя это знала и не сопротивлялась. С восьми до без пяти девять — «Вести» и «Вести-Москва», с девяти — программа «Время», с десяти — «Сегодня». Новости были, в сущности, одними и теми же, но Алексею почему-то нравилось смотреть поочередно все три информационные программы.

Коротков объявился совсем поздно, в начале двенадцатого. Голос у него был усталым и злым.

— Все в порядке с твоим филологом, — начал он без предисловий. — Машина записана на него самого, поставлена на учет в мае этого года, фамилия его Самарин. Валентин Николаевич Самарин, кандидат филологических наук. Находится в годичном неоплачиваемом отпуске. Преподает в колледже литературу. Если хочешь, запиши адрес и телефон.

Настя записала.

— Ты чего такой, Юра? — осторожно спросила она. — Опять пожар? Или просто устал?

— Просто устал. От простых пожаров, — сердито ответил Коротков. — Помнишь, Сережка Зарубин все голову морочил с Волковой, ее любовником и ее алиби?

— Помню, конечно.

— У нее еще сестра есть и брат, с которыми он все рвался встретиться.

— Да-да. И что с ними не так?

— Да все не так, черт бы их побрал! — внезапно взорвался Коротков. — Сестра оказалась замешана в убийстве, только уже в другом.

— Я знаю, это дело Селуянова.

— А у брата жену убили. И это уже наше дело. Афоня,

272

друг любезный, расстарался, муж убитой, видите ли, бизнесмен, а сама она — талантливая художница. Будет о чем с прессой поговорить. Ладно, подруга, извини, что на тебя сорвался, нервы как тряпки стали.

Настя и не думала обижаться на него.

— Ничего, Юр, имеешь право, при такой-то работе. Это ты меня извини, у тебя очередной труп, а я со своими глупостями пристаю. Спасибо тебе.

— Не на чем.

Ну и семейка! Две сестры и брат, и рядом с каждым — убийство. При этом расстояние от фигуранта до убийства с каждым разом делается все короче. Первой погибла психолог-кинезиолог Аничкова, но с Любовью Кабалкиной ее если и связывали какие-то отношения, то уж точно не близкие и давние, в противном случае это сразу же стало бы известно. Потом убивают актрису Халипову, и она оказывается хорошо знакомой с Волковой, старшей сестрой Любы Кабалкиной. А теперь убита и жена брата, связь — ближе некуда. У брата какая-то нерусская фамилия... Ах да, Риттер, сын известного художника. Может, это родовое проклятие? Сама Настя в этом не разбирается, надо будет у Паши Дюжина спросить.

— Ну что, Настя? Что Коротков-то сказал?

Господи, Лешка задает свой вопрос уже в который раз, а она и не слышит.

— Да все в порядке, — отмахнулась она. — Его фамилия Самарин, этого, который с колесом.

— Ну, Самарин. И что дальше?

— Он правду говорил, ничего не наврал. Действительно купил машину полгода назад, и действительно филолог, кандидат наук, преподает в колледже. В общем, все в порядке.

— Ну слава богу, — Чистяков с облегчением перевел дыхание и снова уставился в телевизор.

* * *

— Давайте-ка все сначала, Валерий Станиславович.

— Да сколько же можно!

— Столько, сколько нужно, чтобы я все понял. Вы давали показания сотрудникам окружного УВД, я бы не хотел опираться на их пересказ, мне нужно все услышать самому. Итак, при каких обстоятельствах вы обнаружили тело Ларисы Сергеевны?

Коротков изнемогал от усталости, но перекинуть свою работу на подчиненных не мог. Аська права, семья какая-то заколдованная, и нужно работать со всеми одновременно. Мише Доценко поручили мать Риттера, свекровь потерпевшей, Сереже Зарубину — Любовь Кабалкину, поскольку они как-никак знакомы и контакт найти будет легче. Коля Селуянов, рвавшийся в бой в части раскрытия убийства Аничковой и готовый ради этого оказывать любую помощь, вызвался поговорить с домработницей Риттеров Риммой Лесняк. Важно было со всеми работать одновременно, потому как семья есть семья, связи могут быть крепкими, начнут друг друга покрывать и выгораживать, и нельзя дать им возможность предупреждать друг друга и сговариваться о показаниях. Коротков искренне жалел, что Каменская на больничном, а то он отправил бы ее вытряхивать информацию из Аниты Волковой. Кому поручить беседу с Волковой, он решить не мог и оставил эту часть работы для себя. Хорошо бы, конечно, отправить к ней Мишаню Доценко, но неизвестно, когда он закончит со свекровью... Впрочем, когда сам Коротков закончит опрашивать мужа убитой Валерия Риттера, тоже не было понятно. В общем, кто первым освободится, тот и поедет к Волковой. В отделе полно молодых сотрудников, но Сережка Зарубин как порассказал, какая она из себя, эта сестра Риттера, так стало ясно, что иметь с ней дело должен опытный опер.

274

Риттер Короткову не нравился. Этому не было объяснения. Просто не нравился — и все тут.

— Я приехал в мастерскую к Ларисе, в Большой Харитоньевский переулок. Открыл дверь своим ключом и увидел ее...

— Вы сразу открыли дверь или сначала позвонили?

— Позвонил, но мне никто не открыл. Тогда я воспользовался ключом.

— Зачем вы туда приехали? Вы договаривались о встрече?

— Господи, я ведь объяснял уже! Лариса не ночевала дома, целые сутки от нее не было вестей, и я начал искать ее. В первую очередь, разумеется, в мастерской.

— Вот на этом давайте остановимся подробнее, Валерий Станиславович. Когда вы в последний раз видели жену?

— Во вторник утром. Я уходил на работу, а она еще спала.

— И после этого...

— После этого я ее не видел. Только разговаривал с ней по телефону.

— Когда именно?

— Во вторник днем.

— А точнее?

— Примерно часа в три — в половине четвертого.

— Вы ей позвонили или она вам?

— Я позвонил ей в мастерскую, она сказала, что работает и что у нее все в порядке.

— А что-то могло быть не в порядке?

— Послушайте, не цепляйтесь к словам! Это обычный разговор, когда один человек спрашивает, как дела, а другой отвечает, что все нормально, все в порядке. Обычный разговор, понимаете?

— Понимаю, понимаю. Лариса Сергеевна не сказала вам, когда собирается вернуться домой?

— Нет, не сказала. Когда она усиленно работает, такой вопрос не имеет смысла. Она не чувствует времени. Поэтому я не забеспокоился, когда она не пришла домой ночевать. Я был уверен, что она спит в мастерской.

— Вы в тот день больше ей не звонили?

Вопрос Риттеру не понравился, хотя был, на взгляд Короткова, абсолютно невинным. Во всяком случае, пауза, которую взял муж потерпевшей, совсем крохотная пауза, от Юры не укрылась.

— Нет, не звонил. Лариса не любит... не любила, когда ее отрывают от работы.

— Хорошо. Когда вы начали беспокоиться?

— Вчера. В среду вечером, — зачем-то уточнил Риттер, сосредоточенно разглядывая безупречно ухоженные руки, с широкими ладонями и корявыми короткими пальцами.

— Почему? Вы же были уверены, что ваша жена работает. Или нет?

— Она продолжала не отвечать на звонки и сама ни разу не позвонила ни мне, ни моей матери. Это на нее не похоже. Тогда я решил поехать в мастерскую и посмотреть, все ли в порядке. Может быть, телефон не работает.

— Валерий Станиславович, я прошу вас отнестись к моим вопросам более серьезно. Я ведь не развлекаюсь тут с вами, мне нужно преступление раскрывать.

— Я не понимаю вас, Юрий Викторович...

— Вы очень хорошо все понимаете. Лариса Сергеевна часто не приходила домой ночевать?

— Ну... случалось.

— С какой периодичностью? Раз в неделю, два раза или, может быть, раз в месяц?

— По-разному.

— Бывало так, что она не приходила ночевать по нескольку дней подряд?

— Да, такое бывало.

— И вы никогда не беспокоились?

— Она всегда звонила и предупреждала.

— Вы точно знаете, что в этих случаях она ночевала именно в мастерской, а не где-то в другом месте?

— Я точно знаю.

— Откуда? Валерий Станиславович, не заставляйте меня вытягивать из вас каждое слово клещами. Пожалуйста, я прошу вас, расскажите мне о вашей жене сами. Все, что знаете. Откуда вы знаете, что Лариса Сергеевна ночевала именно в мастерской, если не дома?

— Я ей звонил. И приезжал несколько раз.

— То есть вы ее проверяли?

— Можете назвать это так, если угодно.

— Почему? Вы ей не доверяли? У вас были основания для ревности? Валерий Станиславович, я понимаю ваше состояние, у вас горе, вы хотите поскорее вернуться домой и никого из нас не видеть. Но если вы не будете сами рассказывать, мне придется задавать свои вопросы до бесконечности. Все равно я вас не отпущу, пока не узнаю все, что мне нужно.

— У меня не было оснований для ревности. Но если бы вы знали Ларису, вы бы меня поняли. Она была совершенным ребенком, не приспособленным к жизни, глупеньким, доверчивым и легкомысленным. В известном смысле я относился к ней не как муж, а как отец. Родители не проверяют своих детей, они только стремятся убедиться, что с ними все в порядке. Я понятно объяснил?

— Вполне, спасибо.

Черт возьми, этот бизнесмен в смокинге собирается когда-нибудь признаться, что его жена была наркоманкой, или так и будет строить из нее святую? Спасибо Сережке Зарубину, он не забыл случайно оброненной фразы Любы Кабалкиной и успел предупредить Короткова, что Валерий Риттер тщательно скрывает грешок своей любимой супруги. Уже восемь утра, Коротков не спал всю ночь, в глазах у него песок, в ушах звон, в голове примерно то же самое, что остается на тротуарах после бурного народного гулянья. Но ведь и Риттер не спал, сначала его терзали окружные сыщики, потом он вместе с Коротковым приехал на Петровку. Отпускать его домой было пока нельзя, муж, обнаруживший тело жены и вызвавший милицию, — первый кандидат в подозреваемые. Почему он продолжает молчать о наркотиках? Ведь это хорошая версия: убил кто-то из случайных знакомых, которых у наркоманов обычно бывает предостаточно. Если Риттер убил свою жену, то о наркотиках должен был сказать в первую очередь, чтобы отвести от себя подозрения.

А он не говорит. Не потому ли, что убил действительно он и именно из-за этих самых наркотиков? Сколько таких случаев прошло через руки оперативников, когда потерявшие надежду и терпение жены убивали своих мужей-наркоманов, потому что никаких сил, ни физических, ни душевных, уже не оставалось...

Ну и кто же из них устанет и сломается первым? Коротков, которому надоест притворяться, будто он ничего не знает, или Риттер, который поймет, что скрывать больше нельзя?

— Кого из друзей жены вы можете назвать?

— Никого.

— Так не бывает, — возразил Коротков.

— Бывает. У Лары было много подружек, она с ними без конца разговаривала по телефону, встречалась, они приходили к ней в мастерскую. Но я с ними не знаком. Это люди не моего круга.

— Даже так?

И Коротков тут же мысленно выругал себя за ехидство, которое не сумел скрыть. Нельзя так, перед тобой муж потерпевшей, человек, несколько часов назад потерявший жену. В чем бы ты его ни подозревал, он для тебя пока только муж потерпевшей.

— Да, так. Лариса моложе меня на восемь календарных лет, на самом же деле у нас была куда большая разница в возрасте. Я вам уже объяснял. По менталитету и зрелости чувств ей было не больше восемнадцати-двадцати лет. И круг ее общения состоял из таких же легкомысленных и богемных девиц и юнцов. Мне с ними не о чем разговаривать.

— Лариса Сергеевна не жаловалась вам ни на кого? Может быть, ей угрожали, вымогали деньги? Богемная молодежь, как вы ее назвали, обычно бывает безденежной, а тут у них оказалась подруга — жена богатого предпринимателя. Есть соблазн.

Риттер на секунду задумался, и это была уже не та пауза, которую берут, чтобы собраться с мыслями и ответить на неожиданный и неприятный вопрос. Он действительно обдумывал услышанное.

— Да, соблазн есть, — медленно произнес он. — Я как-то об этом не подумал. Лара никогда не давала повода так думать. Но может быть... Может быть.

— У Ларисы Сергеевны были деньги?

— Собственных не было, но я всегда давал ей достаточно.

— Достаточно — это сколько?

Спокойно, Коротков, спокойно, держи себя в руках, постарайся не фыркать и не злиться, когда тебе сейчас назовут сумму. Для тебя, с твоей зарплатой, вполне достаточно, когда в бумажнике лежит рублей двести, этого хватит на дешевые сигареты, невкусный обед в забегаловке и на бензин, если не выезжать за город. У господина Риттера другие мерки.

— Лара тратила примерно две-три тысячи долларов в месяц, если не делала крупных покупок.

Какая интересная у людей жизнь... Три тысячи долларов в месяц — это так, мелочь, карманные расходы. А что же тогда такое «крупные покупки»? Шуба из соболя за тридцать тысяч? Или машина за семьдесят пять? Не злись, Коротков, не злись, это не первый и не последний состоятельный человек, сидящий в твоем кабинете, давно уже должен был бы привыкнуть. Если ты умеешь делать что-то

279

еще, кроме как ловить преступников, так иди и зарабатывай этим деньги. Не умеешь — лови уголовников и не жалуйся, что за это мало платят.

— А крупные покупки... Я хотел спросить, не могло ли быть так, что под видом крупных покупок Лариса Сергеевна давала кому-то деньги, например, шантажисту или, простите, любовнику?

— Прощаю, — впервые на лице Риттера появилось что-то смутно напоминающее усмешку. — Все крупные покупки Лара делала вместе со мной. И все эти вещи находятся дома, они никуда не пропали, следовательно, не были ни подарены кому-то, ни проданы.

— Но три тысячи долларов ежемесячно — это очень существенная сумма, особенно для богемной молодежи. Не могло ли получиться так, что ваша жена на эти деньги содержала кого-то? Даже на тысячу долларов может вполне безбедно существовать семья из трех-четырех человек, а уж на три... Может быть, она кого-то содержала, подругу или друга, а потом этому человеку потребовались большие деньги, он стал требовать, чтобы Лариса Сергеевна их достала, она отказалась. Вот и причина для конфликта и для убийства. Могло такое быть?

— Теоретически — да, могло. Но не с моей женой.

— Почему?

— Потому что... Вы, Юрий Викторович, в ценах ориентируетесь?

— Очень приблизительно. Смотря что вы имеете в виду.

— Я имею в виду цены на то, что регулярно покупают молодые женщины. На что они тратят деньги. Можно купить крем для лица за тридцать рублей, а можно — за две с половиной тысячи. Это восемьдесят долларов. Можно купить осенние ботинки за триста рублей, а можно и за шестьсот долларов, из ящерицы или питона. Можно купить сумочку за пятьсот рублей и ходить с ней несколько лет, пока она не порвется. Лариса покупала сумочки и туфли к каждому пальто, плащу или куртке, к каждому костюму и сарафану, ей хотелось, чтобы в одежде все было гармоничным. И все это было не дешевым, поверьте мне. Эти три тысячи долларов уходили только на нее саму, она бы и воробья не смогла прокормить.

Интересно вы рассказываете, Валерий Станиславович. А на какие же деньги она наркотики покупала? Любовник давал? Очень, кстати, возможно. Надо бы в личной жизни покойной покопаться, но муж в этом деле будет плохим помощником. Тут нужны подруги. И... домработница. Как там у Коли Селуянова дела?

* * *

Домработница Риттеров, пятидесятилетняя Римма Ивановна Лесняк, Селуянова приятно удивила. Он, насмотревшись фильмов и начитавшись книжек, был уверен, что придется иметь дело с человеком, фанатично преданным семье и готовым лечь трупом, только бы не дать ни одной соринке улететь из избы. Но здесь был совсем другой случай.

Римма Ивановна работала у Риттеров почти двадцать лет. И все эти годы люто ненавидела самого хозяина, Станислава Оттовича, и его супругу Нину Максимовну. Единственным, к кому она хорошо относилась, был их сын Валерий. И то только до того, как он женился на Ларисе. Вскоре после женитьбы Валерий изменился и стал таким же объектом неприязни со стороны домработницы, как и его родители.

Кроме того, Римма Ивановна не оправдала ожиданий Селуянова и на то, что окажется простой деревенской теткой, какими он всегда рисовал себе домработниц. Она была совсем другая. И... очень непростая.

Они разговаривали в просторной квартире Риттеров,

сидя в огромной кухне. В это же самое время Миша Доценко беседовал в гостиной с матерью Валерия Станиславовича.

— Для меня это давно превратилось в своеобразную игру, вроде разгадывания кроссвордов или ребусов. Чем больше от меня скрывали, тем интереснее было по мелким деталям и невзначай оброненным словам восстанавливать скрытое. Этот интеллектуальный труд примирял меня с тем унижением, которому меня постоянно подвергали. Ну и, конечно, платят мне очень хорошо, не стану скрывать. Такой работой не бросаются.

Римма Ивановна, высокая, худая, с коротко остриженными седыми волосами, разговаривала с Николаем с видимым удовольствием, постоянно подливала ему чай и подкладывала то пирожки, то печенье, а то и бутерброды предлагала. Селуянову повезло больше, чем Юре Короткову, ему не приходилось каждую секунду задавать вопросы, Римма рассказывала сама, и речь у нее была — заслушаться впору.

— Станислав Оттович и Нина Максимовна всегда строго держали дистанцию между собой и мной, я для них была не человеком, а вещью, полезной в хозяйстве. Вот вам только один показатель: ни разу за все годы они не поинтересовались, когда у меня день рождения, и не поздравили. И вообще, ни одного подарка ни к одному празднику. Согласитесь, Коленька, это о многом говорит.

— Да уж, — соглашался Коленька, которого вполне устраивал такой панибратский тон. Чем ближе дистанция, тем больше доверия, а чем больше доверия, тем больше информации. Что и требовалось доказать. — Пирожки у вас, Римма Ивановна, просто замечательные, в жизни никогда таких не ел.

— Кстати, тоже показательный момент, — тут же подхватила она. — Без хвастовства скажу: я кулинарка хорошая. Мне все об этом говорят. Все, кроме хозяев. Подам на стол — скажут, мол, спасибо, Римма. И все, больше ни одного слова. То есть спасибо, что приготовила и подала, а на то, чтобы похвалить, сказать, что очень вкусно и какая я молодец, у них язык уже не поворачивался. Вроде бы я неодушевленная вещь и теплые слова благодарности мне не нужны. Валерик не таким был, всегда спрашивал, как я себя чувствую, если ему казалось, что я плохо выгляжу, и стряпню мою хвалил. Знаете, так смешно бывало, — она вспомнила о чем-то и улыбнулась. — Все сидят за столом, кушают, Валерик еду нахваливает, меня благодарит, а Нина Максимовна на него такие взгляды бросает — повеситься впору. И Станислав Оттович недовольно хмурится. А Валерику все равно. Он ведь знал, что родителям это не нравится, а все равно делал по-своему. Характер такой.

— А что же произошло, когда он женился? Вы говорили, он стал таким же, как мать.

— Ну да, у хозяев манера такая была: если что-то в семье неладно, меня сразу домой отправляют. То есть если предстоял серьезный разговор, как нынче говорят, разборка, и есть опасность, что он пойдет на повышенных тонах, то при мне никогда не начинали. Все, Римма, спасибо, вы на сегодня свободны. Даже если у меня что-то не доделано, все равно просят уйти. Особенно часто такое бывало, когда Валерику лет четырнадцать исполнилось и до самого института тянулось. Станиславу Оттовичу хотелось, чтобы сын по его стопам пошел, если не художником стал, то хотя бы искусствоведом, но на Валерика влиять невозможно, он никого не слушает, кроме самого себя. Тут такие грозы гремели! Тем более Нина Максимовна всегда на стороне Валерика стояла, так хозяин то с ней скандалит, то с сыном.

— Откуда же вы узнали, что были скандалы и из-за чего, если вас выпроваживали? — спросил Селуянов, надкусывая очередной пирожок, на этот раз с грибами.

Действительно, потрясающе вкусно. Как можно было двадцать лет есть такие пирожки и ни разу не похвалить? Уму непостижимо!

— Шерлок Холмс сказал бы, что это дедуктивный метод, — Римма Ивановна лукаво посмотрела на Колю. — Хозяйка каждый раз расстраивалась ужасно, у нее мигрень начиналась и дня два не проходила, а мальчику — трын-трава, веселый, спокойный. И вот представьте себе, меня выпроваживают домой, на следующий день я прихожу и застаю хозяйку с мигренью, хозяина чернее тучи и вполне довольного жизнью мальчика. Что я должна подумать?

— А что вы должны подумать? — послушно повторил вслед за ней Селуянов.

— Что был скандал, это же очевидно. При этом если бы оба родителя ополчились на ребенка за какую-то провинность, то хозяева были бы вместе, а мальчик переживал бы и боялся. Хозяйка, допустим, с мигренью, а хозяин около нее хлопочет, водичку ей подносит, компрессы меняет, таблетки дает и всем своим видом показывает, вот, мол, паршивец, до чего родителей довел. Но нет, хозяева злились каждый по отдельности. Возьмем другой вариант: хозяин и хозяйка между собой скандалят, а ребенок ни при чем. Будет мальчик спокойным и веселым, зная, что между родителями происходит что-то страшное и непонятное, с криками и угрозами развестись? Не будет. Остается одно: Станислав Оттович ругается на сына, а мать его защищает. После этого хозяева злятся каждый в своем углу, а мальчик знает, что мама его всегда защитит, поэтому ему не страшно. Ну а уж насчет повода для этих скандалов... Это совсем просто. Я ведь прислуга, то есть на мне уборка и все такое. Кому, как не мне, видеть, чем мальчик в своей комнате занимается и что у него на полках, на письменном столе, под столом и на тумбочке. Кому, как не мне, каждый день подмечать, какие книги действительно открываются регулярно и читаются, а какие как положены на полку, так и лежат нетронутыми, и закладка в одном и том же месте находится.

Все это было замечательно, но пока не про то. Эти истории имели место, когда Валерий Риттер еще в школе учился и в институт поступать готовился, а Селуянова больше интересовала жизнь семьи после женитьбы молодого хозяина.

— После того как Валерик встал на ноги и хозяин понял, что сын сделал по-своему и переделать уже ничего нельзя, он от мальчика отстал. И от хозяйки отдалился. Вроде бы мир какой-то наступил, все успокоились, никто ни с кем не ссорился. Лет пять примерно меня ни разу не отсылали ни с того ни с сего, понимаете, Коленька?

Коленька понимал. Значит, в течение примерно пяти лет в семье не было ни одного скандала. А если и были, то глубоким вечером или рано поутру, когда домработницы еще нет.

— Потом Станислав Оттович умер, и почти сразу появилась Лариса. Валерик с ней на похоронах и познакомился, она была ученицей хозяина. Полгода приблизительно они женихались, потом поженились, и месяца через три началось.

— Опять стали отсылать? — догадался Селуянов.

— Опять, да не опять, — бросила Римма Ивановна загадочную фразу. — Тут все стало по-другому. Во-первых, Валерик. Он, в отличие от родителей, никогда барчуком не был и дистанцию со мной не держал, а то, что хозяева на это сердились, так ему было наплевать. А теперь и он эту манеру взял: Римма, вы на сегодня свободны. У меня обед не доварен, пироги в духовке, стиральная машина крутится — ничего не слушает. Идите, мол, Римма, и завтра у вас выходной. Какой выходной, когда завтра будний день? У меня выходные в субботу и воскресенье, как у всех нормальных людей. Нет, Римма, завтра не приходите. И так посмотрит, что я понимаю: лучше и вправду не приходить. Это во-вторых. Раньше меня только на время скандала отсылали, а теперь стали еще и на завтрашний день спроваживать.

— Очень интересно, — подбодрил ее Селуянов. — И в чем причина, вы догадались?

— Ну неужели не догадалась! — фыркнула она. — Я же прислуга, Коленька, а не гость в этом доме. Весь мусор через меня проходит, и все постельное белье, между прочим, тоже. Лариса оказалась наркоманкой и никудышной женой. Как только она в свободный полет уходит, так меня из дома вон, чтобы не видела, что она вытворяет. Пусть Валерик меня простит, но я все равно скажу, потому что Ларису убили и дело это серьезное. По простыням всегда видно, на них спят или еще чем-то занимаются. Я постельное белье меняю каждую неделю. Могу вам совершенно точно сказать, Коленька, что брачные ночи у них бывают раз в два-три месяца, а то и реже. И это при том, что ей двадцать пять, ему тридцать три и женаты они всего-то чуть больше двух лет. Это как, по-вашему?

— Это плохо, — вполне искренне согласился Коля. — А почему вы решили, что Лариса была наркоманкой?

— Много ума не надо, достаточно добросовестно убирать квартиру и уметь читать.

Все понятно. Ну и тетка эта Римма Ивановна! Клад, а не свидетель. Были бы все такими — проблемы раскрываемости бы не было.

— Не помните, упаковки от каких препаратов вы находили?

— Во-первых, помню, а во-вторых — вот! — она торжественно вынула из кармана красивого передника пустой флакончик из темного стекла. — Когда вчера вечером позвонил Валерик и сказал, что Ларису убили, Нина Максимовна заметалась, заметалась, а я первым делом в спальню прошла и Ларисину тумбочку проверила. Я же знала, что вы придете и будете меня спрашивать. Лариса неаккуратная была, пустые упаковки и флаконы никогда сама не выбросит, то в тумбочку прикроватную сунет, в ящичек, то в ванной оставит, то в кармане халата забудет.

286

Тьфу ты, незадача! Надо выемку оформлять, а то потом прицепится кто-нибудь: откуда флакон да оперативники его сами на улице нашли... Сам Селуянов позвонить следователю не может, он не включен официально в группу, работающую по делу, у него свой интерес — Люба Кабалкина. Ладно, сейчас он позвонит Короткову, пусть тот сам выкручивается. А препаратец-то сильный. И не из дешевых.

— Римма Ивановна, я слышал, что Станислав Оттович был трижды женат. Это правда или люди наговаривают?

— Правда, правда. Про первую его жену я ничего не знаю, это очень давно было, а вторая у него была актриса. Нина Максимовна как раз третья.

— И дети во всех браках были?

— Нет, в первом не было, а от актрисы у него дочка, Анита. Валерик с ней очень дружит, только вот в последние месяцы она что-то не заходит к нам.

— Что ж так? Поссорились?

— Да боже упаси, они по телефону все время разговаривают. Если Валерика нет, Анита с хозяйкой беседует. Они как одна семья стали. Раньше, при Станиславе Оттовиче, такого не было, а когда он умер, Анита снова всю семью собрала, неправильно это, говорит, когда родные люди живут как чужие.

— Это верно, — снова согласился Селуянов, нетерпеливо ожидая, когда же в рассказах Риммы Ивановны начнет мелькать имя Любы Кабалкиной. — Значит, Анита эта сблизилась с семьей Риттер, правильно?

— Сблизилась. И даже добилась, чтобы Нина Максимовна и ее мать, ну, актриса бывшая, стали друг к другу хоть как-то относиться. А то ведь они даже знакомы не были. Конечно, подругами они не стали, это уж понятное дело, но с праздниками друг друга поздравляют, с днем рождения, подарки через Аниту друг другу передают.

— А что же бывшая актриса? Так больше и не выходила замуж? — упорно гнул в свою сторону Николай.

—'Почему же, выходила. У нее и дочка есть от второго брака, Валерику ровесница, на несколько месяцев всего старше. Любочка. Чудесная девочка! Она теперь тоже с Валериком дружит и в гостях у нас бывает.

Да уж, чудесная девочка. Тридцать три года, финансовый директор фирмы, двое детей, причастность к убийству. Тоже еще, девочка...

— А Лариса с ними ладила? Как вообще у них складывались отношения?

— А никак. Они Ларисе были неинтересны. И она им тоже. Когда Анита или Любочка приходили, Лара посидит минут двадцать с ними, максимум полчаса, а потом уходит. Даже мне было видно, что ей с ними скучно. Аниту она старухой называла, все-таки двадцать лет разницы, а Любочку — клушей.

— Почему клушей? — заинтересовался Селуянов.

Ему было интересно все, что касалось Кабалкиной.

— Она полненькая такая, толстушечка, у нее двое деток, так она только про них и рассказывает, ну, сами понимаете, как любая любящая мать. Я, например, с удовольствием слушала, и Валерик, мне кажется, тоже. А вот Анита раздражалась. У нее своих-то нет, видно, она из-за этого переживает, и про чужих детей ей слушать больно. И вообще, Любочка такая добросердечная, за всех беспокоится, обо всех заботится, всем помогает. За это Лариса и называла ее клушей. Недобрая она была, Лариса. Людей не любила.

— А мужа? — наугад спросил Селуянов.

И попал. Совершенно неожиданно, вовсе не собираясь попадать в какую-то определенную цель. Просто язык сам повернулся, повинуясь инерции разговора, которому никак нельзя дать угаснуть и любую возникающую паузу нужно немедленно заполнять какими-то репликами.

Римма Ивановна внимательно посмотрела на него.

— Что-то вы долго тянули с этим вопросом, Коленька, я уж думала, вы никогда его не зададите.

— А надо было?

— Обязательно. Так вот, Лариса Валерика никогда не любила. Она его терпеть не могла. Не спрашивайте, откуда я знаю. Знаю — и все. Я прислуга, я знаю о своих хозяевах такое, что они сами про себя не всегда знают.

— Хорошо, я не буду спрашивать, — покладисто ответил Николай, про себя тут же добавив: «Пока не буду, но потом обязательно спрошу». — Зачем же Лариса вышла замуж за Валерия, если не любила?

— Чтобы он ее продвигал. Чтобы делал ей рекламу, чтобы платил за статьи о ней, чтобы платил за все остальное. Разве это не очевидно? Он мотается за границу по делам и обязательно пристраивает пару Ларисиных работ в какой-нибудь салон, авось кто заметит. Или дарит ее картины влиятельным людям и просит, чтобы те непременно при каждом удобном случае ее рекламировали. Валерик из-под себя выпрыгивал, чтобы как-то Ларису протолкнуть. А кто бы еще стал это делать? Только для этого она и вышла за него. Чистая корысть. Он и мастерскую ей купил на Чистых прудах, чтобы ей было где творить свои бессмертные картины.

В голосе Риммы Ивановны послышался нескрываемый скепсис, и Селуянов тотчас вцепился в ее последние слова.

— Вы хотите сказать, что Лариса не была талантливой художницей?

— Я хочу сказать, что совершенно неизвестно, чем она на самом деле занималась в этой своей мастерской. Может быть, она и талантливая, я в этом не понимаю, но одно ведь другого не исключает, верно, Коленька? Можно быть безумно талантливой и при этом водить в мастерскую любовников, делая вид, что старательно пишешь картину.

— Ах вот даже как, — протянул Селуянов. — Значит, у Ларисы был любовник?

— Ну, не знаю, любовник там или любовница, в этих ваших нравах современных сейчас не разберешься.

— Стоп-стоп-стоп, Римма Ивановна, только не надо делать вид, что вы совсем глупая темная баба и ничего не понимаете. Вы мне уже не раз продемонстрировали мощь своего интеллекта и выдающуюся наблюдательность. Значит, Лариса была лесбиянкой?

— Не знаю, наговаривать не хочу, но если жена не спит со своим мужем и при этом ей все время звонят какие-то женщины, которые не представляются и ничего не просят передать, то это наводит на определенные мысли. У каждой нормальной женщины, особенно молодой, должны быть подружки. Почему ни одна из них никогда не была у нас в доме, а, Коленька? Почему Лариса их не приглашала в гости? Почему она их прятала от мужа и от свекрови? Так я вам скажу, почему. Потому что боялась, что любой, кто увидит их вместе, сразу обо всем догадается.

Стало быть, наркоманка, лесбиянка, да еще и корыстная. Ничего себе коктейльчик. Такой выпьешь — мало не покажется. И где при таком раскладе искать убийцу, застрелившего Ларису Риттер из пистолета «беретта»? Среди наркоманов, заполонивших Москву? Среди лесбиянок, которых тоже немало? Или в ближнем окружении, в семейной, так сказать, среде, потому как ее выходки всем смертельно надоели? И в первую очередь мужу, который, если верить всезнающей домработнице Римме Ивановне, вгрохал кучу денег в раскрутку своей беспутной супруги.

* * *

Коротков сдался первым. Собственно, после звонка Коли Селуянова можно было уже и не темнить, а притвориться наивным и задавать вопросы. Что он и сделал.

— Валерий Станиславович, ваша жена болела?

— Чем? — недоуменно откликнулся Риттер.

— Не знаю. Чем-нибудь. Болезнями какими-то.

— Нет, Лариса была совершенно здорова, она же молодая женщина, откуда взяться болезням.

— Насколько мне известно, она принимала лекарства...

Коротков посмотрел на листок, куда вносил под диктовку Селуянова названия препаратов, упаковки от которых находила бдительная Римма Ивановна, и перечислил их, не отрывая глаз от записей.

— Для чего Лариса Сергеевна все это принимала, если ничем не болела?

Риттер молчал. Он был готов к чему угодно, только не к этому.

— Значит, так, Валерий Станиславович. Ваша жена была наркоманкой, только вы почему-то упорно пытаетесь это скрыть. Не понимаю, почему. Вы хотите запутать следствие? Ее наркомания позволяет выстроить целый ряд версий, объясняющих убийство, а вы молчите. Вы что, не хотите, чтобы мы нашли убийцу? Ваше поведение можно понять только в одном случае: если убили ее вы сами. Это так?

— Это не так, — твердо ответил Риттер без малейшего промедления. — Я понимаю, что вы хотите сказать. Вы правы, я веду себя глупо. Но в нашей семье всегда принято было не выносить сор из избы. Я привык скрывать Ларисино... пристрастие... О нем знали только мать и моя старшая сестра, даже домработница не знала.

«Да уж, не знала твоя домработница», — с каким-то непонятным злорадством подумал Коротков. Он вспомнил все, что торопливой скороговоркой поведал ему вполголоса Селуянов, и внезапно поймал мысль, которая до этого момента не приходила ему в голову. А если все дело не в наркомании, а в ревности? Вдруг Лариса Риттер была беременной, а муж точно знал, что не от него, потому что с момента последней близости прошло достаточно много времени? И вообще, если они редко занимались любовью, то по срокам могло не совпасть, это легче легкого высчитать. Домработница уверяет, что интимные отношения между супругами Риттер имели место крайне редко, во всяком случае в спальне. Хотя она много чего может не знать и даже не представлять себе. Возможно, она считает, что любовью люди занимаются только в постели и больше нигде... Но проверить стоит.

— Валерий Станиславович, мой вопрос может показаться бестактным, но поверьте, я задаю его не из праздного любопытства. Вы женаты... сколько?

— Два года. Два с половиной, — зачем-то уточнил Риттер.

— И у вас нет детей. Почему?

— Какие же могут быть дети от жены-наркоманки? — ответил он вопросом на вопрос.

Что ж, резонно. Почему-то Коротков сам об этом не подумал.

— Почему вы не лечили жену? Вы показывали ее врачам?

— Нет. Я уже объяснял вам, я не мог допустить огласки.

— Вы сказали, что в вашей семье это не принято. «Не мог допустить» — это несколько другое, согласитесь. Так почему, Валерий Станиславович?

— Я вам все объяснил. Больше мне нечего добавить. Если вы считаете, что я виноват в том, что не настоял на лечении Ларисы, я принимаю упрек. Но к убийству моей жены это не имеет никакого отношения. Юрий Викторович, я очень устал.

— Я тоже, — вздохнул Коротков. — Следователь поручил мне ознакомить вас вот с этим документом.

— Что это?

Риттер потер глаза, словно плохо видел, и невидящим взглядом уставился на бланк.

— Это подписка о невыезде. У следователя на текущий момент есть основания подозревать вас в убийстве жены.

— Но почему?

— Не знаю, Валерий Станиславович, — нагло соврал Юра, — вероятно, ему известно что-то такое, что неизвестно мне. Я таких оснований не усматриваю, но следователю виднее, он главный, как он скажет, так и будет. Мы вот тут с вами беседуем, а в это время целая группа оперативников опрашивает других свидетелей. Наверное, у них выплыла какая-то новая информация. К сожалению, ничего более внятного я вам сказать не могу.

— Понятно, — спокойно произнес Риттер. — Мне нужно это подписать?

— Да, распишитесь, пожалуйста, вот здесь, что вы ознакомлены. Из города, пожалуйста, никуда не уезжайте, даже на дачу, в противном случае вас могут задержать и заключить под стражу. Я надеюсь, у вас не запланирована срочная командировка за границу, в которую вы должны были улететь прямо сегодня?

Коротков, несмотря на усталость, снова не смог удержаться от ехидства.

— Я должен улетать завтра. Но это ничего не значит, я отменю поездку. Вместо меня полетит мой заместитель.

Риттер взял со стола ручку и быстро поставил подпись. Уверенные движения, руки не дрожат. Коротков сперва подумал, что Риттер непременно станет подписывать документ собственной ручкой, достанет из внутреннего кармана что-нибудь эдакое, фирменное, стоящее бешеных денег, как частенько делают состоятельные люди, брезгующие даже прикасаться к дешевым казенным канцтоварам. Но потом сообразил, что Риттер в смокинге, он же прямо с приема, а в смокингах ручки, как правило, не водятся. И никакой брезгливости на его лице Юра не заметил.

Он посмотрел на часы. Коля Селуянов уже должен был доехать до Аниты Волковой, старшей сестры Риттера. Стало быть, неутешного вдовца можно отпускать, если он и кинется о чем-то предупреждать сестрицу, все равно будет поздно. Мать, домработница и мадам Кабалкина уже опрошены, сейчас приедут Доценко и Зарубин, и до возвращения Селуянова можно будет подремать, притулившись на стульчиках. А когда появится Коля, обменяемся впечатлениями и все обсудим.

Коротков подписал пропуск Риттеру, несколько секунд смотрел на закрывшуюся за ним дверь, потом решительно набрал номер телефона следователя Ольшанского. Наверное, в десятый раз за сегодняшнее утро. И по крайней мере в пятый за то время, что разговаривал с Риттером. Каждый раз приходилось просить его выйти в коридор, но Риттер даже не поморщился. Интересно, это у него понимание милицейской специфики так развито или он считает, что солдат на вошь обижаться не должен, потому как что толку на нее обижаться? Вошь — она и есть вошь, тварь безмозглая и бесполезная, но, коль она существует, приходится ее терпеть.

— Константин Михалыч, это опять я. От медиков никаких известий нет?

— Экий ты, брат, скорый, — добродушно пророкотал в трубку следователь. — К вечеру будет основное, а на биохимию там всякую время потребуется. Флакон у домработницы Риттеров я изъял. Ты мне скажи, почему там вместе с твоим Мишкой Селуянов толчется? Он же год как от вас ушел. Опять самодеятельностью занимаетесь?

— Как можно, Константин Михалыч, — искренне возмутился Юра. — У Коли в работе убийство, по которому проходит Кабалкина, вот он и...

— Кто такая? — перебил его Ольшанский. — И при чем тут Риттер?

— Это длинная история, семейная сага, так сказать.

— А ты рассказывай, я все равно в машине еду, мне спешить некуда.

Коротков рассказал. Ольшанский — нормальный мужик, с ним можно не темнить.

— Да, напасть прямо какая-то на семью, — посетовал следователь, выслушав сокращенный до размеров резюме вариант семейной саги. — Каменская ваша где?

— Болеет она, ногу сломала.

— Ну, знаешь, братец, нога — не мозги. Если ты ее привлечешь, я возражать не буду.

— Так Афанасьев...

— ...это не Гордеев, — с усмешкой снова перебил Ольшанский. — Знаю, можешь не рассказывать. Но и мы с тобой не первый год вместе работаем. Ты меня понял?

— А Колька? — с надеждой спросил Коротков.

— Селуянов-то? Пусть работает, мы никому не скажем. Может, там есть за что зацепиться, чтобы дела объединить? Я бы взял, давно ничего интересного не было, все бандюки сплошь да нефтяники, скука смертная. А тут семейный подряд, интриги, сплетни. Есть где душе развернуться. Ладно, Коротков, заканчиваем треп, я к конторе подъехал. Если что — сразу звони, я у себя.

Юра точно знал, что чем дольше не везет, тем значительнее будет неожиданная удача. Ему не везло долго. Зато с Ольшанским работать — одно удовольствие.

* * *

Похоже, Коле Селуянову тоже долго не везло. Во всяком случае, получить за одно утро двух свидетелей, не пытающихся стыдливо замарафетить семейные тайны, — это удача редкая и не каждому оперу за всю его сыщицкую жизнь выпадающая. Сначала была Римма Ивановна Лесняк, которая все про всех знала и с удовольствием рассказывала, а теперь вот Анита Станиславовна Волкова, в девичестве Риттер.

— Сор из избы — это, конечно, верно, в семье моего отца это считалось неприличным. Но тут дело совсем в другом, — спокойно объясняла она Селуянову, отпивая неспешными глоточками зеленый чай из фарфоровой пиалы. — Валерий поставил перед собой цель раскрутить Ларису. Она хорошая художница, спору нет, но хорошо — это означает на «четыре», а художников-хорошистов в нашей стране, а тем более в Европе и в мире более чем достаточно. Чтобы стать знаменитым и богатым, нужно быть художником даже не на «пять», а на «семь», понимаете? До «семи» Лара, разумеется, не дотягивала. Но у Валерия было на этот счет свое мнение.

— А почему нужно было скрывать, что жена принимает наркотики?

— Да потому, что наркотические бредни всем давно надоели, — Анита Станиславовна досадливо поморщилась, и сперва Селуянов решил было, что она недовольна его тупостью, а потом сообразил, что этой гримаской она выражает свое отношение к тем самым наркотическим бредням. — Мода на наркотики и вдохновленное ими творчество прошла. Если бы стало известно, что Лариса наркоманка, интерес к ее картинам мгновенно потух бы.

— Значит, какой-то интерес все-таки был?

— Очень незначительный, да и тот весь от начала до конца сделан руками Валерия. До сих пор считалось, что Ларисино видение мира, отраженное в ее полотнах, — это выражение ее оригинальности и нестандартности. На этом можно было играть, это можно было продвигать. Но при условии, что никто — понимаете? никто — никогда не узнал бы, что она принимает наркотики и все ее картины не что иное, как наркотические галлюцинации. Тогда это перестало бы быть интересным и модным.

— Ну хорошо, пусть надо было скрывать от всех, но лечить-то ее можно было? Анонимно, никто и не узнает. Врачи все-таки соблюдают тайну пациентов.

— Врачи — да, а все остальные? Николай Александрович, вы живете в мире иллюзий. В наше время невозможно сохранить ни одну тайну, уж вам-то это должно быть известно. Не зря же существует пословица: пока знает один — знает один, когда знают двое — знают все.

— В общем, конечно, — не мог не согласиться Селуянов.

— И еще одна немаловажная деталь... Вам чаю подлить?

— Спасибо, не нужно. Чуть позже, если можно, — благородно отказался Коля, строя из себя воспитанного. На самом деле после сверхобильного завтрака, которым попотчевала его Римма Ивановна на кухне в квартире Риттеров, он уже не мог смотреть ни на еду, ни на питье. Однако и отказаться от предложенной чашечки чаю он не рискнул, не дай бог хозяйка обидится и контакта не получится, так что первую и пока единственную порцию зеленого чая он тянул по капле. — Вы хотели сказать про важную деталь.

— Да. Если бы Ларису начали лечить и, может быть, даже вылечили, то что стало бы с ее полотнами?

— А что с ними стало бы? — не понял Селуянов.

— А вот этого никто не знает. Вполне возможно, они остались бы такими же свежими и самобытными. Но ровно настолько же возможно, что Ларисины работы превратились бы в обычные ремесленные поделки, которые не то что продвигать куда-то и выставлять в салонах, а даже в художественной школе стыдно показывать. Откуда ее самобытность и оригинальность, от природы или от стимуляторов? Кто может точно знать?

— То есть вы хотите сказать, что Валерий Станиславович умышленно не лечил жену от наркомании?

— Я думаю, что так оно и было, — печально произнесла Волкова. — Мне неприятно об этом говорить, но, раз Лара погибла, нужно наконец расставить все точки над «i». Господи, сколько раз я говорила с Валерием, убеждала его, что нужно прекращать разводить эти тайны мадридского двора вокруг Ларисы, черт с ней, с живописью и мировой славой, если девочка пропадает на глазах! Пусть она не станет знаменитой художницей, но зато будет здоровой и живой.

— А что вам отвечал на это ваш брат?

— Чтобы я не лезла не в свое дело. Он не выбирал выражений и всегда отличался прямотой. Но поймите же... — Она вдруг так посмотрела на Николая, словно именно от него зависело решение вопроса, лечить Ларису Риттер от наркомании или нет. Взгляд был умоляющим и полным неподдельной боли. — ...поймите, все это было бессмысленным, все это не имело никакой перспективы, кроме единственной — трагической.

— Почему? — осторожно спросил Селуянов, чувствуя, что сейчас должно прозвучать что-то важное, и опасаясь это важное спугнуть.

— Потому что Лариса была не особо разборчива в связях, как, впрочем, все наркоманы. Она приводила к себе в мастерскую бог знает кого, и в любом случае огласка была неизбежной. Кроме того, она была еще и лесбиянкой, и ее партнерши тоже приходили в мастерскую. Так что все прекрасно знали, кто она и что.

— Насчет лесбиянки... — Коля сделал вид, что ошарашен, хотя Римма Ивановна своих подозрений от него не скрывала. — Откуда вы это знаете? Может, досужие сплетни?

— Николай Александрович, неужели я похожа на человека, который будет пересказывать сплетни?

— Нет, — честно ответил он.

Потому что Анита Станиславовна Волкова на такого человека совершенно не была похожа. Ну просто ни капельки.

— Несколько месяцев назад Лариса впервые сделала мне вполне недвусмысленное предложение. Я надеюсь, вы пощадите мое достоинство и не заставите пересказывать эту отвратительную сцену в деталях. Мне удалось сделать вид, что я ничего не поняла. Но спустя очень короткое время все повторилось. А потом еще раз и еще. После этого я перестала бывать у брата, если Лара была дома. Мне неприятно было с ней сталкиваться. А недавно, буквально на прошлой неделе, мы с Валерием вместе обедали в рестоне на Чистых прудах, совсем рядом с мастерской. И зашли к Ларисе.

— Зачем? — быстро спросил Селуянов. — Это он вас уговорил пойти?

— Нет, что вы, это вышло совершенно случайно. Хотя идею подал он, тут вы не ошиблись. Я сильно натерла ноги, до крови, новые туфли надела, — Волкова чуть смущенно улыбнулась, словно признавая, что такой умной и красивой женщине не пристало делать столь глупые ошибки и надевать новые туфли, не разносив их предварительно в домашних условиях. — Мне нужно было срочно купить пластырь и заклеить ноги, и Валерий предложил зайти к Ларисе, это близко. Мне, честно признаться, очень не хотелось с ней встречаться, но боль оказалась сильнее, чем мои предпочтения. Во всяком случае, я была уверена, что при муже она ничего такого себе не позволит. И потом, визит был бы всего на несколько минут.

— И что случилось в мастерской? Ведь там что-то случилось, верно?

— Верно. Лариса на звонки в дверь не открывала, и Валерий открыл своим ключом. Короче... Он был в ужасе от того, что увидел.

— Что именно?

— Ларка крепко спала в объятиях какой-то девицы. Обе голые, под одеялом. Можете себе представить состояние Валерия?

— С трудом, но могу. Что он сделал?

— Ничего. Подошел поближе, посмотрел внимательно и ушел. Вернее, нет, он ждал, пока я в ванной ноги заклею пластырем, потом мы ушли вместе.

— То есть он не стал ее будить? Не стал ничего выяснять?

— Николай Александрович, надо знать Валерия. Зачем он станет ее будить? Что он будет выяснять? И что она может ему ответить? Что ничего не было и ему все приснилось? Он получил информацию и сделал выводы, вот и все. Но, конечно, он был в шоке. Мне-то было легче, я уже знала, что Лариса предпочитает женщин, а Валерий оказался совершенно не готов к тому, что увидел.

— И какие же выводы сделал ваш брат?

— Выводы?

Волкова приподняла красиво очерченные брови и взглянула на оперативника с искренним непониманием.

— Вы сказали только что, что Валерий Станиславович получил информацию и сделал выводы. Какие?

Ну вот, с тоской подумал Коля, глядя на красивую стройную женщину, которая только что целый час свободно и без раздумий отвечала на его вопросы и внезапно словно лицом потемнела, погасла как-то. Вот мы и добрались до той критической точки, когда свидетель вдруг понимает, что наговорил лишнего, и начинает судорожно и неловко искать пути отступления, чтобы дезавуировать уже сказанное и не сказать больше ничего. А он-то, Селуянов, губы раскатал, обрадовался, думал, что Волкова окажется такой же, как домработница Риттеров, с удовольствием вываливающей перед сыщиками все свое информационное богатство. Рано радовался, Николаша, рано ручонки потирал, не бывает таких удач у сыщиков, и у тебя не будет.

Волкова продолжала молчать, пить чай и задумчиво глядеть на висящую на стене фотографию, на которой была изображена девочка-подросток в старинном платье с гитарой в руках.

— Анита Станиславовна, — начал мягко подкрадываться Коля, — я понимаю ваши затруднения, ведь речь идет о вашем брате, к которому вы привязаны, которого вы искренне любите. Но если вы станете чего-то недоговаривать, у меня появятся подозрения. Понимаете?

Она молча кивнула, не отводя глаз от фотографии.

— Если ваш брат ни в чем не виноват, то зачем вам нужно, чтобы я его подозревал? Совсем это ни к чему ни вам, ни мне, ни тем более ему. Я начну проверять свои подозрения, потрачу время и силы, истреплю нервы вашему брату, все окажется впустую, а настоящий убийца будет гулять на свободе. А если Валерий Станиславович каким-то образом причастен к убийству своей жены, то получится, что вы покрываете преступника. Тоже как-то не очень здорово, согласитесь. Так к каким выводам пришел ваш брат после того, как застал жену с любовницей?

Анита перевела глаза на Селуянова. Взгляд у нее был очень серьезным и сосредоточенным.

— Хорошо, я скажу. Но если вы сделаете из этого неправильные выводы и Валерий из-за этого пострадает, я себе этого не прощу. Он понял, что ситуация с Ларисой вышла из-под контроля, что ее больше нельзя считать чем-то вроде тихого домашнего пьяницы, что в мастерскую приходят случайные люди, что информация о ее склонностях в любой момент может начать распространяться со все увеличивающейся скоростью, что она ведет за пределами своей квартиры совсем другую жизнь. И что если это немедленно не остановить, то все дальнейшие усилия по продвижению ее творчества уже не будут иметь никакого смысла. А Валерий вложил в раскрутку очень большие деньги, я вам уже говорила. И все это пропадет, все это больше никогда не окупится.

Она снова замолчала, но на этот раз взгляд не отвела, продолжала смотреть Селуянову прямо в глаза. От этого ему стало неуютно и как-то зябко.

— Смерть всегда забирает самых лучших, — внезапно тихо проговорила она. — Вы понимаете, насколько отвратительна и оскорбительна эта фраза?

Селуянов понимал. Он слышал эти слова много раз, особенно на панихидах, на похоронах криминальных авторитетов. Да и по телевизору это говорили частенько, если погибал кто-то из молодых журналистов. Можно подумать, что те, кому посчастливилось дожить до глубокой старости, все сплошь бесталанные сволочи, а вот кто умный, хороший и талантливый, тот непременно умрет молодым. И можно подумать, что смерть в конце концов забирает не всех. Глупость несусветная. Волкова права, фраза, ставшая такой расхожей и широко употребляемой, на самом деле глубоко безнравственна. Каково ее слышать тем, кто остался жить? Получается, коль они живы до сих пор, то они — самые худшие? Интересно, неужели сами журналисты, с пафосом произносящие эту чушь с экранов телевизоров, этого не понимают? Совсем безмозглые, что ли? Коля вдруг вспомнил, как трагически погиб сорокалетний известный тележурналист, и именно эту фразу со слезами на глазах почти выкрикнула ведущая теленовостей. А накануне вся театральная общественность торжественно отмечала столетие прекрасного артиста, которому посчастливилось сохранить себя к этому дню настолько, что он сам, без посторонней помощи вышел на сцену и общался с публикой. И Селуянов тогда, помнится, особенно остро почувствовал всю разнузданную оскорбительность тезиса о том, что смерть всегда забирает самых лучших.

Но не менее интересно и другое. Почему об этом заговорила Волкова? Потому что Лариса Риттер никак не может относиться к этим «самым лучшим» и смерть пришла к ней вполне заслуженно? Или она имела в виду что-то иное?

— Я понимаю, что вы хотите сказать, — Селуянов двигался ощупью, ибо совсем даже и не понимал, что именно хочет сказать ему старшая сестра Валерия Риттера.

— Я рада, что вы понимаете. Но у этой фразы есть еще один смысл.

— Какой?

— О мертвых или хорошо, или ничего. И этот второй смысл очень часто эксплуатируется не вполне добросовестно. Вы и теперь меня понимаете?

Селуянов похолодел. Вот, оказывается, что пытается ему объяснить Анита Станиславовна! Она хорошая сестра, любящая и преданная. Но она и разумный человек, честный и порядочный, она понимает, что речь идет не о мелочовке вроде не отданного вовремя долга размером в сто рублей и не о банальном адюльтере, а об убийстве.

— Да, мне кажется, я вас понял. Я ценю вашу деликатность, Анита Станиславовна. Но я хотел бы все-таки спросить: вы точно знаете, что ваш брат подумал именно так? Это очень важно, поймите. Я должен быть уверен.

— Он не только подумал об этом. Он произнес это вслух. Простите, Николай Александрович, мне тяжело продолжать этот разговор...

* * *

Сергей Зарубин возвращался на Петровку с тяжелым сердцем. Полтора часа, девяносто минут беспрерывных слез кого хочешь повергнут в состояние уныния. А уж если рядом с рыдающей матерью толкутся двое малышей, которые заражаются ее настроением и тоже начинают голосить, потому что любому ребенку становится страшно, когда мама так безутешно плачет, то этот сюжет может выдержать только обладатель исключительно крепкой нервной системы.

Зарубин, конечно, слабым не был. Он был нормальным. И поэтому ему было тяжело.

Кабалкина оплакивала Ларису. Они не были близки и уж тем более не были подругами, но Лариса для нее была членом семьи, женой Валерия. Ничего существенного, проливающего свет на преступление, она не рассказала, кроме того, что и так уже было известно из бесед с другими людьми: Лариса была наркоманкой, а Валерий это от всех скрывал и поэтому не принимал мер к тому, чтобы лечить жену. О том, что Лариса Риттер делала сексуальные поползновения в сторону Аниты, Кабалкина тоже знала. Короче, ничего нового.

И только под самый конец, когда Зарубин уже собрался было уйти, Любовь Григорьевна не выдержала. Видно, нервы сдали окончательно. Она разрыдалась так отчаянно, что Сергей, уже натягивавший в прихожей куртку, остановился.

— Люба, ну что же вы так убиваетесь, — сочувственно проговорил он и осторожно погладил ее по голове.

Этого оказалось достаточно, чтобы ее буквально прорвало.

— Я не могу больше, я должна кому-нибудь рассказать, ну хоть кому-нибудь, иначе я сойду с ума! Можно, я вам расскажу? Может быть, вы мне поможете?

Сергей мгновенно повесил куртку на крючок и повел Кабалкину назад в комнату, осторожно поддерживая ее за плечи. Ну вот, наконец-то, не напрасно он вытерпел этот беспрерывный плач в три голоса. Сейчас она ему все и расскажет. Или про Ларису Риттер, или про кинезиолога Аничкову, Коле Селуянову на радость.

Боже мой, как он ошибался! Жестоко и зло. Захлебываясь и сморкаясь, Любовь Григорьевна Кабалкина поведала Сереже Зарубину, что у нее пропал любовник. Был, был — и вдруг пропал. Ни один его телефон не отвечает, и она совершенно не представляет, что ей делать и где его искать.

— А в милицию-то вы обращались? — скучно спросил Зарубин, думая только о том, как бы побыстрее унести ноги.

— Нет. Он за границей. Он иностранец.

— Люба, можно я дам вам совет на правах мужчины? Плюньте вы на него. Плюньте и забудьте. Мужчины просто так не пропадают, поверьте мне.

— Но вдруг с ним что-то случилось?

— Послушайте меня, Люба, — он уже терял терпение, горевал о своих несбывшихся надеждах и мечтал о том, как уйдет отсюда и не увидит больше опухшего заплаканного лица, — если мужчина относится к женщине серьезно, по-настоящему серьезно, он всегда позаботится о том, чтобы

304

ей вовремя сообщили все, что необходимо. Даже когда случается самое страшное, всегда находятся люди, которые знают, что есть женщина, которую надо поставить в известность. Ну поверьте же мне, если о вас в окружении вашего возлюбленного никто ничего не знает, если вашего имени, телефона и адреса нет в его записной книжке, это означает, что он не имел в виду продолжать ваши отношения. Это горько осознавать, я понимаю, но это так. Просто так мужчины не исчезают из поля зрения женщин, которых они любят.

— Вы жестоки, — прошептала Любовь Кабалкина, переставая плакать и вытирая лицо мокрым насквозь платком.

— Вы обещаете подумать над тем, что я сказал?

Она кивнула и снова всхлипнула. Внезапно Зарубину пришло в голову, что ситуацию он использовал не до конца. А ведь чуть было не ушел... Про Селуянова-то совсем забыл, а еще друг называется.

— Люба, когда мы с вами встречались на прошлой неделе, вы сильно нервничали и, как мне показалось, ждали телефонного звонка. Это из-за него, да? Вы ждали звонка от своего возлюбленного?

— Да. Он позвонил мне в воскресенье, это было в последний раз... И потом все, ни слуху ни духу.

— Такое случилось впервые? Он раньше никогда вот так не пропадал?

— Пропадал... один раз. Летом еще.

— Ну и что, нашелся?

— Да, — она снова кивнула.

— Вот видите. И сейчас найдется.

— А если нет? — Она посмотрела так затравленно, что у Зарубина сердце дрогнуло. Ему стало жаль ее, несчастную, брошенную любовником мать двоих детей. Он хорошо понимал, что даже если этот тип снова найдется, то очень скоро опять пропадет. И на этот раз уже окончательно.

А скорее всего, он и в этот раз не отыщется. Мужчина, который позволяет себе таким вот образом «пропадать», никак не может относиться серьезно к женщине, из поля зрения которой он исчезает. Ну просто никак. Ни один любящий мужчина себе этого не позволит.

— А если нет, то и бог с ним, — ответил Сергей очень серьезно. — Значит, он вас не любит. И он вам не нужен. Люба, мне кажется, вам нужно обратиться к психоаналитику.

Он сказал это без всякого перехода, даже без подготовки. Просто бухнул на ровном месте. И с любопытством ждал, что же будет дальше.

— К психоаналитику? Зачем? Вы думаете, я сумасшедшая, если я так волнуюсь за своего... за своего жениха? Вы считаете, что это ненормально — волноваться за того, кого любишь?

— Нет, волноваться — нормально, — поспешил успокоить ее Зарубин, — но в тот момент, когда вы осознаете, что вы расстались навсегда, вам понадобится помощь специалиста. Вы очень чувствительный человек, очень эмоциональный, сейчас вы просто не можете смириться с мыслью о том, что он вас бросил и вы больше никогда не увидитесь. Но придет время, когда вам нужно будет это признать, вы больше не сможете скрывать эту неприятную правду от себя самой. И вот тут вы можете не выдержать. У вас есть знакомые психоаналитики или психологи?

Она отрицательно покачала головой и снова заплакала, на этот раз тихонько и жалобно.

— А вообще вы когда-нибудь обращались к таким специалистам?

— Нет. Мне не нужно было.

Сергей нащупал в кармане визитную карточку Аничковой, которую дал ему Селуянов. Место он уже присмотрел, вот здесь, на подоконнике, где свалены в кучу газеты, журналы и мелькают какие-то разрозненные листочки с разными записями и несколько визитных карточек. Хорошо, что у Кабалкиной маленькие дети, в доме, где есть дети, никогда не бывает идеального порядка. Чистота бывает, а порядка — никогда.

Он ловко вытащил карточку из кармана и бросил на подоконник. Люба продолжала плакать, уткнув лицо в платок.

— А мне кажется, я тут у вас видел визитную карточку какого-то психолога... Еще в прошлый раз видел... Или мне показалось?

— Не знаю, — провыла Кабалкина, не отрывая платка от лица.

— Погодите-ка, вроде где-то на подоконнике...

Она замолкла, подняла голову и тупо посмотрела на него.

— Господи, какая еще карточка! Ларку убили... И он пропал...

— Да вот же она!

Зарубин радостно выхватил карточку из бумажной кучи, сваленной на подоконнике, и протянул Любе.

— У меня глаз — алмаз, я же точно помню, что видел ее. Видите, Аничкова Галина Васильевна, психология, кинезиология. Это ваша знакомая? Почему бы вам к ней не обратиться?

— Ах, эта... — Люба снова всхлипнула. — Она умерла. Вернее, ее убили, недавно совсем.

— Какой ужас, — сочувственно протянул Зарубин. — Вы ее хорошо знали?

— Ни разу не видела. Наш зам по персоналу ее нанял, чтобы она с нами занималась, если кому-то нужно. И карточки всем раздал.

— И что, кто-то ходил к ней?

— Ходили, наверное. Я точно не знаю, никто ж рассказывать не будет.

— А вы почему не пошли?

— А зачем? У меня все в порядке. То есть я думала... В общем, неважно...

Она снова затеялась плакать, но на этот раз Зарубин не дал ей увлечься любимым занятием.

— Люба, — строго сказал он, — у вас были проблемы, и они есть до сих пор, это очевидно даже мне. Вам предложили помощь специалиста. Почему вы отказались? Почему не пошли к ней? Или вы все-таки ходили к ней, но теперь стесняетесь мне признаться, потому что думаете, что пользоваться услугами психоаналитика стыдно? Боитесь, что вас будут считать сумасшедшей? Любочка, вы мать, у вас растут дети, и вы должны заботиться о том, чтобы сохранить себя в нормальном состоянии еще долгие-долгие годы. Если есть проблемы, которые мешают вам жить, вы просто обязаны с ними разбираться, чтобы не превратиться в инвалида и не стать обузой для своих детей...

Он нагнетал обстановку, плел что-то невероятное, пугал Кабалкину, уговаривал, обманывал, подавливал, и чем дальше, тем больше убеждался в том, что Любовь Григорьевна действительно к Аничковой не ходила. Никакой реакции ни на имя психолога, ни на упоминание ее адреса, ни на рассказы о ее убийстве и о беспутном племяннике.

Или Кабалкина актриса каких поискать, или она и в самом деле в этом преступлении не замешана.

А кто тогда замешан? Кто договаривался с Аничковой о встрече, назвавшись Любовью Кабалкиной из фирмы «Планета»? Кто велел племяннику вырвать листок из ежедневника? И в конце-то концов, кто ее убил?

Ладно, Селуянов придумал какую-то комбинацию, вчера он как следует напугал Кабалкину, сегодня попросил Зарубина еще подлить масла в огонь, теперь будет ждать, что Кабалкина предпримет. Возле дома мальчонка пасется, наверное, тот, о котором Селуянов предупреждал, так что, ежели Любовь Григорьевна куда соберется, все будет под контролем.

Посмотрим. Свою часть работы Зарубин сделал, можно ехать отчитываться.

Только вот на душе тяжело — просто невыносимо.

Глава 12

Утро, начавшееся так славно, к полудню перешло в сплошную нервотрепку.

Чистяков поднялся ни свет ни заря, чтобы не опоздать на работу, Настя же, пренебрегая обязанностями хорошей жены, проспала до девяти и посмотрела очень интересный сон, вместо того чтобы приготовить мужу завтрак и проводить его до крыльца.

День обещал быть недождливым и даже полусолнечным, Настя отлично выспалась и с большим удовольствием наверстала двухдневный план по пушистым воздушным булочкам, на которые вчера утром даже смотреть не хотела. Масла и джема при этом было употреблено весьма немало. Изрядно, можно сказать, употреблено.

Посмеиваясь над собой, она надписала и расклеила по всему первому этажу бумажки с надписью «Снять с охраны». Полюбовалась на расцвеченный желтыми квадратиками дизайн и завалилась на диван с намерением предаться очередному этапу «разгребания хлама», как называл эту умственную работу Павел Дюжин. Ей удалось за несколько дней упорного труда «простить и отпустить» и начальника, и саму себя, но вот с гордыней предстояло повозиться как следует. Настя даже не ожидала, что этого замечательного греха в ней окажется так много, и у нее возникало ощущение, что она словно выгребает его из себя лопатой, а он все не кончается и не кончается. Она старательно вспоминала всю свою жизнь, выискивая обиды, когда ей казалось, что с ней обошлись не так, как она того заслуживала, она же была такой хорошей и сделала все правильно, а ее не оценили, не похвалили, а иногда даже и ругали. Она вытаскивала на поверхность все ситуации, когда пыталась думать и решать за других и настаивать на правильности своей точки зрения. С ужасом и отвращением вспоминала она, как мучилась подозрениями в адрес отчима и как ненавидела себя за недоверие к близкому человеку, при этом ни словом не обмолвившись об этом Чистякову. Почему? Сейчас она уже не помнила этого отчетливо, прошло несколько лет. Кажется, она была уверена, что он не поймет ее страданий. Или боялась упасть в его глазах, не хотела выглядеть дурой, легко пошедшей на поводу у первого же подозрения. Одним словом, заранее за него решила, что и как он будет думать и чувствовать. Она же такая умная, так хорошо изучила характер своего мужа и знает про него все заранее. И что же это, если не гордыня? Она, матушка, она самая и есть. Высказать себе все, попросить прощения у Лешки, простить себя...

На память пришла фраза из популярного фильма: «Прости ты меня, дуру глупую!» Настя невольно улыбнулась, и на ближайшие несколько часов это оказалось последним мгновением легкой и теплой радости.

С дивана ее поднял телефонный звонок.

— Доченька, — послышался уверенный голос матери, — я устроила тебе консультацию у очень хорошего врача. Тебе нужно быть у него сегодня с четырех до пяти, он будет ждать. Запиши адрес.

— Какого врача? Зачем? — растерялась Настя.

— Как это зачем? У тебя так долго не проходят боли, и ваши врачи в госпитале не знали, почему. Значит, нужно показаться специалисту, который в этом разбирается. Это очень хороший врач, я попросила...

Далее следовал длинный перечень знакомых, через которых матери удалось договориться о консультации. Сегодня с четырех до пяти.

— Мам, да у меня все в порядке, — Настя еще пыталась сопротивляться, хотя умом понимала всю бесполезность этой затеи. — С чего ты взяла, что у меня боль не проходит? Она проходит, честное слово.

— Ты никогда не говоришь мне правду, я тебя знаю, — безапелляционно заявила мать. — Ты же никогда не пожалуешься, у тебя всегда все в порядке, а я видела, как ты мучилась, когда в госпитале лежала. Если бы с ногой все было в порядке, ты бы ходила гораздо лучше.

— Но я же за городом! Как я буду добираться?

— Попроси Алешу, пусть приедет и отвезет тебя.

— Он работает...

Не рассказывать же маме, что случилось позавчера, и как она боялась, и как Лешка приехал ее спасать посреди рабочей недели, и что он только недавно уехал и было бы совершенно бессовестным заставлять его немедленно разворачиваться и ехать назад, чтобы везти ее в Москву к доктору. Матушка не должна беспокоиться за нее, Настя давно уже выбрала для себя роль дочери, у которой «все в порядке».

— Значит, вызови такси. Настюша, не надо нагромождать проблемы там, где их нет. Вот с ногой у тебя действительно проблемы, и ты должна ими заниматься, а транспорт — вопрос абсолютно решаемый. Съезди к врачу и вечером обязательно позвони мне, что там и как.

Настя покорно записала адрес и имя врача. Ну и влипла же она! Не ехать — мама смертельно обидится, вон сколько людей она на ноги подняла, чтобы найти самого-самого крутого специалиста по переломам. И все эти люди будут ворчать и на маму, и друг на друга, мы, мол, договаривались, искали, просили, а больная не явилась на прием. Придется ехать.

Но как, интересно знать? Все, кого можно попросить помочь, работают, и срывать их с места вот так, с бухты-барахты, просто неприлично. Может, и в самом деле вызвать такси? Водитель отвезет ее к врачу, подождет, сколько нужно, и привезет обратно. Интересно, сколько это может стоить? Еще небось и не каждая фирма подает машины в область. Ладно, нечего рассуждать на пустом месте, надо брать телефонную книжку, где записано штук пять телефонов разных фирм, и начинать обзвон.

Настя потянулась за книжкой, которая еще со вчерашнего вечера лежала на видном месте, и обнаружила приклеенный к обложке листочек-стикер, на котором ее же почерком было выведено: «Самарин Валентин Николаевич», адрес и домашний телефон. А что, если попросить его? Уж ему-то, должно быть, совершенно все равно, куда ехать.

Настя быстро набрала номер и услышала в трубке женский голос:

— Его нет, он будет только поздно вечером.

— Вы не подскажете, как с ним можно связаться? — спросила Настя. — Может быть, у него есть мобильный телефон?

— Простите, а с кем я говорю?

Хороший вопрос. Еще бы понимать, как на него нужно отвечать. Вернее, как на него можно отвечать.

— Меня зовут Анастасия Павловна. — Ей казалось, что так будет вполне нейтрально. Кто его знает, этого временно безработного филолога, рассказал он жене, или кто там у него снял трубку, о своем вчерашнем приключении с колесом и о новых знакомых, к которым он обещал приезжать после обеда, или умолчал.

— Ах, Анастасия! — В голосе женщины явно прозвучала радость узнавания, и Настя с облегчением перевела дух. Значит, рассказал. — Это с вами он вчера познакомился?

— Со мной, — подтвердила она.

— Валя мне сказал, что он приедет к вам часов в пять.

— Это верно, но мне нужно с ним связаться. Это возможно?

— Конечно, конечно, запишите номер.

Ну вот, уже легче. Значит, человек, который вчера был у них, действительно Самарин, он назвался своим именем, а не чужим. Теперь растаяла последняя крошечка подозрения, все еще остававшаяся у Насти.

Самарин с готовностью откликнулся на просьбу изменить график, приехать в Болотники и отвезти Настю в город, к врачу, а потом доставить назад.

— Ну что вы, никакого беспокойства, мне ведь все равно нужно ездить, набирать объем тренировок. В котором часу вы должны быть у врача?

— С четырех до пяти.

— Как вы думаете, во сколько нам нужно выезжать из Болотников?

— Наверное, в половине третьего.

— Договорились, в два я буду у вас. Вы нальете мне чашку чаю, и в половине третьего будем выдвигаться.

Интересно, он в самом деле имеет в виду только чашку чаю или рассчитывает на что-нибудь посущественнее? Настя поплелась на кухню и обозрела содержимое холодильника. Себе на обед она запланировала сладкую творожную массу и пачку простокваши, уже с утра свеженькое принесли. А если вдруг придется кормить-угощать, то чем? Господи, ну за что ей вся эта головная боль? Она собиралась так славно провести день в тишине, покое и размышлениях, подумать, погулять, полежать, потом пообщаться с новым знакомым, который скрасит ей тревожное напряжение вечера, проведенного в одиноко стоящем загородном доме. А что получила вместо этого? Разбитый день. Нарушенные планы. Какого-то врача, к которому ехать совершенно не хочется, а главное — не нужно. Нога поправляется, ходит Настя с каждым днем все легче и дольше, и все идет как надо. Мама всегда была уверена, что лучше знает, что именно и когда именно нужно ее дочери. Она хочет помочь Насте, она сделала это из любви к ней, а в результате доставила ненужные хлопоты. И еще сто пятьдесят долларов за консультацию придется выложить. Матушке, разумеется, и в голову не пришло поинтересоваться, есть ли у Насти при себе такие деньги. Они, конечно, были, Лешка оставил ей на всякий случай, мало ли что, а вовсе не для того, чтобы она их тратила на то, в чем абсолютно не нуждается. Ну почему так нелепо получается?

И еще Настя злилась сама на себя из-за того, что испытывает раздражение на мать. В общем, вместо положительных эмоций — сплошной негатив.

В начале второго она начала готовиться. Вытащила из большой дорожной сумки джинсы, критически оглядела их и решила, что гладить, пожалуй, не нужно. Все эти дни она так и ходила в спортивном костюме, в который влезла еще в госпитале, и джинсы показались ей какими-то чужими и непривычными. В той же сумке лежали два «приличных» свитера, Настя никак не могла решить, какой именно надеть, и от этого сердилась и раздражалась еще больше. Один черный, короткий и теплый, другой — белый, длинный и тонкий. Наверное, все-таки теплый, чай, не лето на дворе, осень кончается.

Тяжело вздохнув, она сняла спортивные брюки и стала натягивать джинсы. И обомлела.

Между пуговицей и петлей на поясе появилось расстояние сантиметров в пять, которое не сокращалось. Настя решила в первый момент, что за полтора месяца потеряла квалификацию в многотрудном деле надевания джинсов, и потянула сильнее. Расстояние стало чуть меньше, но не настолько, чтобы штаны можно было застегнуть. И замок на «молнии» дошел только до середины своего скорбного пути, после чего намертво остановился. И не потому, что сломался, нет, он был целехонек.

Вот они, пушистые булочки с маслом и джемом, килограммы шоколадных конфет, многочасовое лежание на диване и крепкий здоровый сон. А еще многодневное пребывание на больничной койке при минимуме движений и постоянном погрызании чего-нибудь вкусненького. Коварные спортивные брюки на резинке все это время хранили молчание, ничем не намекнув своей хозяйке на катастрофическое разрастание объемов талии и бедер.

Ну и что теперь делать со всем этим телесным богатством? Во что его упаковывать? Все в тот же спортивный костюм? Она бросила взгляд на сиротливо валяющиеся на полу мягкие бирюзовые брюки и внезапно испытала приступ ненависти и к ним, и к себе самой. Дура, обжора, растолстела на черт знает сколько сантиметров и килограммов, теперь надеть нечего. И штаны эти дурацкие, с темно-синими полосками по бокам, она уже видеть не может.

«Буду носить джинсы, — со свирепой решимостью подумала Настя. — Пусть мне в них будет неудобно лежать, мне же хуже. Пусть они мне тесны, зато я каждую минуту буду помнить о том, что нужно сбрасывать вес и худеть до прежнего размера. Вот прямо сейчас и начну. И пусть мне будет хуже».

Джинсы сидели на ней так плотно, что не спадали, даже будучи расстегнутыми. Закусив губу от злости, обиды на весь кулинарно-кондитерский мир и от боли, Настя потащилась на второй этаж. Наверняка в шкафу у Дюжина есть какой-нибудь ремень для джинсов.

Ремень нашелся. Настя вдела его в петельки на поясе, застегнула и почувствовала себя немного увереннее. Теперь штаны точно не свалятся. Заодно и проблема выбора свитера решилась сама собой. Какой же может быть короткий свитерок при незастегнутых штанах? Конечно, только длинный. В котором она точно замерзнет. Ну и пусть. Пусть ей будет хуже. Сама виновата. Нечего было конфеты горстями глотать. И больше никаких булочек, только черный хлеб и галеты. И обедать она сегодня не станет, все равно от расстройства аппетит пропал. А какое хорошее настроение у нее было с утра! Ни следа не осталось...

Самарин приехал в начале третьего, долго извинялся за то, что опоздал на десять минут, объяснял, что еще не умеет точно рассчитывать время, когда едет на большие расстояния, быстро выпил предложенную чашку чаю с двумя бутербродами и выразил готовность немедленно везти Настю к врачу.

— Вы дорогу знаете? — спросил он.

— Нет, только адрес. Я там никогда не была.

— Тогда вы пока собирайтесь, одевайтесь, а адрес дайте мне, я в машине по атласу посмотрю, как ехать.

Настя протянула ему листок с адресом, проверила содержимое сумки — деньги в конверте, кошелек, паспорт, удостоверение, выписка из истории болезни. Кажется, все на месте. Надела куртку, позвонила в охрану, взяла палку. Неприязненно оглядела себя в большом, в человеческий рост, зеркале, стоящем в прихожей. Ну и видок! Длинный свитер торчит из-под куртки, голова немытая, она же не собиралась сегодня «выходить в свет». Ладно, все равно ничего изменить нельзя.

Самарин вел машину довольно уверенно, видно, не зря каждый день практиковался.

— Вам сколько лет? — неожиданно спросил он.

— Сорок два. А что?

— А мне сорок шесть. Я вот подумал, что если мы с вами почти ровесники, то, может быть, перейдем на «ты»?

Предложение Настю не устроило.

— Мне это сложно, — аккуратно ответила она.

— Тогда не буду настаивать, — тут же согласился Самарин. — Но давайте хотя бы обходиться без отчества. Будем называть друг друга просто по имени. Вы — Настя, я — Валя. Договорились?

— Это можно.

— Настя, откуда у вас мой домашний телефон? Вы что, проверяли меня?

— А как же. Поставьте себя на мое место, и вы поймете, что это было разумно и правильно. Зато теперь я точно знаю, что вы именно Валентин Николаевич Самарин, кандидат филологических наук, а не беглый каторжник. Мне так спокойнее.

— Я вас понимаю, — негромко ответил он. — А какие еще сведения можно узнать при такой проверке? Давайте начнем курс милицейского ликбеза, если вы не против.

— Давайте. Можно узнать адрес, кто прописан по этому адресу, с какого времени, где проживал раньше. Номер и серию паспорта, год рождения, наличие судимостей. Это если запрашивать паспортную службу. А если найти участкового, да еще если он окажется толковым, то можно узнать, кто реально проживает в квартире и где они все работают. Но на это шансов, честно говоря, мало.

— Почему?

— Участковые, как правило, знают проблемных жителей, судимых, алкоголиков, семейных дебоширов и прочих. В спокойных семьях они обычно не бывают и никого не знают.

— А меня?

Ей показалось, что в голосе Валентина прозвучала беспокойная нотка.

— Не знаю. Вы сами-то видели своего участкового хоть раз?

— Н-нет... кажется. Не помню. Вроде бы нет.

— Ну, значит, он вашей семьей не интересуется и ничего про вас не знает. А вас это беспокоит?

— Ничуть, — он развеселился. — Просто меня, как почти всякого человека, интересует, кто и что обо мне знает. Расскажите мне подробнее про участковых, чем они занимаются, за что отвечают. Я ведь совсем ничего про это не знаю.

Лекции о работе участковых инспекторов хватило как раз до Кольцевой дороги, и на территорию Москвы они въехали одновременно с началом следующей лекции, на этот раз о том, как организовано предварительное расследование. Самарин часто перебивал Настю, задавая вопросы, и каждый раз она поражалась тому, до какой же степени люди, не связанные с правоохранительной системой, искаженно представляют себе, как она устроена. Ее новый знакомый, например, был свято уверен в том, что начальник уголовного розыска может отдавать приказания следователю и вообще имеет право вызывать его к себе не то что в кабинет, а чуть ли не «на ковер». По его непонятно откуда взявшимся представлениям, существует такая фигура, как «следователь уголовного розыска». Услышав это, Настя так хохотала, что Валентин чуть не обиделся. И вообще, из его вопросов она узнала массу интересного. Например, что следственное управление находится на Петровке, 38; что один и тот же оперативник может сегодня заниматься раскрытием квартирной кражи, завтра — убийством, а послезавтра вывозом антикварных ценностей и произведений искусства; что именно в уголовном розыске принимается судьбоносное решение о том, когда работу по делу можно прекращать; что оперативник, работающий в окружном управлении, может носить звание полковника, а его непосредственный начальник — генерал; что результаты экспертизы становятся известны в первую очередь именно сыщикам, а уж они доводят их до сведения следователя; что следователи самолично бегают с пистолетом в руке и задерживают преступников, а также переодеваются, гримируются и внедряются в преступные группировки. И много чего другого, не менее любопытного и веселого.

— Да, Валя, — сказала она, вдоволь нахохотавшись, — с такими знаниями вам не детективы нужно сочинять, а пародии на них.

— Так откуда же другим знаниям взяться? — весело отпарировал он. — Мы их черпаем только из фильмов и книжек, а там все именно так и написано. Я, конечно, подозревал, что на самом деле все устроено как-то по-другому, потому и прошу вас подробно мне все объяснить.

318

К клинике, где принимал чудо-доктор, они подъехали в двадцать минут пятого.

— Вас проводить? — заботливо поинтересовался Самарин.

— Не нужно, Валя, я сама дойду. Только я не знаю, сколько вам придется меня ждать. Может быть, там очередь.

Он помог ей выйти из машины, подал палку, лежащую на заднем сиденье. Осмотрелся вокруг и радостно махнул рукой в сторону здания, стоящего на противоположной стороне.

— Вон там книжный магазин, если меня туда запустить, то это надолго. Я пойду в книгах покопаюсь, а вы, как освободитесь, позвоните мне. Телефон у вас с собой?

Настя открыла сумку и проверила: листочек с номером мобильного телефона Самарина был на месте. Валентин запер машину и направился к подземному переходу, а Настя вошла в здание клиники, где ее долго выспрашивали, к кому и по какому вопросу она пришла, потом проверяли по телефону, записана ли она на прием к профессору, после чего так же долго и подробно объясняли, куда идти, где свернуть, на каком лифте подняться и как найти нужный кабинет. Дорога оказалась длинной и не сказать чтоб уж очень простой. Настя трижды умудрялась пойти не по тому коридору и попасть не в тот корпус и под конец путешествия разозлилась на себя за свою тупость, на ногу, которая болела, на архитекторов, которые все это придумали, и на мать, которая ей все это устроила.

Единственным, что примирило ее с действительностью, было отсутствие очереди перед кабинетом профессора. Профессор, круче которого, если верить матери, в Москве не было, оказался молодым, высоким, худым и совершенно лысым.

— Я вас слушаю, — как-то подозрительно ласково произнес он. — Что вас беспокоит?

Да ничего ее не беспокоит! Она вообще ехать сюда не хотела. Вот что ему теперь говорить? Нога болит с каждым днем все меньше и меньше, нагрузки она выдерживает все бо́льшие и бо́льшие, и жаловаться Насте абсолютно не на что. А может, сказать все как есть?

— Видите ли, — начала она, судорожно мечась в поисках нужных слов, — мы с вами оказались жертвами недоразумения.

— Даже так?

Его лысина засияла ярче, словно в предвкушении чего-то новенького и любопытненького.

— У меня после перелома очень долго болела нога, и врачи не могли понять, почему боль не проходит. В этом состоянии меня выписали домой. Но теперь, мне кажется, все в порядке, я поправляюсь, но моя мама очень переживает, она решила, что со мной что-то серьезное...

— Какие нагрузки вы выдерживаете? — перебил он ее, быстро просматривая выписку, которую Насте дали в госпитале.

— Сорок минут ходьбы.

— Когда появляется боль? Сразу или к концу прогулки?

— Примерно на середине. Скорее даже ближе к концу.

— Ходите с палкой?

— Дома — нет, а на прогулку хожу, конечно, с палкой.

— Давайте я вас посмотрю.

Профессор задал ей еще два десятка вопросов, на которые Настя постаралась ответить точно и добросовестно, потом осмотрел ногу.

— Не вижу ничего экстраординарного, — он пожал плечами и снова сверкнул лысиной, усаживаясь за стол. — Учитывая время, которое прошло с момента перелома, ваше состояние могло быть даже несколько хуже. Когда наступило улучшение?

— Неделю назад.

— А до этого все время были сильные боли?

— Все время.

— И что вы хотите от меня услышать? Объяснения, почему так долго болело, а потом резко стало улучшаться?

— Нет. А... — она осторожно посмотрела на него, — вы могли бы дать такое объяснение?

— Мог бы. Но не уверен, что вам это нужно. Да и какая вам разница? Зачем вам углубляться в медицинские тонкости? Главное, что улучшение наступило и идет оно очень высокими темпами. По вашему сегодняшнему состоянию, вы в моей помощи не нуждаетесь. Примерно через две недели вы можете выходить на работу.

— То есть вы хотите сказать, что я могла бы к вам не приходить? — прямо спросила Настя.

— В этом не было никакой необходимости, — он улыбнулся чуть смущенно, глядя на длинный белый конверт, который Настя вытащила из сумки и положила на стол прямо перед ним. — Только если для вашего собственного спокойствия.

— Спасибо, — вздохнула она.

«Ну маменька, ну удружила, — думала она, плетясь по длинным бестолковым коридорам к выходу. — Сто пятьдесят баксов псу под хвост. Да еще и настроение испорчено. И кто ее просил устраивать мне эту консультацию? Я понимаю, она хотела как лучше, она думала, что нога у меня болит все так же сильно, как раньше, а я просто скрываю, не жалуюсь... Не делай, не говори и не думай ничего, о чем тебя не просят. С «не делай» и «не говори» вроде бы понятно. А вот «не думай»... Может быть, это как раз тот случай? Не забыть бы поговорить об этом с Пашей Дюжиным».

В гардеробе, надев куртку, она уже вытащила из сумки телефон, чтобы позвонить филологу Валентину, но ее опередил чей-то звонок.

— Опять гуляешь? — Коротков говорил так бодро, что Настя сразу поняла: еще немного — и он сорвется. Совсем, видно, устал. — Битый час названиваю тебе по городскому, а ты не подходишь. Смотри, совсем загуляешься, дорогу к дому не найдешь.

— А я в Москве, — сообщила она уныло.

— Да ну? Честно?

— Угу. К врачу ездила, на консультацию.

— И что врач сказал?

— Что через две недели могу приступать.

— Не, две недели это слишком долго, это я столько не выдержу.

Да он и двух часов не выдержит, бедолага. Кто сказал, что быть начальником легче, чем подчиненным исполнителем?

— Ты территориально где сейчас? — спросил Коротков.

— На Пироговке.

— Лешка с тобой?

— Нет, он в Жуковском. А что, он тебе нужен?

— Да на фиг он мне сдался. Мне ты нужна. Ты на чьих колесах?

— Ты не знаешь... Один знакомый. А что нужно-то?

— Можешь подъехать к Ольшанскому в горпрокуратуру? Мы тут на совещание собрались.

— Ну а я-то при чем? Я же на больничном.

— Слушай, подруга, не вредничай, а? И без того жизнь такая, что не продохнуть. Ольшанский тебя хочет, он нашим хилым мозгам не доверяет. Ася, я серьезно. Приезжай, а?

— Юрочка, ну какой от меня толк, ну ты сам подумай? Я же половины информации по делам не знаю.

— А вот и хорошо. У нас глаза уже замылились, а ты свежим взглядом... Короче, приедешь?

— Не знаю, Юр, мне надо у водителя спросить, может, у него планы другие.

— Да и черт с ними, с его планами, пусть он тебя только до Кузнецкого добросит, а на дачу я тебя сам отвезу. Заодно и переночую, если пустишь.

— А Ирина что на это скажет?

— Она в Минск на съемки укатила. Так пустишь переночевать-то?

Где-то вдалеке за голосом Короткова послышался дружный хохот. Видно, кто-то из ребят, присутствовавших при этом разговоре, весьма своеобразно комментировал услышанное. Наверняка Сережка Зарубин дурака валяет.

— Пущу, что с тобой сделаешь. Ладно, ждите, скоро приеду, если в пробках не застряну.

Она вышла на улицу. Самарин уже сидел в машине и с увлечением читал какую-то книгу. Услышав, что она открывает дверь, тут же выскочил и бережно усадил ее на переднее сиденье.

— Что сказал доктор?

— Что буду жить долго и счастливо.

На этот вопрос за последние десять минут пришлось отвечать уже во второй раз. А еще ребята обязательно спросят. А потом Лешка. И маме надо будет доложить. Как бы не разозлиться раньше времени. А лучше всего придумать что-нибудь, чтобы вообще не раздражаться по этому поводу. Как Лешка вчера сказал? Если не можешь выбрать действие, то выбери мотивацию. Не отвечать на вопрос она не может, если в разговоре с ребятами еще можно отшутиться, то мама и муж потребуют обстоятельного отчета. Что ж, будем выбирать мотивацию и чувствовать себя свободной.

— Куда едем? Назад в Болотники?

— В городскую прокуратуру. Знаете, где это?

— Конечно. Вас там нужно будет подождать?

— Нет, Валя, спасибо, на сегодня мы на этом закончим. Там совещание у следователя, оно может продлиться очень долго, так что ждать меня не нужно.

— Как же вы доберетесь до дачи?

— Меня отвезут.

— Ладно. А завтра мне приезжать?

— На ваше усмотрение. Мы с мужем будем рады вас видеть, завтра суббота, и до утра понедельника он пробудет со мной. Так что охранять меня не нужно, а если заедете просто в гости — милости просим.

Он был совершенно не нужен ей, этот безработный филолог, пытающийся заработать деньги сочинением детективов, но ведь он потратил на нее столько времени, оказал ей любезность, помог. И потом, это она сейчас такая храбрая и может думать, что ей кто-то там не нужен, потому что она в Москве, и еще относительно светло, и ночевать с ней будет Коротков, а завтра утром приедет Лешка. Но настанет понедельник, сначала утро, потом вечер. И наступит момент, когда она очень сильно усомнится в том, что ей никто не нужен.

Из размышлений ее вывел осторожный вопрос Самарина:

— А разве сотрудников, которые на больничном, вызывают на совещания?

— И да, и нет.

— Как это?

— Видите ли, Валя, военизированные организации отличаются от гражданских тем, что больничный лист не дает автоматически освобождения от работы. Освободить от работы может только начальник. Ты ему показываешь больничный лист, а он принимает решение, отпустить тебя болеть или оставить на работе.

— Да вы что? Неужели правда?!

Он был так искренне изумлен, этот глубоко цивильный человек, что чуть на красный свет не проехал.

— Это же... бесчеловечно! Как так можно, я не понимаю!

— А никто не понимает, — засмеялась Настя. — Поэтому в девяноста девяти процентах случаев сотрудники звонят начальникам по телефону, сообщают, что болеют, и дальше все происходит как у всех обычных людей. Но один процент исключений сохраняется. Бывают ситуации, когда начальники болеть не разрешают.

— И это именно ваш случай?

— Нет, не мой. У меня начальник нормальный, хороший.

Сказала — и испугалась. Впервые за без малого полтора года она назвала Афоню хорошим начальником. Вслух назвала. И была при этом... искренна, да-да, совершенно искренна. Она сказала то, что думала. Откуда в ее голове появилась эта странная мысль? Афоня, Вячеслав Михайлович Афанасьев — хороший. Ну надо же!

— Почему же вы едете на совещание?

— Друзья попросили. И следователь. Они хотят, чтобы я посмотрела на ситуацию свежим взглядом.

— А что, запутанное дело?

— Запутанное, — подтвердила Настя.

Она ожидала, что Валентин начнет приставать с расспросами, ну как же, запутанное дело, страшное преступление, а ему как раз сюжет нужно придумывать. Однако он ничего не спросил. Деликатный, что ли?

Настя все время ерзала на сиденье, потому что затянутый на талии ремень впивался в живот, и вообще в тесных джинсах ей было неудобно. Ничего, думала она, потерпишь, любишь конфеты есть — вот и получи.

* * *

Коротков ждал ее на улице. Едва машина остановилась, Юра тут же кинулся помогать Насте выходить. От нее не укрылся пристальный, заинтересованный взгляд, который он кинул на Самарина. «Нравственность мою блюдет, — со смехом подумала она. — Интересуется, кто же это меня возил, если не муж. Не старший товарищ по работе, а просто дуэнья какая-то».

— Это кто? — строго спросил Юра, крепко держа Настю под руку и ведя по лестнице вверх.

— Самарин, про которого ты мне вчера справки наводил.

— А-а... тогда ладно. Ты мне в двух словах все-таки скажи, что доктор говорил?

Началось. Какую выберем мотивацию? Ты любишь всех людей, которые зададут тебе этот вопрос, ты желаешь им только добра, ты не хочешь, чтобы они попусту беспокоились и тратили свои бесценные нервные клетки, которые не восстанавливаются. Поэтому ты с удовольствием расскажешь им о том, что у тебя все хорошо, что процесс восстановления сломанной ноги идет даже быстрее, чем можно было ожидать, и что врач сам удивился тому, насколько все отлично, тем более если недавно все было совсем плохо. И все будут рады это услышать, и всем станет весело и легко.

Господи, как же он обрадовался, старый верный друг Юрка! Измученное, осунувшееся лицо просияло, он обнял Настю и расцеловал в обе щеки прямо посреди лестничной площадки на глазах у строгих работников горпрокуратуры.

— Ну слава богу, хоть что-то радостное есть в этой тухлой жизни.

А она-то чему так радуется? Почему ей вдруг стало так хорошо, так тепло внутри?

Настя давно не была в кабинете Ольшанского, еще с весны, как-то не доводилось им в последние месяцы вместе работать. Ее приятно удивили произошедшие перемены: в кабинете сделали ремонт, обставили новой мебелью, и из берлоги он превратился в нечто официальное. Правда, в берлоге так хорошо работалось, было захламлено, пыльно и уютно, а теперь здесь хотелось только руководить. Во всяком случае, впечатление у Насти сложилось именно такое.

Ну что, спросят или нет?

Конечно, спросили. Вероятно, выбор мотивации для подробного ответа о видах на урожай был сделан правильно, Настя больше не раздражалась, а ребята так искренне радовались! Даже Ольшанский, обычно скуповатый на проявления эмоций, счастливо улыбался, словно речь шла не о Настиной сломанной ноге, до которой ему, в сущности, не было никакого дела, а по меньшей мере о присвоении ему звания заслуженного юриста Российской Федерации.

— Я был сегодня у начальника управления, — сообщил Ольшанский, — ребята уже знают, но для тебя, Каменская, так и быть, повторю. Прозондировал почву насчет объединения дел об убийствах Ларисы Риттер и Аничковой. Начальник, конечно, потребовал аргументы, но вот Селуянов обещает мне все хвостики подобрать, так что можно считать, что в ближайшие дни оба дела буду вести я. Тем паче следователь, который ведет дело Аничковой, только рад будет от обузы избавиться. Мы тут все уже пережевали, пока тебя не было, так что давай прямо с тебя и начнем. Есть идеи?

— Есть, — сказала она, — но глупые. Говорить?

— Валяй, — подал голос Сережа Зарубин, — хоть посмеемся, а то все так серьезно, так серьезно, прямо повеситься хочется.

Сидящий рядом с ним Миша Доценко тут же отвесил Сереге увесистый подзатыльник.

— Не обращай внимания, Настя. Говори.

— Ну вот... — она набрала в легкие побольше воздуха. — Только вы не ругайтесь, это все на бред похоже. Но я же понимаю, что все, что не бред, вы уже проговорили и продумали.

— Кончай с реверансами, не на балу, — грубовато оборвал ее Ольшанский.

— Смотрите, что получается. Сначала убивают психолога Аничкову, и к этому вроде бы каким-то боком причастна Любовь Кабалкина, хотя веских улик никаких нет, только косвенные пока. Потом убивают актрису Халипову, и мы интенсивно работаем со старшей сестрой Кабалкиной, Анитой Волковой. И опять ничего. Потом убивают жену брата Волковой, Валерия Риттера. Причем ситуация уже совершенно классическая: милиционеры подозревают мужа, обнаружившего тело и вызвавшего милицию. И Кабалкина, и Волкова, и Риттер являются представителями в прошлом одной, но раздвоившейся семьи: семьи Станислава Оттовича Риттера и Зои Петровны Кабалкиной. И складывается такое впечатление, что кто-то хочет этой семье устроить гадость. Такую, чтобы мало не показалось. Всех или посадить, или замазать. Короче, устроить им всем неприятности, желательно с правовыми последствиями. Вот. Я все сказала.

— Не получается, — покачал головой Ольшанский.

— Почему?

— С Кабалкиной и Волковой получается, а с Риттером — нет. Ну-ка, Коля, расскажи нам еще раз, что тебе Волкова поведала.

— Волкова, — начал Селуянов, — намекала, что Риттер мог убить свою жену, чтобы сохранить ее реноме и сделать рекламу ее картинам. Ну, там, трагически погибла, таинственная смерть, в расцвете лет, такая талантливая и все такое. Поведение Ларисы приняло угрожающие формы, она слишком увлеклась наркотиками и беспорядочным образом жизни, риск огласки стал очень реальным, а денег в ее раскрутку Риттер вложил немерено, и вот, чтобы деньги не пропали, он пошел на убийство.

Н-да, этого Настя не знала. Что ж, это в корне меняет картину. А жаль, версия была такая симпатичная. Но, может быть...

— Может быть, все то же самое, но без Риттера? Кто-то хочет напакостить Кабалкиной и Волковой? Отсекаем из рассуждений семью Риттер, и остается семья Зои Петровны Кабалкиной. А Лариса Риттер — печальное совпадение, — предложила она новый вариант.

— Можно обсуждать, — кивнул следователь. — Кто начнет?

— Я, — проворчал Коротков. — Поскольку Риттер этот мне просто жуть как не нравится, я вам скажу так: он и жену свою грохнул, и родственниц подставить хотел. Тогда все сходится. Только надо мотив найти. Ну ты, мать, голова! — он повернулся к Насте и подмигнул. — Не зря я тебя выдернул на совещание, гляди, какую плодотворную мысль ты подала.

— Выдернул дедка репку, — тут же пискнул со своего места Зарубин. — Он первым в очереди стоял. А про Жучку никто и не вспомнил, хотя, пока она не подключилась, репка не вытаскивалась.

— Слышь ты, Жучка, я тебя скоро на цепь посажу, — не выдержал Коротков. — Ты уймешься когда-нибудь или нет?

— Константин Михалыч, он мне угрожает, — Сергей сделал гримасу детсадовского ябеды. — Все слышали.

— Товарищи сыщики, я все понимаю, вы устали, я тоже устал, — строго проговорил Ольшанский. — Давайте к делу. Кстати, кто занимается убийством актрисы?

— Николаев.

— Это хорошо. С ним проблем не будет. Но не исключено, что, если версия окажется правильной, мне придется и это дело забирать, объединять все три в одно производство. Даю вам завтрашний день на то, чтобы вы раскопали все семейные тайны Риттеров и Кабалкиных. Завтра у нас что?

— Суббота, — подсказал Доценко.

— Ладно, так и быть, даю вам полтора дня, всю субботу и половину воскресенья. В воскресенье вечером у меня должно быть четкое понимание ситуации, чтобы было с чем в понедельник утром идти к начальству, с вопросом об объединении двух дел или трех. Задача ясна?

— Ясна, — нестройно загудели сыщики.

— Хорошо. Сейчас я позвоню экспертам, они обещали к семи часам хоть что-нибудь умное сказать, и приступим к обсуждению деталей.

Он взялся за телефон, а оперативники тут же принялись

шушукаться. Зарубин начал стонать по поводу опять пропавших выходных, Миша Доценко спрашивал у Селуянова совета по поводу покупки сантехники для новой квартиры, а Коротков шептался с Настей:

— Молодец, подруга, ты прямо как будто мои мысли читаешь.

— Какие именно? — тоже шепотом спросила она.

— Да насчет Риттера. Он жену убил, я тебе точно говорю, у него на роже это написано. Только алиби непробиваемое, надо придумать, как в нем дыру проковырять. Судмедэксперт утверждает, что смерть Ларисы наступила около четырнадцати часов в среду, обнаружил Риттер ее якобы в двадцать два тридцать, с приема, с вечеринки этой, он ушел задолго до половины одиннадцатого, еще девяти не было. Где он был? Вечером по Москве совершенно некуда ехать полтора часа. А от Бережковской набережной до Чистых прудов за это время можно вообще пешком дойти.

— Юра, да какая разница, где он был, если ее все равно убили в два часа дня? На это время у него есть алиби?

— Пока есть. Но я его растащу по ниткам, я это алиби порву, как тузик грелку, — свирепо пообещал Коротков. — И насчет вечера ты, подруга, не права. Риттер мог убить жену днем, быстро застрелить и уйти, а вечером он приехал, внимательно все осмотрел, без спешки, следы замел, может, обыскал мастерскую и какую-нибудь компру на себя нашел и уничтожил, и только потом вызвал милицию. Вот на что время ушло. Усекаешь? Риттер мне поет, что долго сидел в машине и думал, как ему правильно поступить, не хотелось ставить жену в неловкое положение, и водитель его подтверждает, дескать, так и было. А только врут они оба, у меня нюх на вранье.

— Очень может быть, — задумчиво протянула Настя.

— Ничего не может быть! — прогрохотал прямо над их головами голос следователя.

330

Все мгновенно замолчали и испуганно воззрились на Ольшанского. Что это с ним? Чего не может быть?

— Всем молчать, ничего не говорить. Сейчас я скажу, а вы десять минут молчите и думаете. Только после этого начнем обсуждать. Погодите, дайте с мыслями собраться...

Народ испугался еще сильнее. Да что ж такое случилось-то? Что ему сказали по телефону? Путч, государственный переворот, к власти пришла хунта, отменили демократию? Началась война с Ираком?

— Значит, так, друзья мои сыщики, — медленно начал Ольшанский. — Лариса Риттер была здоровее нас с вами. В ее крови не обнаружено ни малейших следов каких бы то ни было сильнодействующих препаратов. Кровь как у младенца. Более того. В том флаконе, который был изъят в квартире Риттеров, хранились совершенно безобидные таблетки под названием «Глицин». Его дают даже маленьким детям для улучшения работы мозга. Когда-то, очень давно, во флаконе действительно содержалось то, что написано на этикетке, но это было в незапамятные времена, следы очень слабые, практически не обнаруживаются. И срок действия препарата, указанный на той же этикетке, истек еще два года назад, то есть сам пузырек вместе с содержимым был приобретен гораздо раньше. А мелкая пыль и крошка, которая имеется во флаконе, это глицин. Вывод: Лариса Риттер не была наркоманкой. И мне интересно, почему все так упорно утверждают обратное. А теперь перерыв десять минут на подумать.

Вот это номер! Значит, Валерию Риттеру не было никакого резона убивать жену. Или все-таки был, но какой-то другой?

Глава 13

Рейс из Афин задерживался на три с половиной часа, и эти три с половиной часа Михаил Доценко провел без всякой пользы, кляня Аэрофлот, погоду и людей, которые ухитряются уезжать в Грецию, где, как говорят, все есть, именно тогда, когда они так нужны в качестве свидетелей. Конечно, он был несправедлив к матери убитой Ларисы Риттер, ибо умом понимал, что она согласилась бы никогда в жизни не ездить за границу и вообще не выезжать из Москвы, если бы это могло спасти жизнь ее дочери. Умом-то он все понимал, майор Доценко, но ждать уже не было никаких сил. Он успел прочитать три газеты и два журнала, съесть невкусный гамбургер и выпить две бутылки минералки и три чашки кофе, когда долгожданный рейс наконец прибыл. Мать Ларисы не без труда разыскали через туристическую фирму и сообщили ей трагическую весть, так что возвращалась она раньше срока и знала, что в аэропорту Шереметьево ее будет встречать сотрудник уголовного розыска. Ох, до чего же не любил Доценко такие вот встречи! И вообще разговоры с родственниками потерпевших в первые дни после убийства превращались для него в муку мученическую. Если к виду мертвых тел он давно привык, то к человеческому горю иммунитет у него никак не вырабатывался. Ему было всех жалко, а главное — он никак не мог отделаться от чувства неловкости от того, что терзает людей вопросами, подчас неприятными, в такие тяжелые для них часы и дни.

Мать Ларисы он узнал сразу же. Среди всех выходящих в зал прилета у нее одной было отстраненное, будто инеем подернутое мертвое лицо, глаза закрыты темными очками, чтобы скрыть красноту и припухлость. Все остальные пассажиры были либо с огромным багажом, либо с отдохнувшими свежими лицами. Кроме того, мать была очень похожа на дочь, хотя если Лариса, судя по прижизненным фотографиям, была очень хорошенькой, то Светлана в свои без малого пятьдесят выглядела настоящей красавицей. Неудивительно, что после развода с отцом Ларисы она еще трижды выходила замуж. Сейчас, насколько Миша помнил, она находилась в очередном разводе.

— Светлана Евгеньевна, — Доценко осторожно тронул ее за плечо. — Это я вас встречаю.

Она медленно повернула голову, долго о чем-то думала, потом слегка кивнула.

— Мы будем здесь разговаривать? — спросила она ровным голосом.

— Если не возражаете, я отвезу вас домой, и мы поговорим по дороге.

— Хорошо.

Миша подхватил ее сумку, оказавшуюся на удивление легкой. Надо же, ему казалось, что женщины даже для двухнедельного отдыха берут с собой весь имеющийся в наличии гардероб. Во всяком случае, его жена поступала именно так.

— Как это случилось? — спросила Светлана, когда они уже выезжали со стоянки.

До этого момента она не произнесла ни слова.

— Мы пока не знаем точно. Ларису застрелили из пистолета. Это произошло у нее в мастерской в среду днем, около двух часов. Вот и все, что нам известно.

— Господи, какой ужас, — пробормотала она.

Светлана сидела рядом с Мишей, на переднем сиденье, сгорбившись, зажав ладони между коленями, и смотрела прямо перед собой, но Доценко мог бы дать голову на отсечение, что она ничего не видела. Очки она так и не сняла.

— Вы спрашивайте, что вам нужно, не обращайте внимания на мое состояние, — сказала она. — Я наглоталась успокоительных лекарств, так что рыдать не буду. Я уже там все отплакала.

— Светлана Евгеньевна, расскажите мне про Ларису. Какой она была? Какой характер, привычки? Были ли у нее друзья? С кем она встречалась до того, как вышла замуж за Риттера? Мне нужно знать все.

— Все, — тупо повторила она. — Всего никто не знает. Чужая душа — потемки. Особенно душа Ларисы.

— Почему?

— Она очень... как бы это объяснить... очень расчетливая и разумная, мне редко удавалось правильно понимать ее поступки. Знаете, мы порой думаем, что человек делает что-то по совершенно понятной причине, и воспринимаем его поведение как естественное, а потом оказывается, что он руководствовался совсем другими соображениями.

Доценко не очень понимал, что хочет сказать Светлана, но решил не перебивать ее. Ей и так трудно рассказывать. Правда, такая характеристика Ларисы абсолютно не вязалась с тем, что говорил про нее муж, называвший ее не приспособленным к жизни ребенком, легкомысленным и безответственным, но матери виднее.

— Лариса никогда не была ветреной, не встречалась с несколькими мальчиками одновременно. Она всегда воспринимала свои отношения с юношами очень серьезно. Для меня, знаете ли, было полной неожиданностью, когда она вдруг бросила Володю. Она так любила его! Или мне только так казалось? — спросила Светлана будто у себя самой.

— А почему она его бросила? — спросил Миша таким тоном, словно давно уже знал, кто такой этот Володя.

— Не понимаю. Но я часто ее не понимала, я уже говорила вам. И Володя ее безумно любил. Я была уверена, что они не будут счастливы ни с кем, кроме как друг с другом, они были на редкость гармоничной парой, подходили друг другу и по характеру, и по темпераменту. Я думала, она будет жалеть о том, что бросила его, а он будет страдать и добиваться, чтобы она вернулась. Но Лариса оказалась очень счастлива в браке, чего я никак не ожидала. Да и Володя, по-моему, не особенно страдал и в конце концов женился. Так что моя дочь и на этот раз оказалась права. Она очень прагматичная и дальновидная... была.

Вероятно, все-таки не очень, подумал Доценко. Дальновидные люди не допускают, чтобы их застрелили. Они предвидят подобное развитие ситуации и не доводят ее до критической точки.

— После замужества вы не замечали в ее поведении ничего странного? Может быть, характер изменился, привычки?

— Нет, она осталась точно такой же, как была. Спокойной и разумной.

— А вы часто виделись?

— Достаточно часто, примерно раз в две недели, иногда и чаще.

— Лариса приезжала к вам?

— И она ко мне, и я заглядывала к ней в мастерскую, если находилась в районе Чистых прудов.

— Светлана Евгеньевна, когда вы бывали в мастерской у Ларисы, вы там кого-нибудь видели? Друзей, знакомых?

— Нет. Она всегда была одна, работала. Или отдыхала, читала, смотрела телевизор. Но всегда одна. Она не любила компаний, предпочитала одиночество.

— Вы предупреждали ее, если собирались зайти в мастерскую?

— Когда как. Бывало, что и без предупреждения приходила. Почему вы об этом спрашиваете?

— Нам нужно установить круг ее знакомых, а муж ничего сказать не может, он никого из них не знает. Вашу дочь застрелили в мастерской, а не на улице, это означает, что она кому-то открыла дверь, она впустила этого человека. Значит, она его знала. Ведь незнакомому она бы не открыла, верно?

— Ни за что, — подтвердила Светлана. — Там в двери есть «глазок», и она всегда смотрит, кто пришел. То есть смотрела... Господи, какой ужас! — снова прошептала она. — Какой ужас! К сожалению, никаких ее новых друзей я не видела, она всегда была одна, когда бы я ни пришла.

Вот даже как. Совсем непонятно. Муж, свекровь и домработница в один голос утверждают, что Лариса была наркоманкой. Кабалкина и Волкова не в счет, они живут отдельно, наблюдать ежедневное поведение Ларисы не могут и знают обо всем исключительно со слов самого Риттера. Он сказал — они поверили. Но Риттер, его мать Нина Максимовна, с которой Доценко разговаривал несколько часов, и домработница Лесняк — они-то зачем оговаривают несчастную художницу? Домработница Римма Ивановна перечислила названия препаратов, упаковки от которых находила у Ларисы, эти препараты оставляют следы в крови в течение суток, а то и больше. Если Лариса их принимала, то при вскрытии это обнаружилось бы. Все трое заявляют, что Лариса не приходила домой ночевать только тогда, когда бывала под воздействием наркотиков. Ночь перед убийством она провела в мастерской, значит, ушла в очередной полет. Ну и где он, этот наркотик? Ни в крови, ни в тканях, ни в карманах, ни в сумке, ни в мастерской.

А во флаконе, где он якобы был, находился обыкновенный глицин. Нет, не была Лариса Риттер наркоманкой, это совершенно очевидно. Мать наверняка заметила бы изменения в поведении дочери, не могла не заметить. Или она тоже лжет, как сначала пытался делать Риттер, чтобы сор из избы не выносить?

— Светлана Евгеньевна, муж Ларисы сказал, что она употребляла сильнодействующие препараты. Вам об этом что-нибудь известно?

Впервые за все время она повернула голову в сторону Доценко, хотя за темными стеклами не видно было, куда она смотрит.

— Препараты? Зачем? Лариса ничем не болела.

— Ну, препараты принимают не только когда болеют, — осторожно заметил Миша. — Иногда их принимают, чтобы на душе стало хорошо. Лариса этим не увлекалась?

— Никогда, — отрезала Светлана. — Неужели Валера мог так сказать? Глупость какая! Это совершенно не в ее характере. Может быть, он имел в виду что-то другое? Может, вы его неправильно поняли?

— Светлана Евгеньевна, — Миша вздохнул, — ваш зять и его матушка твердо заявляют, что Лариса была наркоманкой. Вы можете это как-то объяснить?

— Бред! Чудовищный бред! Зачем им это нужно? Зачем они наговаривают на девочку?

Светлана повысила голос и повернулась на сиденье так, чтобы сидеть лицом к Доценко.

— Я не понимаю... Нина Максимовна и Валера — они такие милые люди, умные, порядочные, они к Ларисе прекрасно относились. Как же они могут так поступать? Нет, я не верю, этого не может быть, вы, наверное, что-то путаете или недопонимаете.

Значит, Лариса наркоманкой не была, а ее муж и свекровь — милые, умные и порядочные. Нет, не вяжется. Либо одно, либо другое, вместе никак не получается. Либо Лариса все-таки была наркоманкой, либо ее муж и свекровь вовсе не такие милые, как о них думает Светлана Евгеньевна.

Ладно, в конце концов, мать есть мать, материнское сердце в чем-то необыкновенно прозорливо и проницательно, а в чем-то слепо и лукаво. Тем более сердце матери, только что потерявшей ребенка.

— С кем дружила Лариса? У нее были подруги?

— Были, конечно, как у всех девочек. Дружили, ссорились, мирились, расходились. Но в общем Лариса не была компанейской.

— А самая задушевная подружка есть?

— Есть. Леночка Завьялова, они с первого класса дружили. Когда Лариса пошла в художественную школу, все остальные подружки как-то отпали, а Леночка осталась. Они до сих пор общаются.

— Как мне ее найти?

— Я дам вам ее телефоны, они у меня дома записаны.

— А Володя, которого Лариса бросила? Они поддерживали отношения?

— Ну что вы, зачем? У него своя семья, у нее — своя.

— Откуда же вы узнали, что он женился? Лариса сказала?

— Да.

— А она откуда узнала, если они не общаются?

— Она узнала от Леночки. Лена была знакома с Володей. Собственно, это она Ларису с ним познакомила. Леночка работает в больнице, она медсестра. А Володя там лежал, ему аппендицит вырезали.

— Давно это было?

— Очень давно. Леночка только-только после медучилища пришла на работу. Лет шесть назад, наверное, или даже семь.

— Получается, что Лариса познакомилась с ним шесть лет назад? — уточнил Доценко.

— Ну да.

— И они сразу стали встречаться?

— Да. Любовь с первого взгляда.

— Светлана Евгеньевна, — ему в голову пришла неожиданная мысль, — а этот Володя не пытался сперва ухаживать за Леной?

— Вы хотите спросить, не отбила ли моя дочь кавалера у лучшей подружки?

— Ну... в общем, да, — честно признался он.

— Нет. Лариса так никогда не поступила бы. Володя не ухаживал за Леночкой, просто Лариса пришла к ней на работу, им нужно было обсудить какую-то девичью ерунду, и Володя ее увидел. Тут же подошел и попросил Леночку познакомить его с девушкой. Вот и вся история.

Может, и не вся. Матери отчего-то всегда уверены, что знают о своих детях всю подноготную. Ладно, об этом мы подробнее поговорим с самой Еленой Завьяловой. А пока вернемся к несчастному брошенному Володе. Не могло ли там быть застарелой обиды или ревности?

— Значит, Лариса встречалась с Володей примерно три года, а потом ушла от него к Риттеру, так?

Светлана задумалась, безмолвно шевеля губами.

— Нет, не совсем так. Лариса вышла замуж два с половиной года назад. Значит, с Володей она встречалась не три года, а четыре.

— Я не понял, Светлана Евгеньевна, как же так? Она что же, порвала с Володей накануне свадьбы? То есть был период, когда она встречалась одновременно и с Риттером, и с прежним женихом?

— Я вам уже сказала, — в голосе Светланы снова зазвучали горечь и усталость, — моя дочь никогда не была ветреной и не встречалась одновременно с двумя молодыми людьми. Решение выйти замуж за Валеру она приняла очень быстро, они практически и не встречались. Они познакомились на похоронах Станислава Оттовича, это отец Валеры, Лариса у него училась...

— Да-да, я знаю.

— Они познакомились, — продолжала Светлана, как будто Миша ее и не перебивал, — и разошлись каждый в свою сторону. Во всяком случае, Лариса именно так мне говорила. Потом они случайно столкнулись на какой-то выставке, Риттер пригласил ее поужинать в ресторан, а через два дня сделал предложение. И Лариса его приняла. Она сказала Володе, что между ними все кончено, и на следующий день они с Валерой подали заявление.

Ну, если уж что и называть чудовищным бредом, так именно такие вот истории. Доценко не поверил ни одному слову. Четыре года безоблачной любви, и вдруг приходит какой-то Риттер с внешностью чуть лучше, чем у обезьяны, делает предложение, и прощай, Володя? Бывает, кто же спорит, но только девушка для такой истории должна быть совсем другой. Вот домработница Римма Ивановна что говорила Селуянову? Что Лариса своего мужа ни капельки не любила и вышла за него исключительно из корыстных соображений, чтобы он вкладывал в нее деньги и помог стать знаменитой. Могла разумная и расчетливая Лариса так поступить? Легко! Только зачем же матери песни петь, что счастлива в браке? А может, и вправду счастлива была Лариса замужем за Риттером? И все домыслы домработницы, основанные на изучении постельного белья, — не более чем домыслы, и сексуальная жизнь у этой пары была полноценной, разнообразной и богатой? Они любили друг друга без памяти... Говорят, брак по расчету может оказаться счастливым, если расчет сделан правильно. Но зачем же при такой идиллической картине Риттер и его мать называют Ларису наркоманкой, если она ею не была? Зачем называют ее легкомысленной доверчивой дурочкой, если на самом деле Лариса была прагматичной и расчетливой? Пытаются запутать следствие и заставить искать убийцу среди наркоманов и прочей сомнительной публики, чтобы отвести подозрение от себя? Или Светлана Евгеньевна смотрела на дочь уж слишком пристрастным и оттого необъективным взглядом?

А ведь Лариса еще была лесбиянкой, и это уже не домыслы. Анита Волкова видела Ларису с любовницей своими глазами, да еще в присутствии Риттера. И это уже не ложь, не выдумки, это точно было, потому что и Волкова, и Риттер рассказывают об этом совершенно одинаково, в их показаниях нет ни одного противоречия, ни одной несостыковки. Так бывает только тогда, когда рассказывают о реальном событии. Если события не было, а был только сговор и выдумка, концы никогда не сходятся.

Нет, все равно не получается, чтобы все оказались честными и хорошими. Кто-то все время врет, искажает факты, скрывает их, недоговаривает. Кто? Риттер? Его мать? Мать Ларисы? Домработница? Или все вместе?

* * *

К бывшему мужу Аниты Волковой отправился Селуянов. Он не совсем четко представлял себе, зачем нужна эта встреча, но Ольшанский дал полтора дня на то, чтобы собрать максимально возможный объем информации о семьях Риттера и Кабалкиной, и ни одного потенциального источника этой информации упускать было нельзя. В конце концов, дело может оказаться в какой-то давней истории, которой сто лет в обед, и если так, то муж Аниты Станиславовны, с которым она уже больше двадцати лет как разошлась, будет вовсе не бесполезным.

Но Коля, привыкший доверять своей интуиции, уже заранее знал, что ничего достойного внимания этот Волков ему не расскажет. И потому заранее жалел потерянное впустую время.

— Мы с Анитой вместе учились на одном курсе в МИФИ, а потом работали в одном институте, только в разных лабораториях.

Волков, невзрачный плешивый очкарик, вспоминал о бывшей жене без неприязни, при этом Селуянову почудилось даже что-то вроде жалости в его голосе. Кого он, интересно знать, жалеет — себя, брошенного когда-то, или ее, так и не вышедшую больше замуж? У самого Волкова семейная жизнь после развода с Анитой сложилась весьма успешно, второй брак оказался прочным и подарил ему двух сыновей, старший из которых уже заканчивал школу.

— Мне кажется, вы ей сочувствуете, — заметил Николай. — Почему? Она кажется вам несчастной?

— Как вам сказать... У меня такое впечатление, что она всю жизнь жила какой-то вынужденной жизнью. У нее никогда не было настоящей свободы. Вы меня понимаете?

— Нет, — откровенно заявил Селуянов.

Ну что ж поделать, он действительно не понимал. Вынужденная жизнь... Как это может быть?

— Постараюсь объяснить. Вы, вероятно, знаете, из какой Анита семьи? Ну, там, мама, папа...

— Я в курсе. Папа — художник, мама — актриса.

— Вы неточны, — Волков чуть заметно улыбнулся. — Папа — известный художник, а мама — известная актриса. Это очень важный нюанс, я бы сказал — определяющий.

Мать Аниты вступила во второй брак, который все, в том числе и сама Анита, считали мезальянсом. После этого она больше не снималась. Никогда. И представьте себе, каково было Аните постоянно слышать: ой, ты дочка той самой Зои Риттер? А почему твоя мама больше не снимается? Что ей отвечать? Правду? Что мама, член партии, изменила папе, вышла замуж за автослесаря, растолстела, потеряла форму и подверглась остракизму со стороны киношной общественности? У Аниты язык не поворачивался давать подобные объяснения. Ей было стыдно за мать. И еще одно испытание: ой, ты дочка того самого Риттера? Ты не могла бы попросить отца достать билет или пропуск на выставку? Ты сама, наверное, уже ходила, ну как там? В те времена было много интересных выставок, вы, наверное, помните, то «Мону Лизу» привезут, то сокровища гробницы Тутанхамона, то мексиканцев. А Анита ни с какой просьбой не могла к отцу обратиться.

— Почему?

— Он с ней не общался. Как расстался с женой, так словно забыл, что у него есть дочь. Немедленно женился, очень скоро появился ребенок. Кажется, мальчик, впрочем, я точно не помню. Риттер одним махом отрезал от себя и бывшую жену, и дочь. Алименты по почте посылал. Короче говоря, с фамилией у Аниты были одни проблемы. Фамилия-то редкая, звучная. Была бы Иванова или Кузнецова, никто бы вопросов не задавал, а так... очень она, бедолага, страдала. А я очень ее любил и ничего не понимал.

— А что вы должны были понимать?

— Она вышла за меня замуж только для того, чтобы уйти из дома и сменить фамилию. Не знаю, как сейчас, а на тот момент она свою мать так и не простила и не хотела жить с ней, ее новым мужем и их общим ребенком. Но я любил ее безумно и ни о чем сомнительном тогда не думал. Мы поженились на третьем курсе. Она прожила со мной три года, потом сказала, что хочет развестись. Разумеется, мои родители разменяли нашу квартиру, все как полагается. Только после этого я начал прозревать. И в самом деле, кто такая Анита? Первая красавица на курсе, знает два языка, английский и испанский, танцует фламенко, чего никто из девчонок не умел, великолепно играет на гитаре и на саксофоне, без нее ни одно сборище не обходится, она всегда в центре внимания, она — объект обожания и восхищения. А кем был я? Внешность у меня невыдающаяся, танцевать вообще не умел, заводилой в компаниях не был, тихий книжный мальчик. Правда, отличник и один из самых способных на курсе, но в глазах девушек это обычно значения не имеет. Ну, еще папа-академик, поэтому жилплощадь большая. Для какой-нибудь девочки с периферии я, конечно, был бы достойным женихом, но для Аниты, коренной москвички, дочери таких родителей... Мне и в голову не приходило, что у нее мог быть расчет. Когда она обратила на меня внимание, я будто ослеп от счастья. Ну ничего, потом прозрел.

Он улыбнулся, и не было в этой улыбке ни обиды, ни горечи, только легкая насмешка над собственной юношеской доверчивостью.

— Значит, брак у Аниты Станиславовны был вынужденным, — подвел промежуточный итог Селуянов. — А еще что? Вы говорили про всю жизнь.

— Да... Потом диссертации, сначала кандидатская, за ней докторская. Из-под палки в буквальном смысле слова, только в роли палки выступала сама Анита. Она ведь очень слабый ученый, я это не из низких чувств говорю, просто так оно и есть, вы можете у любого специалиста спросить, он вам подтвердит. Она окончила школу с золотой медалью и только поэтому смогла поступить в МИФИ; если бы она сдавала экзамены на общих основаниях, она бы никогда не поступила, можете мне поверить. В любой науке можно быть талантом, можно — халтурщиком, а можно и добросовестным поденщиком. Вот Анита была как раз поденщиком. У нее от всего, что было связано с физикой, скулы сводило. Но она старалась изо всех сил.

— Зачем же она ею занималась? — изумился Селуянов. — Никто ведь не заставлял.

— Я же вам говорю: Анита сама для себя была палкой. Она сама себя заставляла. Я так и не понял, честно говоря, зачем. И ведь спрашивал ее много раз об этом, а она отвечала, что любит физику, что ей интересно, и не ее вина, что ей бог не дал настоящего таланта. Я видел, что она говорит неправду, но правды так и не узнал. Одно могу сказать совершенно точно: ее научная и профессиональная жизнь тоже была вынужденной. И в личной жизни у нее то же самое происходит.

— Вот здесь поподробнее, пожалуйста, — попросил Коля.

— Да какие могут быть подробности? — Волков пожал плечами. — Подробностей я как раз не знаю, только в общих чертах, поскольку мы много лет работали в одном институте, постоянно сталкивались. Видите ли, Николай, то, что Анита была корыстной невестой и бездарным, в общем-то, ученым, не отменяет других ее достоинств. Поймите меня правильно. Она действительно особенная, ни на кого не похожая, щедро одаренная от природы и внешней красотой, и разносторонними способностями. Анита уникальна. Я даже допускаю, что из всех сфер науки физика — это единственное, что ей не поддалось. Выбери она любую другую науку, любую другую профессию, она достигла бы в ней невероятных успехов. Какой мужчина мог ее заинтересовать по-настоящему? Так заинтересовать, чтобы влюбиться, захотеть жить с ним долгие годы, родить от него ребенка? Мне, честно говоря, трудно такого представить, по крайней мере, я такого не встречал. Но есть общественное мнение, есть досужие сплетни и общепринятое представление о том, как должно быть. У женщины должен быть мужчина, иначе она как бы неполноценная. Если ею никто не интересуется, значит, она совсем никуда не годится.

— Да, — усмехнулся Селуянов, — это знакомо.

— Ну вот, видите. За ней многие пытались ухаживать, и Анита периодически кого-то... скажем так, поощряла. Приближала к себе на несколько месяцев, потом отталкивала. Эти мужчины были ей не нужны, вернее, нужны, но исключительно для того, чтобы не слыть синим чулком. Чтобы не выглядеть белой вороной. Так продолжалось несколько лет, пока не появился этот киношник, каскадер. Вот на нем Анита и остановилась.

— Значит, все-таки нашелся мужчина, который сумел влюбить ее в себя?

— Да бог с вами, надо знать Аниту, чтобы все понимать так, как оно есть на самом деле! — рассмеялся Волков. — Вы помните, что было пятнадцать лет назад? Как мы жили в восемьдесят седьмом году?

Коля помнил. Даже очень хорошо. Многочасовые очереди за мясом, обувью и импортной косметикой. Главное слово в лексиконе — «достать». Вечная проблема сахара, который скупается на самогон. Жалкие ростки частного предпринимательства, выбрасывающего изголодавшемуся и износившемуся населению кустарные дерьмовые тряпочки, хотя бы своей яркой расцветкой выгодно отличающиеся от того, что можно купить в магазине. За границу можно поехать только по службе или если очень повезет и прорвешься сквозь профкомовско-парткомовско-райкомовский отбор. Фирменный кожаный — не из заменителя, а настоящий — пиджак был признаком допущенности к элите или хотя бы к источнику импортных товаров. Видеомагнитофоны — большая редкость, кассет в открытой продаже не было, их друг у друга переписывали. Короче, весело было жить.

— И представьте себе молодого красивого мужика, с ног до головы упакованного в такие шмотки, что глаза слепнут.

Мужика, который постоянно выезжает за границу на протяжении примерно десяти лет, потому что всегда были какие-то совместные съемки то с чехами, то с немцами, то с кубинцами, а то и с французами. У нас ведь как было? В первый раз поехал в загранкомандировку, показал себя там с хорошей стороны, не напивался, шмотки для спекуляции не скупал, советский строй не хаял — все, ты в обойме, в следующий раз опять поедешь. Дал слабину — из обоймы выпал, больше не поедешь. Анитин дружок, видно, как попал в обойму, так из нее и не выпадал. Да и спортсмен он хороший, я думаю. И профессия такая... экзотическая, я бы сказал. Редкая профессия. С одной стороны, вроде бы кино, а это всегда притягательно, с другой стороны — риск, порой смертельный, с третьей — поездки за границу, это тоже определенного шарма прибавляет. У такой женщины, как Анита, мог быть только необыкновенный мужчина. Вот она себе такого и выбрала. Кстати, вы не знаете, они до сих пор вместе или расстались?

— Вместе, — кивнул Коля.

— Значит, привыкла, — констатировал Волков. — Сейчас-то шмотками и загранпоездками никого не удивишь, так что каскадер всю свою необыкновенность утратил. Я, признаться, думал, что Анита его бросит и выберет себе что-нибудь более соответствующее. Я ее уже лет пять не видел, с тех пор, как лабораторию, где она работала, сократили. Мне говорили, она на какие-то курсы пошла, новую профессию освоила.

— Анита Станиславовна теперь на фирме работает, системным администратором, — проинформировал Селуянов. — Я вот о чем хотел вас спросить. Правильно ли я понял, что Анита Станиславовна очень обиделась на мать за то, что она променяла отца на слесаря, и на отца за то, что он променял ее саму на нового ребенка? Это действительно так?

— Это действительно было так. Я подчеркиваю: было.

В тот период, когда мы с ней были вместе и когда нам было на двадцать и даже двадцать пять лет меньше, чем сейчас. Что происходит в наши дни, мне неизвестно.

— Да-да, конечно. Мы сейчас говорим о том, что было двадцать пять лет назад. Можно ли из этого сделать вывод, что сестру, которую родила ее мать, и брата, который родился у ее отца, она тоже не любила?

— Ни капельки, — без колебаний подтвердил Волков. — Анита не испытывала к ним ничего, кроме злости и ревности.

— Видите ли, после смерти отца Анита Станиславовна очень сблизилась и с братом, и с сестрой. Они теперь стали закадычными друзьями. И в семье матери она бывает регулярно, то есть вроде бы простила ее. Как вы можете это прокомментировать?

— Неужели? — Волков неподдельно удивился. — Как странно. Это на нее совсем не похоже. Впрочем, это не похоже на ту Аниту, которую я знал когда-то. С годами она могла стать мягче и мудрее. И даже наверняка стала. Но я могу дать вам и другую интерпретацию. Это примирение и воссоединение семьи — просто очередной вынужденный шаг. Вот в это я скорее поверю. Кем, вы сказали, она работает?

— Системным администратором.

— Прелестно! Достойное место для доктора наук! Вам это ни о чем не говорит?

— По-моему, вы несправедливы, — возразил Коля. — Ее же сократили, то есть выгнали с работы. Науку повсюду сокращали, и огромное количество докторов наук осталось без работы. Им ведь нужно на что-то жить. Им нужно где-то зарабатывать на кусок хлеба.

— Безусловно, — Волков энергично закивал головой, — вы правы от первого до последнего слова. Но Анита — это не тот случай. Ее сократили именно потому, что от нее не было в науке никакого толку. Лабораторию ликвидировали, и самым дельным сотрудникам тут же сделали предложения перейти в другие лаборатории или в другие учреждения нашего профиля. Толковые инженеры-физики всегда нарасхват, уверяю вас, по крайней мере, так было в нашем институте, про другие ничего сказать не могу. Аните никто ничего не предлагал, она никому не была нужна. И тот факт, что она вынуждена была получить новую профессию и теперь работает не по своей основной специальности, говорит только о том, что как инженер-физик она не состоялась. А теперь смотрите, какая получается цепочка. Сначала она была дочкой известных родителей и ее даже снимали в кино. Вы об этом знаете?

— Да, Анита Станиславовна рассказывала, у нее в комнате фотография висит...

— Знаю, — усмехнулся Волков, — в нашей с ней комнате когда-то эта фотография тоже висела. Так вот, ее сняли в маленькой роли, но больше сниматься не приглашали. То есть она уже видела себя актрисой, такой же известной, как мать, даже еще круче, но ничего не состоялось. Потом, вскоре после этого, родители скандально разводятся и тут же погружаются каждый в свою новую семью. Стало быть, как дочка известных родителей она тоже не состоялась. Вы слышали о таком психологическом приеме отрицания того, кто тебя отрицает?

— Нет. А что это?

— Это только название заумное, а на самом деле все просто, и каждый человек в своей жизни делает это неоднократно. Вас девушка бросила, но вы не страдаете у всех на глазах, а тут же начинаете ухлестывать за ее подружкой, чтобы изменница знала, что вы ее тоже отвергли, а не только она вас.

— Ах, это, — заулыбался Коля. — Ну конечно, прием знакомый.

— Так вот, что делает Анита? Идет именно этим путем. Вы меня отвергли как актрису? А я вообще кино не люблю, и актрисой быть никогда не хотела, и не нужно мне это ваше важнейшее из всех искусств, я вообще по другой части. Я теперь физику буду любить. Или химию, биологию, историю. Значения не имеет. Идея понятна?

— Еще бы. Вы так объясняете, что даже ребенок поймет.

— Спасибо, Николай, — Волков с благодарностью кивнул, — это во мне преподаватель проснулся, все-таки столько лет лекции читаю. Идем дальше. Я перестала быть дочерью Риттеров? А я вообще буду теперь не дочь, а жена, и фамилия у меня будет вовсе даже Волкова. И к вам ко всем я не имею никакого отношения.

— А Анита Станиславовна говорила, что никогда не хотела быть актрисой, — задумчиво заметил Коля. — Может, вы ошибаетесь?

— Может быть, может быть, — легко согласился Волков. — Я просто делаю некоторые допущения, чтобы выстроить цепочку. Потому что если сделать это допущение, то воссоединение семьи легко объясняется. А без этого допущения ничего не выходит.

— Все равно я не понимаю, — уныло признался Николай.

— Да что ж тут понимать, голубчик вы мой? Аниту сократили, ее никуда не позвали работать, тем самым дали ей ясно понять, что как ученый, как инженер-физик она тоже не состоялась. И две диссертации, которые она считала символом своей научной состоятельности, ей не помогли. Время другое настало, теперь ценятся мозги, а не бумажки. Какой шаг в этой ситуации был бы логичным?

— Отвергнуть научную состоятельность как жизненную ценность? — робко предположил Селуянов.

— Умничка! — Волков радостно потер руки. — Или вы умничка, или я хороший преподаватель.

— Лучше бы и то, и другое.

— Согласен, пусть будет и то, и другое. А что можно противопоставить научной состоятельности?

— Не знаю... — растерялся Коля.

— Ну вы подумайте, подумайте! Вы же такой толковый!

Вот елки-палки! Пришел поговорить со свидетелем, а попал на семинар типа экзамена. Но Волков-то, Волков-то каков, а? Эк завелся! Просто вспоминать про первую жену ему было явно скучно, а как дело до логики дошло, как начал цепочки выстраивать, так глаза загорелись, и вроде даже ростом выше стал, плечи расправились. Эх, Каменскую бы сюда, она бы с ним общий язык быстро нашла, тоже любит цепочки выплетать. Жаль, что она болеет.

Итак, что же можно противопоставить научной состоятельности? Ответ должен быть совсем простым и лежащим на поверхности.

— Обычно говорят: или работа, или семья, — неуверенно произнес Селуянов.

— Дважды умничка! Вот вы сами и ответили на свой вопрос. Я со всеми помирюсь, я всех подружу, я стану центром семьи, и пусть меня отвергла наука, зато во мне души не будет чаять моя родня. Видите, как все просто. И между прочим, это очередной вынужденный шаг в жизни Аниты. Продуманный, может быть, на уровне подсознания. Она и сама не знает, зачем занялась воссоединением семьи, уверяю вас. И если вы спросите ее, почему она вышла за меня замуж или почему из всех мужчин выделила того каскадера, она вам скажет, что влюбилась. Я не хочу сказать, что все свои вынужденные шаги Анита делала сознательно и расчетливо. Все эти расчеты у нее происходят на уровне подкорки, которую человек не контролирует.

— Вы думаете, все было именно так?

— Не знаю, — развел руками Волков. — Я предлагаю вам вариант или, как у вас в милиции говорят, версию, которая все объясняет. Но если у вас есть другая версия, я готов ее обсудить. По вашему лицу я вижу, что вас что-то не устраивает.

— Не то чтобы не устраивает... — Коля помялся. — Просто я не совсем понимаю, как это... Ну вот вы говорите, что она обиделась на мать, что не нашла контакта с отчимом, что злилась на сестру и брата. То есть она их всех в той или иной степени не любила. А теперь что же выходит, полюбила, что ли?

— Заставила себя полюбить. И это тоже вынужденный шаг. Не зря же я вам говорил, что вся жизнь Аниты какая-то вынужденная. Вымученная. Я не могу это объяснить. Я так чувствую. И знаете еще что, Николай... Анита — сложная фигура, неоднозначная, по-своему несчастная. Я, в общем, человек неглупый и в людях немножко разбираюсь. И я всегда чувствовал, что в Аните есть какой-то стержень, который я никак не могу ухватить, что ли, выделить, вычленить... Я чувствовал, что есть что-то в ней, чего я не знаю, но если я узнаю, что это такое, то я пойму про нее все. И вот пока мы тут с вами разговаривали, до меня вдруг дошло: физика.

— Что — физика? — не понял Селуянов.

— Есть множество наук, которые можно противопоставить искусству. Анита выбрала инженерно-физический институт. Не химико-технологический, не юридический, не стали и сплавов, не нефти и газа, а именно инженерно-физический. Почему? Я долгое время думал, что это обычное расхожее противопоставление лириков и физиков, у которого она пошла на поводу. Но нет, тут что-то другое. Если вы поймете, почему она выбрала именно этот институт, вы поймете про Аниту очень многое. Может быть, даже все.

* * *

О смерти подруги Елена Завьялова уже знала, она накануне звонила Ларисе домой, и свекровь сообщила ей страшное известие.

— Мы собирались сегодня встретиться, — дрожащим голосом говорила Елена, миниатюрная брюнетка в обтягивающем белоснежном до синевы халатике. Доценко нашел ее на работе в больнице. — Она мне звонила в начале недели, мы условились в пятницу созвониться, уточнить время. А Нина Максимовна сказала...

Крупная прозрачная слеза быстро скатилась по щеке и спряталась под подбородком.

— Когда Лариса вам звонила, в какой день?

— Во вторник.

— Когда?

— Вечером уже, часов в девять. Ну да, правильно, я во вторник работала до восьми, а она мне домой звонила, значит, я уже пришла.

— Какое у нее было настроение?

— Ровное, как обычно. Ларка вообще очень спокойная была, редко из себя выходила.

— Сколько времени вы с ней не виделись?

— Месяца два, наверное.

— Что ж так редко встречались? — удивился Михаил. — А мне сказали, что вы задушевные подружки.

— У меня работа сменная, а еще подработки, индивидуальный пост, сижу с больными круглосуточно за отдельную плату, на сестринскую зарплату не проживешь, сами понимаете. Но мы все время перезванивались, разговаривали подолгу. Обычно она сама звонила, когда оставалась в мастерской ночевать.

— Вот даже как?

Уже теплее, уже что-то... Почему Лариса не звонила из дома, из квартиры Риттеров?

— Ну а что удивительного? Когда две подруги разговаривают, ни муж, ни свекровь совершенно не нужны. Они мешают.

В общем-то верно. Ничего подозрительного. Между прочим, а не эта ли брюнетка была в одной постели с Ларисой, когда неожиданно нагрянули Риттер и его сестрица? А что? Плодотворная мысль. Подружка-лесбиянка. Как бы это проверить, чтобы никого не обидеть?

— Лена, а вы сами замужем?

— Да. А что?

— Ничего, просто спросил. Давно?

— Не очень, меньше года.

— Ваш муж знаком с Ларисой?

— Конечно. Она и на свадьбе у нас была, и в гости к нам приезжала. И сегодня должна была... мы собирались...

Лена тихонько заплакала, но быстро взяла себя в руки.

— А сами вы в гостях у Ларисы бывали?

— Да, в мастерской.

— А дома? Я имею в виду не тот дом, где она с мамой жила, а дом Риттеров.

— Нет, там не была. Все равно поговорить не дадут. Мы с ней в мастерской любили посидеть, кофе попить, вина какого-нибудь легонького, потрепаться.

— Одновременно с вами у Ларисы бывал кто-нибудь? Ну там подружка или приятель?

— Нет. Мы всегда вдвоем были.

Опять двадцать пять. И с матерью-то она только вдвоем, и с подружкой вдвоем. Никаких зацепок, никаких выходов на новых людей.

— Лариса в последнее время не жаловалась вам, что ей кто-то угрожает? Может быть, она стала нервной, беспокойной?

— Угрожает? — переспросила Лена. — Нет, ничего такого. И нервной она не стала.

— Может быть, что-нибудь странное происходило. Вспомните, Лена.

— Странное... Ну я не знаю, если только это...

— Что? — мгновенно сделал стойку Доценко.

— Ей какая-то женщина все время звонила.

— Какая женщина?

— Да откуда же мне знать? Ларка сама не знала. Придет домой, а свекровь говорит, мол, тебе женский голос звонил, не представился и ничего передавать не просил.

Ну-у-у, а он-то размечтался... Подумаешь, позвонил кто-то и не представился. Такое каждый день бывает.

— Это всего один раз было? — безнадежно спросил он.

— Да в том-то и дело, что нет. Полгода примерно эта женщина ей названивала, и всегда именно тогда, когда Ларки дома нет. Ни разу Ларисе не удалось с ней поговорить. Причем свекровь, Нина Максимовна, уверяла, что это не одна и та же женщина, а разные. Якобы она голоса хорошо запоминает, голос был точно не один и тот же.

— И Лариса даже предположить не могла, кто ей звонил?

— Мы с ней всех перебрали. Всем старым подружкам позвонили, даже тем, с которыми сто лет не виделись, всем знакомым — не они. Целый вечер, помню, сидели в мастерской и по телефону названивали. Так и не выяснили.

Вот это уже предмет для разговора. Только с кем? Не с Леной Завьяловой, это точно. Говорить об этом надо с Ниной Максимовной, которая подходила к телефону. И с Риттером, может быть, он тоже имел счастье слышать неизвестную даму. Или эти звонки — такая же выдумка сынка и маменьки, как Ларисина наркомания?

Кстати, о наркотиках. Лена-то у нас в больнице работает, вот мы у нее и спросим.

— Знаете, Лена, что мне сказал Валерий Риттер? Что Лариса была наркоманкой?

— Что? — Слезы, уже готовые было пролиться, высохли, в глазах засветилось изумление. — Ларка — наркоманка? Да с чего он это взял?

— Он неоднократно находил у нее упаковки от сильнодействующих лекарств, — соврал Доценко.

Ну, не очень-то и соврал на самом деле. Пусть упаковки

354

находила домработница, а не муж, но ведь они же были, упаковки эти.

— Ах, это... — Лена скупо улыбнулась. — Это я ей давала.

— Вы?

Вот теперь уже Доценко долго не мог закрыть рот от изумления.

— Зачем, Лена? Зачем ей пустые упаковки?

— Она хотела картину сделать... Такую, знаете, необычную, не красками, а всю из упаковок. Что-то агитирующее против наркомании. В Германии в следующем году будет проходить международная выставка «Художники против наркотиков», или что-то в этом роде, она хотела к выставке сделать работу. Ей нужны были упаковки именно от наркотических препаратов. Пустые. Это не нарушение, я у зав отделением спрашивала и у старшей сестры, они разрешили.

Вот тебе, бабушка, и Юрьев день. Только спрашивается в задачке, если Лариса Риттер собирала пустые упаковки, чтобы создать произведение искусства, то где они? Произведения пока нет. Но и упаковок нет, по крайней мере, при обыске дома и в мастерской их не обнаружили. Ну и как все это понимать?

Глава 14

К бывшему жениху Ларисы Риттер Доценко не рискнул ехать в одиночестве. По словам и матери Ларисы, и ее подруги Лены Завьяловой, Владимир Харченко был сотрудником милиции и даже занимал какой-то там пост чуть ли не в главке. Михаил после встречи с Завьяловой вернулся на работу, установил все данные на Харченко, долго чесал репу и позвал на подмогу Селуянова. Конечно, по уму-то надо было бы через руководство действовать, как-никак коллега, но время, время, время... Его не хватало. Его просто не было. Заканчивалась суббота, а в воскресенье к вечеру Ольшанский спросит, что сделано. Меньше суток осталось.

— Да ладно тебе, мы же его ни в чем не подозреваем, нам бы только характеристику Ларисы поподробнее составить, — успокоил его многоопытный Николай, который к инструкциям и негласным порядкам относился более чем пренебрежительно. — Заодно и о Риттере поспрашиваем, может, Лариса что-нибудь эдакое рассказывала. Нам ведь что велено? Семейные тайны и старые истории раскапывать. С бывшим женихом поговорить — святое дело. Просто как с мужиком. Адресок есть?

— И адрес, и телефон.

— Ты ему уже звонил, о встрече договаривался?

— Нет пока, с тобой вот советуюсь.

— Ну и не звони. Сейчас подъедем тихонечко, поглядим, что там и как, а если его дома нет, тогда подумаем, как лучше поступить. Где он живет-то, твой Харченко?

— В районе «Новослободской».

— От конторы рукой подать, пешком дойдешь, пока я доеду. Где встречаемся?

— Он на Краснопролетарской живет.

— А в каком доме?

Доценко назвал полный адрес.

— Не хило, — тут же прокомментировал Селуянов, знающий Москву, как свою квартиру, и помнящий месторасположение почти всех элитных домов. — Все бы менты так жили — горя бы не знали. Но охраны там нет, это точно. Давай встретимся на углу Краснопролетарской и Садового кольца, я там буду через полчаса.

Ровно через полчаса Николай подъехал к условленному месту.

— Ну как, много народу успел окучить за субботний день? — спросил он Мишу, поеживающегося на ветру в пижонской легкой курточке.

— Двоих. Мать Ларисы Риттер и подружку. А ты?

— Тоже двоих. Полдня провел в обществе Зои Петровны Кабалкиной. Уж если копать, так от сотворения мира. Потом еще к бывшему мужу Волковой смотался, про Аниту Станиславовну с ним погутарил.

— И что получилось? — поинтересовался Доценко.

— Что мадам Волкова глупая и несчастная, но строит из себя умную и счастливую. Вот так примерно. Ничего интересного.

— А у Кабалкиной?

— Там еще хуже. Но с Любочкой что-то мне не до конца ясно. Помнишь, Сережка Зарубин говорил, что ее любовник бросил? Так вот, этот любовник у нас немец.

— Германия, Австрия, Швейцария?

— Понятия не имею, и Зоя Петровна не знает.

— Откуда же известно, что он немец?

— А Зоя Петровна слышала, как Люба с ним по-немецки разговаривала. Ушла, понимаешь ли, в ванную, заперлась там, чтобы никто не слышал, и щебетала, щебетала... А через пару дней впала в глубокое горе, из которого так до сих пор и не вышла. И знаешь, что странно?

— Скажешь — узнаю, — Доценко снова поежился на пронизывающем ветру. — Только давай шаг прибавим, а то я окоченел совсем.

Они пошли быстрее.

— Так вот, Люба всю жизнь матери доверяла и про все свои любовные истории ей рассказывала. Ничего не скрывала. А про этого немца Зоя Петровна ничего не знает, ну просто ничегошеньки. Кроме того, что он немец. Вот я и подумал, что, может быть, тут не любовная история, а деловая. С этим немцем она крутила какую-то финансовую аферу, а теперь он ее или кинул и оставил без денег, или подставил, и ей грозит разоблачение. Вот потому она так и нервничает.

— Зачем же она Зарубину плела, что у нее любовник пропал?

— Ой, наивный ты, Мишка, хоть и женатый! — фыркнул Селуянов. — Он же действительно пропал, немец этот, понимаешь? Она его найти не может, и не понимает, в чем дело, и от этого психует. Ей нужен был квалифицированный милицейский совет, что в таких случаях делать, как искать человека, чтобы не задействовать официальные каналы. Вот она и придумала, что это был любовник. Понял? И психолог Аничкова могла каким-то боком к этой истории прикоснуться. Может быть, видела что-то или слышала случайно. В общем, надо Любочкиного кавалера устанавливать и искать.

Доценко собрался было задать сакраментальный вопрос: «Как искать?», но внезапно остановился. Метрах в пятидесяти от дома, в который они направлялись, он заметил машину, возле которой стояли двое. Одного из них он помнил очень хорошо, совсем недавно разговаривал с ним, всего несколько дней назад, когда устанавливал его алиби на момент убийства актрисы Халиповой. Парень из группировки Руслана Багаева, кличка Самсон. Второго Михаил прежде не встречал, но внешность и повадка у него были не вызывающие никаких сомнений: такого же полета птичка. Оба в свободных темных брюках и коричневых коротких куртках с поднятыми воротниками, оба слегка небриты и примерно одного роста. Ну прямо близнецы-братья. Различие только в том, что у Самсона длинные волосы, забранные на затылке в куцый хвостик, а его напарник коротко острижен.

— Ну-ка погоди, — он придержал Селуянова за рукав. — Чего это тут багаевский шустрик толчется?

— Который? — насторожился Коля.

— Вон тот. Второго не знаю, а этот, с хвостиком, Самсон, мы его на причастность к убийству Халиповой проверяли. Слушай, может, Каменская права и между делом актрисы и Ларисой Риттер есть какая-то связь, а? Может, не будем торопиться с Харченко?

— Каменская, скорее всего, не права, — авторитетно заявил Николай, — но торопиться не нужно, это верно. Пошли, поговорим с ребятами. Харченко никуда не денется, к нему мы всегда успеем.

Сделав веселые лица и придав походке вальяжную расслабленность, они подошли к машине, возле которой стояла странная парочка.

— Здорово, Самсон. — Лицо Доценко излучало доброжелательность и радость по поводу неожиданной встречи. — Помнишь меня?

— А то, — коротко цыкнул Самсон.

Его лицо, напротив, никакой радости не выражало.

— По какой теме гуляем в районе Петровки?

— Где Петровка, а где мы, — немногословно, но вполне резонно ответил второй, стриженый.

— Ну не скажи, не так уж далеко, рядом совсем, — продолжал Миша. — Так все-таки, Самсон, чего ты тут выжидаешь, а?

— А тебе не все равно, начальник? Я просто стою, никого не трогаю, актрису твою я не убивал, ты это уже выяснил. Чего надо-то?

— Да ты понимаешь, — тягуче вступил в разговор Селуянов, рисуя крайнюю озабоченность и озадаченность, — актрису-то ты, может, и не убивал, но вот то, что ты тут стоишь и никого не трогаешь, мне не очень нравится.

— Это еще почему?

— Да ты понимаешь, в этом доме живет подозреваемый. Мы вот тут думали, может, это он актрису... того... А может, и не он. Шли вот и сомневались. А тут ты стоишь. И все сомнения разом пропали. Нехорошо, Самсон, некрасиво получается.

— Брось, начальник. — Самсон говорил по-прежнему лениво и неспешно, но в глазах заплескалось беспокойство. — Не в тему говоришь. Актрису никто из наших не трогал, вы ж сами проверяли.

— Да ты понимаешь, — снова затянул свою волынку Селуянов, — мы вот тоже думали, что он как следует все проверил, а оказалось, плохо он проверял. Много чего осталось невыясненным. Ему даже выговор за это объявили.

Он кинул на Доценко строгий взгляд придирчивого начальника, Миша тут же, как положено, отыграл смущение и некоторую даже виноватость.

— Короче, Самсон, ты нам сейчас быстро рассказываешь, кого вы тут караулите. Если это не имеет отношения к актрисе, мы уходим, а вы продолжаете стоять. А если не рассказываешь, то мы все дружно возьмемся за руки и потопаем на Петровку, тут недалеко. Машину твою здесь оставим, закрывать ее не будем, сигнализацию тоже включать погодим, а как на Петровку придем, тут же Гоге шепнем, что на Краснопролетарской тачка стоит, такая недешевая. Долго ты ее потом искать будешь.

Под Гогой ходили все угонщики, «работающие» в районе Садового кольца, и были они, с одной стороны, умельцами неслыханными, с другой — такими же неслыханными беспредельщиками, изымающими автомобили невзирая на лица, то есть у всех подряд, включая всенародно любимых артистов и криминальных авторитетов. Лишь бы модель и цвет подходили.

Самсон думал так же медленно, как и говорил. От напряжения морщины на лбу шевелились, и в такт этому шевелению хлопали короткие густые ресницы. Его стриженый напарник стоял с отсутствующим видом и ни о чем не думал, из чего оперативники сделали вывод, что главным в этом тандеме является именно Самсон, ему и решение принимать.

— Позвонить надо, — наконец выронил Самсон из плотно сжатых губ.

— Валяй, — разрешил Селуянов. — Только чтобы я слышал.

— А не перебьешься?

— Не перебьюсь, — заверил его Коля. — Вот как бог свят, не перебьюсь. Я все понимаю, ты человек подневольный, тебе разрешение на разговор надо получить. Я к этому отношусь с уважением. Звони. Но я должен слышать, что ты будешь говорить. Я ведь тоже человек подневольный, у тебя — понятия, у меня — инструкции. По-моему, это справедливо.

Самсон, что очевидно, такой точки зрения не разделял, представления о справедливости у него были несколько иные. И не мог он позволить себе звонить Руслану прямо перед носом у мента. Но и ослушаться внаглую не посмел. Посему выбрал компромиссный вариант, отошел на три шага и повернулся к сыщикам спиной. Так ему было спокойнее.

Судя по всему, разрешение на разговор он получил, потому что, когда прятал в карман мобильник, морщины на лбу уже не шевелились.

— Короче, так, — начал он. — Тут один мужик деньги задолжал, ему срок дали, чтоб вернул. Он пока не вернул, еще отсрочку попросил. Мы контролируем, чтоб не сбежал.

— Хорошо спел, — похвалил Селуянов. — Теперь давай все то же самое, но позабористее. С фамилиями и подробностями. Что за мужик, как зовут, кому задолжал, сколько.

— Ну ты настырный, — вздохнул Самсон. — Ладно, Руслан разрешил, тема не наша, мы только контролируем. В общем, этот мужик продал одной газете компру на одну фирму, газета схавала и деньги ему за это заплатила. А потом оказалось, что фирма чиста, как святая после клизмы, и вся эта компра оказалась крутой липой. Фирма газете претензию предъявила, типа семьсот тысяч сразу или три лимона по суду. Газета сказала, что заплатит семьсот, а мужику этому велели деньги возместить, раз виноват и непроверенную информацию слил. К актрисе никакого отношения.

— Да ты понимаешь, Самсон, — опять заныл Селуянов, — я бы с тобой согласился, если бы ты мне имена называл. А ты что-то темнишь. Мужик какой-то, одна газета, одна фирма... Так дела не делают. У меня в этом доме подозреваемый проживает, у него, между прочим, фамилия есть, а у твоей овцы, которую ты пасешь, она есть? Так вот я должен точно знать, что это не одна и та же фамилия, иначе опять про актрису начну думать.

— Ну достал... Харченко его фамилия. Владимир Харченко, в сорок второй квартире живет. Все, доволен?

— А газета как называется?

— «Вестник бизнеса».

— А фирма, которую они опустили?

— «Практис-Плюс». Ну что, все?

— Да куда там все, ты что, дружище Самсон! — засмеялся Селуянов. — Ты мне еще скажи, каким боком Руслан к этому делу привалился. Он что, газету крышует?

— Нет, газета под Гамзатом, — Самсон кивнул в сторону молчаливого напарника, — вот это Довлат, его человек.

— А фирма под кем?

— Под Дроновым, — нехотя выдавил Самсон.

— Оп-паньки! И что ж ты мне, друг ситный, поешь, что к актрисе это не имеет никакого отношения? Нехорошо, некрасиво.

— Ну начальник, ну хлебом клянусь! То, что актриса была бабой Дронова, это одно, а фирма — это совсем другое. Газете надо, чтоб ей деньги вернули, а фирме это по фигу, ей без разницы, ей уже заплатили. Гамзат с Русланом договорились. Ну, типа, чтоб Руслан помог, вроде они оба гаранты сделки.

— Какой сделки?

— Ну не сделки, а договора, что если газета выплатит семьсот тысяч, то фирма не будет шум поднимать, на газету наезжать и в суд обращаться с иском на три лимона. Потому мы тут вместе и торчим, один человек от Гамзата, один — от Руслана.

Доценко надоело стоять молча и изображать провинившегося подчиненного. Он страшно замерз, и ему захотелось поговорить. Может, согреется.

— Николай Александрович, похоже, Самсон правду говорит, — робко произнес он. — Но надо бы проверить.

— Проверим, — зловеще пообещал Селуянов. — Вот прямо сейчас и проверим. Кто на фирме главный? Кого можешь назвать, Самсон?

— Чуйков Игорь Васильевич, он главный. У него спросите, он все подтвердит.

— Спросим, не волнуйся. Еще кого знаешь?

— Еще Ахалая, Олег. Отчества не знаю.

— Это кто ж будет?

— Заместитель Чуйкова. Все, начальник, теперь точно все. Больше ничего не знаю.

— А телефончик Чуйкова?

— Не, это не ко мне. Фирма под Дроновым, а не под Русланом, мы так, помогаем только, услуги оказываем.

— А газета подтвердит? — снова вступил Доценко. — Или только фирма? Ты ж пойми, Самсон, нам твои слова проверить надо. Кто может подтвердить?

Насчет газеты Самсон ничего определенного сказать не мог и обратил вопрошающий взгляд на неподвижно стоящего напарника по имени Довлат.

— Довлат, чего молчишь? По газете — это к тебе вопрос.

Довлат молча достал из кармана визитную карточку владельца газеты и протянул Селуянову, очевидно, признав в нем главного. Селуянов спрятал карточку и строго взглянул на Самсона и Довлата.

— Ну смотрите, я все проверю, больно часто мне этот ваш Дронов стал попадаться. Нехорошо, некрасиво. Если что не так окажется, я вас найду. Вы же понимаете, что найду?

Те дружно и совершенно одинаково усмехнулись.

Разумеется, к Харченко они не пошли. Вернулись к машине Селуянова, и Николай сразу же включил печку, чтобы отогреть продрогшего Доценко, у которого уже зуб на зуб не попадал. У Коли куртка была дешевая и немодная, зато практичная и теплая, в ней можно было не бояться ни ветра, ни дождя, ни холода.

— Как же это Харченко так попал, — вслух рассуждал Николай, и непонятно было, то ли он сочувствует коллеге, то ли всерьез интересуется, как такое могло случиться.

— Да зарвался он, вот и все дела, — сердито пробурчал Миша, протягивая озябшие руки к источнику теплого воздуха. — Видел, в каком доме живет? На какие, позволь спросить, бабки он там квартиру купил? Небось поставил торговлю оперативной информацией на поток, десять процентов в производство пускает, а девяносто газетам продает. И не проверяет ни хрена, расслабился.

— Тормози, Миша, тормози. Чего ты завелся? Может, квартира на деньги жены куплена.

— Ох, наивный же ты, Колька, хоть и второй раз женат, — поддел его Михаил, процитировав недавно произнесенную фразу самого Селуянова. — Если у женщины есть такие бабки, то за каким чертом ей сдался нищий мент? Она себе получше мужа найдет. Твоя Валюшка вон в паспортной службе работает, моя Ирка вообще безработная, а у Харченко, выходит, принцесса шотландская, что ли?

— Нельзя быть таким циничным, — Коля изобразил учительскую строгость. — А если это любовь? Теперь смотри, что получается. У Харченко безвыходное положение, ему срочно нужны бабки, причем большие. Где он может их взять?

— У жены попросить, — ехидно подсказал Доценко. — Ты же уверен, что у него жена богатая.

— Значит, не такая уж богатая, раз не попросил. Еще у кого?

— Ты на Ларису намекаешь? Думаешь, он вспомнил, что его столетней давности невеста теперь замужем за миллионером, и решил обратиться к ней за помощью?

— Ну, например, — неопределенно ответил Николай. — А что, чем плохая версия?

— Не по-мужски это, Коля. Ты сам подумай. Позвонить женщине, которая почти три года назад тебя бросила ради богатого мужика, растоптала твою любовь и на помойку выбросила? И не просто позвонить с вопросом, мол, как дела, а денег у нее попросить. Причем попросить просто так, в подарок, а не в долг, потому как отдавать не с чего. Ты можешь себе это представить?

— Не могу, — согласился Селуянов. — Но я могу представить другое. Он звонит ей в минуту отчаяния и рассказывает, как попал на бабки. Лариса, испытывая чувство вины за предательство, сама предлагает свою помощь. Сама, понимаешь?

— Да откуда у нее такая сумма? Ты что, Коля, окстись. Такие деньги надо со счета в банке снимать, а не из кармана вытаскивать. И потом, если бы у нее были такие бабки, муж об этом сказал бы. Мол, попросила или из домашнего сейфа украла.

— А если цацками? — предложил вариант Селуянов. — Муж делал Ларисе подарки, наверняка очень дорогие, особенно в период женитьбы. У нее вполне могут быть золото-платина-бриллианты на такую сумму.

— Это может быть, — оживился Миша. — Это идея. У нее есть цацки, и она предлагает Харченко их взять. Как быть с мужем, она потом придумает. К примеру, скажет, что унесла их в мастерскую для какой-то там надобности, а из мастерской их украли. Кражу инсценирует, это не вопрос. А что, Коляныч, гляди, как все сходится!

— Сходится. Лариса приносит побрякушки в мастерскую, чтобы отдать Харченко. И где они?

— Их взял убийца, Коля. Кто-то узнал, что она принесла в мастерскую большие ценности, пришел раньше Харченко, убил ее и все забрал.

— То есть ты уверен, что убийца — это не сам Харченко?

— Не знаю. Но ему-то зачем ее убивать? Где мотив?

— Чтобы долг не отдавать.

— Коля, не забывай, Харченко — наш коллега, он такой же мент, как мы с тобой. Он прекрасно понимает, что с цацками он запалится в первый же день. Убийство будет громкое, опись ювелирных изделий муж наверняка предоставит, Харченко нигде их продать не сможет. А если газета у него долг примет натурой, то после убийства и после первых же сообщений в прессе, где будут упомянуты ценности, ему эти цацки в морду швырнут и потребуют зеленые американские бумажки. Там тоже не дураки сидят. Тем паче их крышует Гамзат, а с ним шутить опасно, это все знают.

— Ладно, убедил, — Селуянов с наслаждением закурил, отодвинул сиденье и вытянул ноги. — Значит, кто-то должен был узнать про то, что Лариса принесла бриллианты в мастерскую. И еще этот «кто-то» должен был примерно знать, когда за ними придет Харченко. Он же не мог опоздать и явиться к месту преступления, когда там уже ничего ценного не останется. Давай думать, кто бы это мог быть.

— Давай думать, — согласился Доценко без энтузиазма.

Этот день был для него таким длинным... Кажется, трехчасовое ожидание в аэропорту было не сегодня, а на прошлой неделе. А день еще не закончился, и он собирался успеть поставить новые краны в новой квартире. Наверное, не успеет.

— Слушай, — он внезапно повернулся к Николаю, — ты не помнишь, за какое число была газета, в которой опубликован фальшивый материал против той фирмы? «Практис-Плюс», кажется.

— Не только не помню, а просто-таки не знаю, я его не читал. Я вообще эту газету не читаю. Но ты прав, материал надо бы найти. Важно посмотреть, кто его написал. Мы с тобой, Мишаня, не будем идти трудными путями, поищем, где полегче.

Селуянов быстро набрал номер телефона Каменской.

— Привет хромым от голодных и усталых, — весело поприветствовал он ее. — Хочешь оказать неоценимую помощь друзьям? Там у тебя компьютер есть, он к Интернету подключен? Отлично. Мне нужно, чтобы ты нашла сайт газеты «Вестник бизнеса» и посмотрела, кто и что написал про фирму «Практис-Плюс». Запомнила? Ну молодец. Значит, так, публикация была недавно, в пределах месяца, я думаю. Посмотри, кто ее подписал, и потом погляди за предыдущий период, примерно за год, что еще написал этот же автор. И про кого. Задача ясна? Целую страстно, твой Селуянов. Ближе к ночи позвоню еще.

— Ну ты нахал, — протянул Доценко, и непонятно, чего больше было в его голосе — восхищения или укора.

* * *

Просьба Селуянова показалась Насте вполне посильной, но совершенно непонятной. Наверное, ребята нарыли какую-то новую информацию, и, если судить по ее деловой направленности, это имеет отношение к Валерию Риттеру. Да, что и говорить, он и его матушка — фигуры более чем странные, и вполне понятно, что оперативники ищут возможные пути, на которых им попадется хоть что-то, проливающее свет на владельца крупной консалтинговой фирмы. Жаль, что Коля ничего не объяснил, тогда Настины поиски могли бы стать более осмысленными и целенаправленными, но что поделать, раз не объяснил — значит, не мог. Может быть, торопился. Или говорил в чьем-то присутствии.

Правда, у нее на этот вечер были несколько иные планы... С утра приехал Чистяков, они так славно погуляли, Настя продержалась почти час и ужасно гордилась своими достижениями. Потом, как ей и мечталось, долго сидели обнявшись перед зажженным камином и разговаривали о «законе трех отрицаний» и о загадочной связи болей в ноге с психологическими проблемами. Вопреки ожиданиям Алексей не смеялся над женой, слушал ее внимательно, потом сказал:

— Асенька, я ничего в этом не понимаю, я никогда про это не слышал. Но если эта штука работает, то, наверное, в ней что-то есть. А то, что она работает, для меня совершенно очевидно, я и своими глазами вижу, и доктор вчера подтвердил.

И принялся вместе с Настей старательно вспоминать случаи из своих и чужих биографий, которые могли бы проиллюстрировать правило «не делай, не говори и не думай ничего, о чем тебя не просят». Иногда выходило забавно, а иногда пугающе неожиданно и правдоподобно.

Они увлеклись этим занятием и не прерывали его даже тогда, когда Чистяков взялся за приготовление обеда.

— Мы кого-нибудь ждем? — спросил он. — Я имею в виду гостей.

— Вроде нет, — ответила Настя. — Если только филолог наш подгребет, когда изголодается на подмосковных дорогах.

— А из твоих ребят никто не нагрянет?

— Нет, они сегодня и завтра в поте лица трудятся, им Ольшанский такие сроки установил, что вздохнуть некогда.

— Ладно, тогда готовлю на троих, — принял решение Леша.

Решение оказалось правильным, потому что филолог-автолюбитель действительно явился. Как и следовало ожидать, он опять долго стеснялся и отказывался от обеда, но в конце концов дал себя уговорить и сел к столу. Закончив с трапезой, он заявил, что не хочет надоедать своим присутствием, и если Настя согласится ответить еще на несколько вопросов, он их задаст, запишет ответы и тут же уедет. Настя не возражала.

Самарин достал толстую тетрадку, в которой несколько листов уже оказались исписаны.

— Я записал то, что вы мне вчера рассказывали, — смущаясь, пояснил он. — Наверное, напутал что-нибудь или переврал. Вы не посмотрите?

Смотреть ей не хотелось. Если бы текст был отпечатан, Настя, разумеется, предпочла бы прочесть, но ковыряться в чужом почерке — нет уж, увольте.

— Вы мне вслух прочитайте, — попросила она. — Вы свой почерк лучше знаете.

Борясь с сытой одурью, Настя прилегла на диван, укрылась пледом, усадила Самарина в кресло и стала слушать. Он ничего не переврал, все понял и записал кратко и толково. Что ж, очень возможно, что у него получится написать приличный детектив. Мозги у него, во всяком случае, устроены вполне нормально.

Валентин приступил к своим вопросам, и постепенно Настя втянулась в процесс, давала подробные объяснения, вспоминала разные занятные случаи или сложные ситуации. Закончив послеобеденную уборку на кухне, Чистяков присоединился к ним, уселся на диване у Насти в ногах и с интересом слушал, то и дело включаясь в разговор. Оказалось, что занятных случаев и сложных ситуаций из жизни следствия и уголовного розыска он знает немало, естественно, со слов жены, но сама Настя не уставала поражаться тому, что он держит все это в голове. Она уже успела о многом забыть, а Лешка помнит...

Она вдруг спохватилась, что хотела посмотреть телевизор. Разговор, который планировался коротким, неожиданно превратился в вечер воспоминаний и заметно затянулся. Сколько же прошло времени? Сегодня начиналась ретроспектива фильмов режиссера Константина Островского, приуроченная к его шестидесятипятилетию, и в телепрограмме она прочла анонс о большом интервью с ним. Насте хотелось своими глазами взглянуть на свидетеля по делу об убийстве, понаблюдать за его повадками, послушать его речь. Иногда это бывало очень полезным.

— Леш, я передачу не пропустила? — испуганно спросила она, прерывая собственный рассказ о том, почему следователи требуют в некоторых случаях неукоснительного соблюдения закона, а иногда смотрят на нарушения сквозь пальцы и даже порой поощряют их.

Чистяков посмотрел на часы.

— Еще полчаса, — успокоил он жену.

И надо же так, ровно через полчаса как раз и позвонил Селуянов со своей малопонятной просьбой. Настя откинула плед и стащила себя с мягкого диванчика.

— Пойду наверх, Селуянов просит в Интернет залезть.

— А передача? Ты же хотела посмотреть, — нахмурился Чистяков.

— Леш, запиши мне на кассету, ладно? Я потом посмотрю.

— Ни стыда, ни совести у твоего Селуянова, — ворчал Алексей, мечась в поисках подходящей кассеты, потому что по экрану телевизора уже бежали вступительные титры. — Вот это что у тебя?

Он сунул Насте под нос коробку с кассетой.

— Это про любовь, можешь сюда записать, я уже посмотрела. Мура страшная.

Она поднялась на второй этаж, включила компьютер, вышла в Интернет. Интересно, с чего Селуянов решил, что у этой газеты есть свой сайт? Ладно, даже если и нет, существует множество мест, где можно найти нужные публикации. Правда, на это потребуется больше времени.

Но сайт у «Вестника бизнеса», к счастью, оказался. Настя

ввела поисковое слово «Практис-Плюс» и тут же получила статью, подписанную Петром Маскаевым. Действительно, совсем недавно опубликована. И зачем она Селуянову? На второе поисковое слово «Маскаев» компьютер выдал ей два десятка публикаций за предыдущие шесть месяцев, а всего с начала текущего года их набежало тридцать восемь. Читать все это с экрана было бы полной глупостью, даже учитывая наличие очков, поэтому Настя вставила в принтер бумагу и распечатала все статьи Маскаева.

Ну вот, теперь можно выключить компьютер, устроиться поудобнее, положить перед собой чистый лист бумаги и предаться своему любимому делу — анализу.

Вниз она спустилась в половине двенадцатого. Чистяков сидел с огромной дымящейся кружкой в руках и смотрел боевик.

— Наш автолюбитель просил с тобой попрощаться, он не хотел тебя беспокоить, — сообщил Леша, не отрываясь от экрана. — Если хочешь чаю, наливай, вода только что закипела.

— Я есть хочу, — капризно заявила Настя.

— Тогда посиди тихонько, будет перерыв на рекламу — я тебе принесу. Ладно?

— Неужели так интересно, что оторваться не можешь? — ревниво спросила она.

— Не зуди, — попросил муж. — Раз в сто лет приличный фильм попался, дай посмотреть, а?

Настя безнадежно махнула рукой и поплелась на кухню. Уже совсем поздно, почему Селуянов не звонит? Сам же сказал, что позвонит «ближе к ночи». Куда ж еще ближе-то, без двадцати двенадцать. Дал задание и не интересуется результатами. Или так замотался, что и позвонить некогда? Или случилось что-нибудь?

Она отрезала толстый ломоть черного хлеба, положила на него холодную отбивную, поставила перед собой на стол банку с малюсенькими маринованными огурчиками. Чистяков подал бы ей все то же самое, но в теплом виде, с гарниром и на тарелке. Ничего, она и так обойдется, в желудке все согреется, и ему, желудку то есть, совершенно все равно, с тарелки это в него попало или из банки и с куска хлеба. Правда, ему не все равно, когда в него кидают мясо с хлебом, он из этого набора ухитряется создавать лишний вес, а с весом надо бороться... Ну ладно, один разочек — не страшно, джинсы ужс и так не сходятся.

Прикончив мясо с хлебом и вытащив из банки последний огурчик, Настя не выдержала и набрала номер селуяновского мобильника.

— Ты чего не звонишь? — обеспокоенно спросила она. — Случилось что-нибудь?

— Типун тебе на язык, накаркаешь. Я только-только домой ввалился. А ты никак закончила?

— Закончила, только это все без толку, потому что я не знаю, что именно тебя интересует.

— Статью нашла?

— Нашла и статью, и автора, и все его публикации за прошедший год. Он, между прочим, довольно плодовитый.

— Чего-нибудь увидела?

— Коль, да я же не знаю, куда смотреть! — рассердилась Настя. — Ты меня втемную используешь. Сказал бы сразу, что конкретно тебе нужно, от моей работы пользы больше было бы.

— Аська, я сам не знаю, что мне нужно, — признался Николай. — Погоди, я тебе с городского телефона перезвоню, а то у меня батарейка вот-вот скончается.

Он перезвонил и вкратце рассказал Насте о сегодняшней встрече с «шестерками» Багаева и Гамзата.

— Я и подумал, что если Харченко черпал информацию из одного и того же источника и сливал одному и тому же журналисту, то по публикациям это можно как-то проследить. Понимаешь, он мог обратиться за помощью к друзьям, к бывшей невесте, а мог и к своему источнику. Дескать, ты меня подвел, дал неверную информацию, теперь помогай выкручиваться, гони бабки. Допустим, у источника денег нет, но ведь Харченко мог с ним обсуждать варианты, к кому еще обратиться. И мог рассказать ему, что Лариса согласилась помочь, обещала передать деньги или ювелирку. Сама-то Лариса вряд ли кому-то стала бы говорить, что мужнины подарки бывшему любовнику отдает, так что с ее стороны утечка информации о цацках крайне маловероятна. А вот со стороны Харченко она вполне возможна. Жене он наверняка не сказал, потому что неприлично брать такие ценности у бывшей любовницы. А источнику мог сказать. И источник этот мог не удержаться от соблазна, или сам на дело пошел, или продал сведения, или нанял кого-то. Деньги-то немалые, я бы даже сказал, огромные деньжищи.

— А это не на пустом месте? С чего вы с Мишкой решили, что Харченко обращался к Ларисе и что она согласилась ему помочь? Вы же это выдумали из головы, — засомневалась Настя.

— Сначала выдумали, потом придумали, как проверить.

— И что, проверили?

— Как тебе сказать, — в голосе Селуянова зазвучала хитрющая улыбка. — Неточно. Косвенно. Мы поехали к Риттеру и попросили при нас проверить, все ли ювелирные изделия Ларисы на месте.

— И оказалось?..

— Что их нет. Не всех, конечно, кое-что осталось. Но очень многих нет. Коробки в сейфе стоят, но больше половины — пустые. По словам Риттера, пропали изделия с крупными бриллиантами, очень дорогие. И главное, ты представляешь, он даже не может точно сказать, когда именно они пропали, потому что коробочки-то все на месте, а внутрь ему и в голову не приходило заглядывать. Смотри, если Харченко до сих пор пасут, значит, он деньги газете не вернул, стало быть, у Ларисы он их не брал. В общем, чем больше мы с Мишкой думаем, тем больше все сходится на источнике, у которого Харченко информацию получал. Это единственный человек, с которым он мог обсуждать ситуацию и пути выхода из нее.

— Ясно. А ты не боишься, что как только ты к этому источнику живой воды приблизишься, так он от тебя во все ноги побежит прямиходом к Харченко с доносом? И неприятностей ты потом не оберешься, если, не дай бог, выяснится, что ты ошибся.

— Ась, ну это уж моя проблема — сделать так, чтобы не побежал, я ведь не на грядке вырос. Мне бы только источник этот вычислить.

— Вот теперь понятно, что тебе нужно. Мог бы сразу сказать. А кстати, тебе не приходило в голову, что Риттер мог на самом деле не сегодня, а гораздо раньше обнаружить пропажу бриллиантов и от злости или ревности застрелить жену?

— Не приходило, — озадаченно признался Селуянов.

— Так пусть придет, — посоветовала Настя.

— Черт, а ведь так просто... А куда же она их девала?

— Тайному любовнику подарила, например. Или подружке-лесбиянке. Между прочим, убийц иногда ищут не по мотиву, а по орудию убийства. Рядом с трупом Ларисы Риттер пистолет валялся, насколько я помню, «беретта». Ты об этом не забыл?

— Да я-то не забыл, у оружейников тоже очереди, как у всех. Ждем ответа.

— Ты же хвастался, что у тебя там ходы есть. Врал?

— Не, не врал. У меня по холодному оружию есть блат, а по огнестрельному — пусто. И потом, кто я такой? Дело Риттер на Петровке, а я так, с боку припека. Вот если с понедельника Ольшанский дела объединит, тогда я буду при правах.

— Ага, и при обязанностях, — хмыкнула Настя.

Она взяла составленную по статьям Маскаева таблицу и

принялась подробно рассказывать Селуянову о результатах своих изысканий.

Боевик, так увлекший Чистякова, закончился в половине первого ночи. До этого сладостного момента Настя, не любившая такие фильмы, просидела на кухне, вглядываясь в составленную таблицу и пытаясь хоть что-нибудь там увидеть. Не увиделось ничего. То ли она устала, то ли отупела от безделья. То ли там и впрямь ничего не было.

Звуки стрельбы за стеной стихли, на кухню заглянул Чистяков.

— Сама поела? Молодец, самостоятельная девочка. Ну что, спать будем укладываться или хочешь своего режиссера посмотреть?

Посмотреть хотелось. Но и лечь тоже хотелось. И спать.

— Давай совместим, — предложила она. — Расстелим постель, уляжемся, и я посмотрю, а ты почитаешь.

Настя умылась, почистила зубы, влезла в пижаму и с наслаждением вытянулась в прохладной постели. Леша уткнулся в книгу, а она перемотала пленку и стала смотреть интервью режиссера Островского. Мэтр отечественного кинематографа производил впечатление человека сильно пьющего, но умело загримированного. Во всяком случае, выглядел он для своих шестидесяти пяти очень хорошо, а говорил так себе... Настя за свою жизнь перевидала множество людей в самой разной степени опьянения и находящихся на различных стадиях алкоголизма и легко могла определить человека, злоупотребляющего зельем, даже если он в данный момент трезв как стекло.

— Выглядит он классно, — вполголоса пробормотала она. — Сытый, довольный, рожа в экран не вмещается.

— Между прочим, — тут же откликнулся Леша, не отрываясь от книги, — наш друг-филолог сказал, что в жизни Островский гораздо худее, в том смысле, что не такой полный. Мне говорили, что телевизионный экран прибавляет визуально несколько килограммов.

Настя вспомнила подругу Юры Короткова и согласилась с тем, что это, пожалуй, правда. На экране актриса Ира Савенич выглядела куда крупнее, чем была на самом деле. И, уже засыпая, Настя Каменская решила, что ни за что не согласится ни на какие телевизионные съемки, пока снова не начнет помещаться в свои джинсы.

Как будто ее на эти съемки приглашали...

* * *

Ночь с субботы на воскресенье Миша Доценко спал почти счастливым. Он успел-таки поставить новые краны. А главное — они с Колей Селуяновым совершили колоссальный прорыв в раскрытии убийства Ларисы Риттер.

Однако уже к полудню воскресенья счастья как не бывало. Ему позвонил Валерий Риттер.

— Я хотел поставить вас в известность, что все украшения Ларисы нашлись.

В его голосе не было ни радости, ни воодушевления. Впрочем, какая может быть радость, если завтра похороны жены. С другой стороны, Риттер мог играть какую-то свою игру, веры ему нет...

— Где?! — чуть не закричал Миша.

— У ее матери. Мне только что позвонила Светлана Евгеньевна и попросила забрать бриллианты, они у нее. Вчера она была в таком состоянии, что не вспомнила о них.

— Как они к ней попали? — упавшим голосом спросил Михаил.

— Лара отдала, чтобы мать носила. Лара очень любила Светлану Евгеньевну, ей хотелось, чтобы мать хорошо выглядела и носила дорогие украшения. Сама Лариса их никогда не надевала.

— Почему?

— Ей не нравились бриллианты. Она предпочитала другие камни. Все, что она надевала, лежит дома, вы сами видели.

— Зачем же вы покупали ей бриллианты, если она их не носила?

— Молодой человек, муж моего статуса должен покупать жене бриллианты, а не бижутерию. И потом, это хорошее вложение средств.

. — Спасибо, что позвонили, Валерий Станиславович, — поблекшим голосом поблагодарил Доценко. — Я попрошу вас, обязательно перезвоните мне, когда получите украшения. Мне важно понимать, все ли на месте, или чего-то все-таки недостает.

— Я перезвоню, — холодно пообещал Риттер.

Вот и сказочке конец. А такая была сказочка, такая чудесная — просто загляденье.

Глава 15

Звонок Миши Доценко с сообщением о том, что ценности Ларисы Риттер никуда не пропали, Настю отчего-то не удивил. Запущенный еще в пятницу в кабинете следователя Ольшанского механизм «обсчета» собранной информации не останавливался ни на секунду, даже во время сна или задушевных разговоров с Чистяковым, и результаты этого «обсчета» подразумевали, что бриллианты Риттеров должны найтись. Они и нашлись. Только нужно было проверить еще одну вещь. Вернее, проверять будут потом, для начала ее следовало хотя бы нащупать.

Настя снова включила компьютер и положила перед собой вчерашнюю таблицу. Она была готова к тому, что найти удастся далеко не все, но если ее догадка верна, то хоть что-нибудь, но непременно отыщется. «Никогда так не было, чтобы ничего не было...» Кто это сказал? Она уже не помнила, но саму фразу повторяла регулярно. Всегда что-нибудь есть. Все оставляет следы. Вопрос лишь в умении эти следы найти. И в удаче, конечно же, куда ж без нее.

От обеда она отказалась, удовлетворившись чашкой кофе и порезанным на маленькие кусочки шоколадно-вафельным тортиком, который Чистяков принес ей наверх. В пылу работы Настя совершенно забыла о незастегивающихся джинсах и о своем решении потреблять исключительно низкокалорийные продукты и спохватилась только тогда, когда вышла из Интернета и принялась собирать упавшие на пол от неловкого движения и разлетевшиеся в разные стороны листки со своими записями. Стоило ей наклониться, и тесные джинсы тут же напомнили о себе. Секунд эдак пять Настя колебалась и решала, расстраиваться ей и бранить себя или не стоит, и решила, что, пожалуй, не стоит. Потому что радость была все-таки сильнее. Ее догадка подтвердилась.

Интересно, что скажет на это Ольшанский? На семь вечера назначен сбор у него дома, Лешка ее отвезет в Москву и оставит у Ольшанского, а сам, пока сыщики будут совещаться, съездит куда-то по делам. Кажется, он в автосервис собирался, какую-то царапину закрашивать.

— Леш, мы гулять пойдем? — спросила она, спустившись вниз.

— Ты — пойдешь.

— А ты?

— А я почитаю, мне нужно эту монографию за сегодняшний день добить, а завтра на нее рецензию быстренько написать, уже все сроки вышли.

— Жалко, — она непритворно огорчилась.

Ей хотелось поговорить с мужем об Аните Волковой, задать ему вопросы, в которых он наверняка разбирается лучше самой Насти. Но у него тоже работа, не у нее одной, и кто сказал, что Лешкина работа менее важна? Ладно, свои вопросы она успеет задать ему по дороге в Москву, путь-то неближний, можно много чего успеть обсудить.

Она добросовестно отгуляла положенное время, с удовлетворением отметив, что по-настоящему нога разболелась только в самом конце, где-то на сорок пятой минуте. Невиданный прогресс!

В половине шестого они выехали в Москву.

— Леша, ты мне можешь сказать, чем инженерно-физический институт отличается от всех остальных технических вузов? Вернее, не так. Чем он отличался двадцать пять лет назад?

— Ну и вопрос! — Чистяков не скрывал удивления. — Это что, простое любопытство или для дела надо?

— Для дела.

— Интересно вы живете, ребята. Трупы у вас сегодня, а технические вузы четвертьвековой давности. Может, тебе про раскопки Трои рассказать?

— Нет, про Трою не надо, расскажи про МИФИ.

— Ну что тебе рассказать... Среди всех технических вузов в те годы МИФИ и Физико-технический были самыми элитными. На первом месте стоял как раз Физтех, на втором МИФИ. Поступить в них было трудно, без побед на школьных олимпиадах по физике и математике даже пытаться нечего. Конечно, были и исключения, как во всех институтах, например, брали мастеров спорта, чтобы они за институтские команды выступали. В основном выпускники работали потом в закрытых учреждениях: космос, оборонка, средмаш. Из них готовили научных работников и преподавателей. Ты мне объясни, в чем твой интерес состоит, а то я и не знаю, что тебе рассказывать.

— Интерес у меня, Лешик, в том, чтобы понять, почему девочка, выпускница школы, золотая медалистка, которая может легко поступить в любой вуз, победительница олимпиад по математике, выбирает именно МИФИ, а потом становится очень слабым специалистом. Если у нее не складывались отношения с физикой, то почему она стала ею заниматься? Она же могла выбрать все, что угодно, с золотой медалью открыты дороги почти в любой институт. К окончанию школы она знала два иностранных языка, могла бы поступать, например, в иняз или на филологический. Значит, было в МИФИ что-то такое, что ее привлекало. Вот я и хочу понять, что.

— Может, она жила где-нибудь рядом? — предположил Алексей. — Так иногда бывает. Вуз выбирают поближе к дому, лишь бы он давал выбранную специальность.

— Да нет, я уже подумала об этом. В Физтех ей, конечно, добираться пришлось бы еще дольше, он же в Долгопрудном находится, но и до МИФИ от ее дома расстояние было порядочное.

— Слушай, а она что, убогая уродина?

— С чего ты взял? — изумилась Настя.

— В МИФИ и Физтехе всегда было очень мало девочек и очень много мальчиков. То есть шанс найти мужа куда выше, чем в любом другом вузе.

— Нет, Леш, она красавица, каких поискать. Твоя версия не проходит.

— Жаль, — засмеялся он, — а то я мог бы гордиться тем, что внес вклад в раскрытие жуткого убийства. Ты меня спрашиваешь все про ту же Волкову А.С.?

— Про нее, — кивнула она. — Никак мы с ней не разберемся.

— А что с ней не так? Она оказалась жестоким душегубом и маньячкой?

— Ну прямо-таки! Просто у нас есть версия, что кто-то целенаправленно создает проблемы людям, связанным с одной и той же семьей, и ищем какую-нибудь глубоко запрятанную семейную тайну. А знаешь, как ищут старые семейные тайны?

— Не знаю. Расскажи.

— Изучают подробно жизненные пути всех членов семьи и ищут какой-нибудь необъяснимый, нелогичный шаг.

В жизни Волковой А.С. все было логично и объяснимо, кроме выбора института. Вот я и вцепилась в этот факт.

— А не проще у нее самой спросить? — вполне резонно заметил Алексей.

— Проще, — согласилась Настя. — Только она ответит, что любила физику, ей нравилось ею заниматься, и разве она могла предполагать, что станет слабым ученым. Вот и весь ответ.

— Откуда ты знаешь, что она именно так ответит?

— Ее муж неоднократно задавал ей этот вопрос. И получал именно этот ответ.

— А вдруг на самом деле она до потери сознания любила мальчика, который поступал именно в МИФИ, и пошла следом за ним, чтобы не разлучаться? Истории подобные факты известны.

— Это вряд ли.

— Почему?

— Не укладывается в схему характера. И потом, если бы это было так, то ее мать об этом знала бы. А мать ничего такого не рассказывала.

Она помолчала немного, глядя в окно на унылые мокрые осенние улицы. Бывший муж Волковой считает, что Анита всегда жила вынужденной жизнью. Что могло вынудить ее поступать в инженерно-физический институт? О! Гениально! Ее еще в школьном возрасте завербовала западная разведка и послала в вуз, выпускники которого все сплошь работают на засекреченных объектах, чтобы Анита добывала информацию, составляющую государственную тайну. Фу, глупость какая. Придет же в голову...

— Ася, меня память подводит или ты мне называла полное имя Волковой? Мне еще показалось, что имя какое-то нерусское, — голос мужа вернул ее на землю.

— Анита Станиславовна, — машинально ответила Настя.

— Анита... Что за имя? Откуда оно?

— У нее крестная — испанка. Мать Аниты была беременна как раз во время фестиваля молодежи и студентов, она подружилась с девушкой из Испании, и та предложила стать крестной матерью ребенка. В те годы еще не умели определять пол ребенка до рождения, поэтому мать Аниты и та испанка придумали два имени, для мальчика и для девочки.

— Ага, понятно. И как ей потом жилось с таким именем? В те времена имена были стандартными, необычные как-то не приветствовались.

— Да отлично ей жилось. Она, судя по всему, всегда помнила, что у нее крестная из Испании, поэтому изучала страну, язык, культуру. Даже научилась фламенко танцевать. И на гитаре играла прекрасно, музыкальную школу закончила. Леш, какая связь, я не понимаю. При чем тут ее имя?

— Имя ни при чем. А вот Испания очень даже при чем.

— Ты что, про шпионов подумал? — с подозрением спросила Настя. — Выбрось из головы.

— Ну какие шпионы, Асенька, — расхохотался Чистяков. — Я о другом. Ты много встречала девочек, знающих испанский язык? Не взрослых специалистов-лингвистов или переводчиков, а именно школьниц.

— Себя, — гордо заявила она. — И еще пятерых, которые вместе со мной занимались. Вообще-то в Москве была испанская спецшкола, но, по-моему, одна на весь город. То есть таких девочек было от силы человек триста, а то и меньше.

— И многие ли среди них учились играть на гитаре? Настя с восторгом посмотрела на мужа.

— Лешка, ну до чего ж ты умен. Она ведь не только на гитаре играла, но еще и на саксофоне, это огромная редкость среди женщин. А тех, кто танцевал фламенко, вообще не было. Кроме Аниты Риттер. Она была уникальна. Она всегда хотела быть не такой, как все. Поэтому она выбрала институт, в котором мало девочек. С ее-то внешностью, да еще с двумя языками, да с гитарой и саксофоном, да с фламенко, да среди мальчиков-физиков, да в закрытом институте, где сплошные секреты и государственные тайны. Отсюда и две диссертации, побыстрее, пока тридцать не исполнилось, чтобы не как у всех. Чтобы быть звездой. Причем такой, которую невозможно ни повторить, ни скопировать. Танцами, испанским языком и гитарой она создала из себя «испанку», а саксофоном и физикой резко выделила себя из женской среды. При этом не приблизилась и к мужской, потому что была очень красива и к ней всегда проявляли интерес мужчины. То есть она не сделалась мужеподобной, она всегда оставалась настоящей женщиной, абсолютно не похожей ни на одну другую женщину.

— Значит, я все-таки могу собой гордиться, — сделал вывод Алексей. — Наш разговор принес тебе ощутимую пользу. И что дальше? Можно считать, что ты поймала убийцу?

— Если бы, — Настя помрачнела. — Ни в одном глазу.

Думать об Аните Волковой ей стало неинтересно. Если построение правильно, то ни к одному из трех преступлений это отношения не имеет. Ну, стал более понятен характер Аниты Станиславовны, не более того. Никаких семейных тайн из выбора института не выплыло.

Возле дома, где жил Ольшанский, стояла машина Коли Селуянова, а вот ржавой «копейки» Короткова не видно. Уже двадцать минут восьмого, и Настя переживала, что опаздывает, но быстро успокоилась, поняв, что прибыла к следователю не последней. Чистяков поехал в автосервис и пообещал вернуться за ней часов в десять.

* * *

Жена следователя Ольшанского всегда очень серьезно относилась к импровизированным совещаниям, которые ее муж периодически устраивал у себя дома. Она пекла огромное количество блинов, пирогов и плюшек, расставляла все это на большом столе вместе с вазочками с медом и вареньем, отправляла дочерей на свидания, к подружкам или в кино, а сама уходила в гости к соседке, появляясь дома примерно раз в полчаса, чтобы подогреть чайник и заварить свежий чай. Она очень любила своего мужа, заботилась о его здоровье и говорила:

— Если я не создам тебе все условия для посиделок в домашних условиях, ты будешь устраивать их по воскресеньям в служебном кабинете. Я хорошо знаю, чем это кончается.

В переводе на общепонятный язык сия сентенция означала, что в воскресенье при неработающем буфете, не говоря уж о столовой, муж будет целый день сидеть голодным или питаться всухомятку, а это вредно для органов пищеварения, будет забывать проветрить прокуренное сыщиками помещение, а это опасно для органов дыхания, и от всего этого будет плохо себя чувствовать и потому нервничать и сердиться, а уж это-то вредно вообще всегда и для всего.

Жена следователя Ольшанского была врачом-невропатологом. И этим все сказано.

Настя с тоской оглядывала обильный стол, постоянно ощущая врезающийся в талию ремень, поддерживающий незастегнутые джинсы. Она специально затянула его потуже, потому что знала, какие соблазны ее ждут в доме Ольшанского, и вовсе не была уверена, что сможет им противостоять. Особенно сильные эмоции вызывали у нее блины, солнечно-золотистой горкой сиявшие прямо перед ее носом. Господи, где взять силу воли!

— Ты чего не ешь? — шепотом спросил сидящий рядом с ней Селуянов. — Плохо себя чувствуешь?

— Я так растолстела, что на мне джинсы не застегиваются, — таким же шепотом грустно сообщила она.

— Да ладно! — не поверил Коля. — По-моему, ты как была худая, так и осталась.

— Джинсы думают иначе. Я в них влезть не могу. А есть хочется просто ужасно.

— Брось ты, от двух блинков ничего не будет. Давай я тебе положу.

— Нет! — закричала Настя с таким ужасом, словно ей предлагали гадюку, фаршированную жабами в соусе из тараканов.

Присутствующие немедленно впились в нее глазами.

— Ты чего, Пална? Тебе Селуянов предлагает что-то неприличное? Он хочет на тебе жениться? — Зарубин, как всегда, отреагировал первым.

— И правда, Каменская, чего кричишь-то? — подхватил хозяин дома. — И тарелка у тебя пустая. Что-то не так?

Настя решила не ломаться и сказать все как есть. Ей не поверили, и пришлось приподнять длинный свитер и показать свой позор.

— Да-а, бедняга, — посочувствовал Ольшанский. — Хочешь, я тебе яблочко принесу?

На яблоко она согласилась и сгрызла его в мгновение ока — так была голодна.

— Ладно, коль ты не ешь и рот у тебя свободен, ты и начнешь, — велел следователь. — Надумала что-нибудь за два дня?

Настя надумала. В деле Ларисы Риттер они перебрали возможность обмана со стороны всех, они подозревали во лжи или просто недобросовестных, пристрастных показаниях Валерия Риттера, его мать, домработницу, мать убитой Ларисы. И ничего не складывалось, как бы они ни крутили. Но они не учли одного человека: саму Ларису. Все говорили правду, а она лгала. И тогда сходится почти все.

— Лариса не бросила в свое время Владимира Харченко, — говорила Настя. — Они пошли на сговор. Лариса выходит замуж за богача Риттера, тот прикладывает усилия к тому, чтобы раскрутить жену и сделать ее известной, после чего она разводится с ним и возвращается к Харченко.

Именно поэтому у матери Ларисы и возникла иллюзия, что ее дочь быстро приняла решение выйти замуж за Риттера. Ничего не быстро. Лариса встречалась с Риттером достаточно долго, и все это время они с Харченко обдумывали свою комбинацию, а матери, вполне естественно, она ничего не сказала. Но был нюанс: как сделать так, чтобы Риттер захотел помочь жене, и как сделать так, чтобы он не очень домогался ее в постели и уж тем более не приставал насчет детей? Ответ: прикинуться нежной, наивной и беспомощной, во-первых, и наркоманкой, во-вторых. Если не колоться, а якобы принимать таблетки, то обман раскрыть практически невозможно. То она веселая, то подавленная, то возбужденная, то сонливая, то не ест целыми днями, то у нее зверский аппетит. В глазки капнула капельки — и зрачок сужается или расширяется, это уж как захочется. Вот тебе и вся картина наркотической зависимости. А чтобы все было достоверно, нужно периодически давать мужу и прочим обитателям дома возможность находить пустые упаковки от сильнодействующих лекарств. История с картиной для выставки в Германии — ерунда, такой выставки там не планируется, я проверяла. Именно поэтому в гостях у Риттеров никогда не бывали ни мать Ларисы, ни ее подружка Лена Завьялова. Лариса встречалась с ними в других местах. Представляете, что с ними было бы, если бы вместо разумной, спокойной и прагматичной Ларисы они увидели бы дурочку-свистушку? А никакой другой в присутствии мужа и свекрови Лариса быть и не могла. Это очень утомительно — строить из себя то, чем ты не являешься, на протяжении многих месяцев. Отсюда и длительные «отсидки» Ларисы в мастерской под видом интенсивной работы. Это было, так сказать, первым этапом операции.

— Ни фига ж себе, — протянул Зарубин. — И сколько там всего было этапов?

— Три, — уверенно ответила Настя. — Так, по крайней

мере, мне кажется. На втором этапе Лариса обнаруживает, что прикидываться дурочкой, которая к тому же имеет обыкновение накушаться таблеток и засыпать в самых неподходящих местах, очень интересно. Можно много чего услышать, когда муж разговаривает по телефону или со своими сотрудниками в офисе. И много чего увидеть у него в кабинете на столе, среди бумаг. И ей приходит в голову мысль это интересное собирать и дарить своему любимому Харченко, с которым она продолжается общаться и встречаться. А тот, в свою очередь, может использовать это как в служебных интересах, поскольку занимается экономической преступностью, а может и зарабатывать на этом деньги, продавая прессе. Я сегодня несколько часов просидела в Интернете и обнаружила, что львиная доля фирм и компаний, о которых журналист Маскаев писал всякую разоблачительность, незадолго до появления статей только создавались, или реорганизовывались, или меняли профиль деятельности, расширялись, разделялись, сливались и все такое. Одним словом, с ними происходили изменения, в ходе которых они могли обращаться в фирму Риттера. И все их дела и скользкие проблемы Риттеру были известны и наверняка обсуждались им вслух или лично, или по телефону.

— А как это доказать? — тут же спросил Ольшанский. — Это все на словах хорошо, а доказывать как будем?

— Это ваша забота, господин следователь, — усмехнулась Настя. — Мое дело — придумать. Потом случился третий этап, который легко доказывается. Владимиру Харченко что-то надоело. То ли он устал делить Ларису с мужем, то ли любовь прошла, то ли еще что, но он женился. И скрывал этот факт от Ларисы. Но она все равно узнала. Можете себе представить, что с ней было? Она вышла замуж за нелюбимого мужчину, периодически спит с ним, с утра до ночи ломает собственную личность, притворяясь наркоманкой, она таскает милому Володечке информацию, чтобы тот делал карьеру и попутно деньги зарабатывал, а он в ответ что вытворяет?

— Нехорошо, — покачал головой Селуянов, — некрасиво.

— Да сволочь он, — поддакнул сидевший молча Миша Доценко. — Давить таких надо.

— Еще успеешь, — Ольшанский кинул на Доценко острый взгляд и снова перевел глаза на Настю. — И что же наша Лариса? Решила отомстить?

— И как! Она приходит в «Практис-Плюс» к генеральному директору и предлагает свои услуги. План таков: она организует утечку в прессу клеветнической информации о фирме, и после появления статьи господин Чуйков на голубом глазу предъявляет газете иск. Тем самым поправляет свои финансовые дела. А человек, продавший газете информацию, оказывается в полном дерьме. Проще говоря, Лариса решила неверного любовника подставить по-крупному. И ей это удалось. Вот и вся песенка.

— Ну, тут проверить легко. — Ольшанский отправил в рот очередную плюшку, предварительно обмакнув ее в розетку с медом, и Настя судорожно сглотнула. — Завтра прямо с утречка кто-нибудь из вас поедет к Чуйкову и покажет фотографию Ларисы.

— Да я сейчас могу сгонять, — тут же подхватился Селуянов. — У меня уже и телефончики все есть. Позвонить?

— А фотография у тебя есть?

— Нет, — растерялся Коля.

— У меня есть. — Миша Доценко вынул из бумажника и протянул ему фотографию.

— Ишь ты, запасливый, — хмыкнул следователь. — Звони, Коля, договаривайся о встрече. А ты, Каменская, не торопись, песенка-то еще не вся. Ты уверена, что Ларису убил Харченко?

— Почти уверена.

— Из мести?

— Я думаю, скорее от злости. На него же наехали на

семьсот тысяч долларов, а информацию ему дала Лариса. Он приехал просить, чтобы она помогла ему выкрутиться, раз уж так вышло по ее вине, а она сказала ему все, что думает о нем. И про его женитьбу, в частности. Может, еще про что-нибудь. Возникла ссора, оба были в ярости.

— Ну, положим, в ярость Харченко впал гораздо раньше, иначе пистолет бы с тобой не принес, — заметил Доценко. — Он приехал не просить помощи, а требовать и запугивать.

— Разумно, — согласился Ольшанский. — По пистолету у нас пока сведений нет. Место происшествия осмотрено плохо, дежурный следователь, проводивший осмотр, ничего умного не сделал и никаких следов, позволяющих идентифицировать убийцу, не зафиксировал. У нас остается надежда только на оружие.

— И на признание Харченко, — добавил Доценко. — Знаете, менты легче всех раскалываются, это давно замечено. Никто не знает почему, но это факт. Если грамотно его прижать, он сам все расскажет.

— Для того чтобы грамотно прижимать, дружочек, надо факты искать, факты, факты, — сердито перебил его следователь. — А у нас пока только мысли.

— А что, плохие мысли? — огорченно спросила Настя.

— Мысли замечательные. Но голые. Одежка нужна. Между прочим, среди этих прекрасных голых мыслей я так и не услышал объяснения ни странным звонкам неизвестных женщин, ни той лесбиянке, с которой Ларису застал муж. Или она лесбиянкой тоже притворялась?

— А что? Могла, — подхватил Зарубин. — Чтоб с мужем не спать.

В комнату заглянул Селуянов в куртке.

— Я поехал к Чуйкову, — сообщил он. — Как что узнаю — сразу позвоню.

Через секунду за ним захлопнулась дверь.

— Нет, — покачал головой Доценко, — притворяться

лесбиянкой, чтобы не спать с мужем, дело рискованное. А вдруг он ее выгонит и на развод подаст? А ей разводиться не резон, к Харченко-то она уже уйти не может, он женился.

— Лариса могла считать, что если он ее за наркотики не выгнал, то и за это дело не выгонит, — возразила Настя. — Там семейный принцип: сор из избы не выносить. Так что в определенном смысле Лариса могла чувствовать себя в полной безопасности. Но вообще-то вы правы, эти женщины в телефоне и в постели в схему не ложатся. Если Лариса притворялась лесбиянкой и наркоманкой, чтобы не спать с мужем, она должна была сама организовывать звонки себе домой женскими голосами. А она говорила своей подруге, что не понимает, кто это ей названивает. И с постелью не получается. Не могла Лариса знать, что муж именно в этот день и час придет к ней мастерскую.

— Значит, что же получается? — задал вполне уместный вопрос Зарубин. — Что ее убил не Харченко и все построение рухнуло?

— Сережа, давай не будем складывать котлеты в одну кастрюлю с мухами. Мухи — отдельно, котлеты — отдельно. Есть история с Харченко, и она достаточно стройная, чтобы объяснить девяносто пять процентов собранной по делу информации. Но есть еще пять процентов, которые в эту историю не попадают. Значит, это совсем другая история, которая к убийству может никакого отношения не иметь. Но если мы точно установим, что Ларису убил не Харченко, значит, именно эти пять процентов и связаны с убийством, — терпеливо говорила Настя.

Дверной звонок прожужжал уверенно и требовательно. Ольшанский пошел открывать, и тут же из прихожей донесся возбужденный голос Короткова:

— Как там с блинками, Михалыч? Все умяли или оставили хоть штучку?

— Тебе хватит, — послышался басок следователя, — у

нас тут горе, понимаешь ли, Каменская на диету села, так что ее пайка целиком тебе достанется.

Юра ворвался в комнату сияющий и возбужденный.

— Ну, мужики...

— И дамы, — не мог не встрять Зарубин.

— Мужики и одна дама, — не позволил себя сбить Коротков, — вот только попробуйте сказать, что я плохой зам начальника отдела. Пока вы тут утробы набиваете...

— Не все, Пална голодает. На ней штаны не сходятся, — тут же наябедничал Сергей.

— Пока вы все, кроме Аськи, набиваете свои ненасытные утробы, я работаю в поте лица, создавая вам условия для полноценного отдыха.

— И чего наработал? — спросил Ольшанский, накладывая на чистую тарелку гору блинов и пододвигая ее Короткову.

Юра тут же схватил блин и засунул в рот.

— Ты с вареньем или вот с медком, — посоветовал следователь. — Чего пустой блин жевать, невкусно же.

— Мне — вкусно, — выговорил Юра сквозь блин. — Короче, рассказываю. Из той «беретты», которую нашли в мастерской Ларисы, в прошлом году совершены два убийства, в пулегильзотеке все данные есть. Точно известно, что совершил их некто Петлецов, но поскольку оружие тогда не нашли, то и доказать не смогли. Несколько месяцев назад брали один хитрый подвал, где обосновались фальшивомонетчики. Народу арестовали шесть человек и нашли там много всякого разного, в том числе аппарат для печатания денег и приличную кучку оружия и боеприпасов. Среди арестованных оказался и Петлецов. Но среди изъятого оружия этой «беретты» опять не было.

— Да была она, — пожал плечами Миша Доценко, — просто ее в суматохе кто-то из ментов, участвовавших в задержании, притырил. Такое сплошь и рядом делается.

— Мишаня, ты, видно, плохо покушал, ты не заболел? — Коротков изобразил тревогу и озабоченность состоянием здоровья подчиненного.

— С чего это ты взял?

— У меня, например, мозги совсем не работают, когда я до отвала наедаюсь, — пояснил Коротков. — Я могу думать, только когда голодный. А поскольку Мишка мыслит точно и в «яблочко», я и подумал, что он, наверное, мало блинов съел. Короче, среди сотрудников, бравших тот подвал, был и наш дружок Харченко, поскольку он занимается экономическими преступлениями и, в частности, фальшивомонетничеством. Харченко эту «беретту» и взял.

— Ага, кто шляпку спер, тот и тетку убил, — снова не удержался Зарубин.

— Что же он, совсем больной, из паленого оружия человека убивать? — не поверил Доценко. — Он же профессионал, он должен был понимать, что изъятый в такой ситуации пистолет наверняка уже был в деле и пользоваться им нельзя.

— Миша, он в тот момент был не профессионалом, а человеком, на котором висят семьсот тысяч долларов и за которым по пятам ходят боевики Гамзата и Багаева, — произнесла Настя негромко. — Поставь себя на его место, и я посмотрю, сколько профессионализма в тебе останется.

Коротков судорожно впихивал в себя блины, варенье и пироги. Настя старалась не смотреть на него. Почему-то блинов ей больше не хотелось. Теперь ей ужасно, просто до боли в ноге хотелось пирога. Вон того, с капустой. И еще вот этого, с яблоками. Господи, кошмар какой-то с этой едой, джинсами и диетой.

Юра утолил первый голод и теперь посмотрел на присутствующих более внимательно.

— А Селуянов где? Почему его нет? Или он думает, что если он мне не подчиняется, то и к следователю на блины можно не ходить?

— Он к свидетелю поехал фотографию Ларисы предъявлять, — объяснила Настя, которой легче было не думать о пирогах, если она говорила. — Ты ешь, Юрик, ешь, я тебе пока расскажу.

Излагала она обстоятельно и не торопясь, поскольку знала, что наедаться Коротков будет долго.

— Все, — наконец объявил он, — сейчас я лопну. Да, Аська, пока не забыл, рассказываю тебе смешное. Разговариваю вчера с Афоней, докладываю о ходе работы по делу, а он так морщится, словно кислого объелся, и говорит: «Скорей бы Каменская на работу вышла, ничего-то вы без нее не можете, ничего у вас не получается. Как там у нее дела с ногой?» Я прямо обомлел весь с головы до ног. От него же доброго слова не дождешься, а уж Аську он вообще терпеть не может, это все знают. И вдруг такое! Я, натурально, чайником прикидываюсь, мол, не волнуйтесь, гражданин начальник, все идет по графику, через две недели подполковник Каменская будет в строю. И сразу раскроет нам все имеющиеся в наличии преступления, как кровавые, так и не очень. А он мне в ответ: «Ты подключи ее к работе, скажи, что я прошу. Она непременно что-нибудь толковое подскажет». Нет, вы можете себе такое представить? Чтобы Афоня Аську похвалил, ее здоровьем поинтересовался и попросил. Главное — попросил. Уму непостижимо.

Он вопросительно уставился на Настю, ожидая, что она как-то объяснит перемены в поведении начальника. Но она только плечами пожала. Ничего она объяснить не может. Она не понимает, как «эта штука» работает, но ведь работает же! Или все это не более чем случайное совпадение? Не время сейчас и не место обсуждать то, чем она занимается вот уже две недели.

— Да, друзья мои, — подвел итог Ольшанский, — все это просто замечательно, я имею в виду Харченко, но объединять убийство Ларисы Риттер с убийством психолога Аничковой оснований нет. Я думал, вы мне к завтрашнему утру такие основания найдете, а вы в части раскапывания семейных тайн не продвинулись ни на шаг. Я вас не тороплю, мне и дела Риттер хватает, но имейте в виду, что привлекать к работе Колю Селуянова я не имею права. Если только по чистой дружбе он согласится вам помогать, тогда конечно. А давать ему задания и указания я не смогу. Так что поимейте это в виду.

Они снова окунулись в обсуждение трех убийств, делились соображениями, уточняли детали, но никаких новых идей не сформулировали. Жена Ольшанского периодически появлялась, разливала свежезаваренный чай, уносила пустые тарелки и приносила новые, с горами пирогов и плюшек...

В начале одиннадцатого появился Чистяков, готовый везти жену в Болотники.

— Леш, давай подождем немножко, — попросила Настя. — Селуянов должен отзвониться с новой информацией. Мы только звонка дождемся и сразу поедем, хорошо? Ты покушай пока.

— Асенька, в век мобильных телефонов можно не бояться отлучиться с места, — заметил Алексей. — Да и едем мы не в тундру, а на дачу, где есть телефон. Как только что-то станет известно, тебе сразу же позвонят.

Ей стало неловко. Какая же она эгоистка! Уже одиннадцатый час, им так далеко ехать, а Лешке завтра вставать ни свет ни заря, чтобы не опоздать на работу. Конечно, он хочет ехать немедленно, и насчет телефонов он прав, а она, как обычно, не права.

— Поедем, — она встала из-за стола и пошла одеваться.

Миша Доценко позвонил, когда они уже пересекали Кольцевую автодорогу.

— Чуйков опознал Ларису. Только она назвалась Ксенией. А все остальное точно, как ты говорила.

— Что ж так долго-то? Я уже измучилась от нетерпения.

— Так Чуйков долго колоться не хотел. Кольке пришлось его два часа уговаривать. Афера-то некрасивая, согласись.

Настя согласилась. Хорошо, что генеральный директор фирмы «Практис-Плюс» подтвердил ее предположения. Хорошо, что «беретта» оказалась связанной с Харченко. Все это хорошо. Убийство Ларисы Риттер можно считать раскрытым.

И все равно нескладно. Настя чувствовала, что все время что-то упускает. Что-то важное.

Глава 16

В понедельник утром Настя Каменская поднялась вместе с мужем в половине седьмого. Она вовсе не собиралась совершать подвиг путем раннего подъема, ей только нужно было осуществить одну акцию, придуманную ночью. Пока Чистяков брился и принимал душ, она достала из ящика пакет и принялась лихорадочно складывать в него все, что могло бы подорвать ее решимость придерживаться диеты. Выбрасывать продукты она не умела никогда, рука не поднималась.

Булочки, треть вафельного тортика, оставшаяся еще со вчерашнего дня, шоколадные конфеты, две неначатые баночки клубничного джема и одна наполовину опустошенная пачка сливочного масла, двадцатисантиметровый кусок сырокопченой колбасы — все это было аккуратно уложено в пакет и выставлено к входной двери. Настя собралась было положить в пакет и кусок сыру, но передумала и сунула его назад в холодильник.

— Лешик, я там тебе сухой паек собрала, забери на работу, будет с чем чаю попить, — сообщила она, когда муж, выбритый, с мокрыми волосами и благоухающий горьковатой туалетной водой, появился в кухне с намерением позавтракать.

— А ты чего подскочила? — удивился он. — Спала бы еще.

— Сейчас пойду досыпать. Я только хочу быть уверенной, что все это безобразие ты отсюда увезешь. А то, когда оно лежит тут перед глазами, у меня силы воли не хватает его не есть.

Она предусмотрительно оставила в кухне пару булочек, маленький кусочек масла и нарезала колбасы, чтобы Леше было чем позавтракать. Чистяков налил себе кофе и приступил к трапезе.

— Асенька, по-моему, ты дурью маешься, — заметил он. — Ну какая диета, ты сама подумай? Тебе сорок два года, а не восемнадцать, ты не модель и не кинозвезда, и если ты набрала пару-тройку килограммов, в этом нет никакой катастрофы. Давай я лучше куплю тебе новые джинсы, на размер больше, и ты забудешь про калории. Давай, а? Мне по итогам года премию дадут, так что не разоримся.

— Нет, — Настя решительно отвергла любезное предложение, — я на принцип пошла. Мне сорок два года, это ты правильно заметил, я работаю в государственном учреждении, а не на рынке торгую, и не могу позволить себе зимой и летом ходить в одних штанах на все случаи жизни. Сначала одни джинсы, потом вторые, потом приличные брюки, потом костюм. Тут ведь только начни — уже не остановишься, постоянно будут возникать новые надобности. А мы с тобой не настолько богаты, чтобы менять весь мой гардероб. Буду худеть.

— Ну, дерзай, — в голосе Алексея оптимизма что-то не слыхать. — Желаю тебе успехов.

Он поднялся, поставил пустую чашку в раковину и пошел одеваться.

Проводив мужа, Настя снова залезла в постель и уютно свернулась клубочком. Как хорошо, что можно еще поспать, а проснувшись — валяться под теплым одеялом, потому что никуда не нужно спешить. И не нужно под холодным осенним дождем куда-то ехать. Как хорошо, что она сломала ногу и теперь может наслаждаться неожиданным отпуском. Господи боже ты мой, что за мысли в голову лезут...

Она задремала, а когда проснулась, поняла, что же так беспокоило ее накануне. Ей все казалось, что она что-то упускает, чего-то недодумывает. Теперь она уловила, в чем дело.

Анита Волкова всегда хотела быть уникальной, ни на кого не похожей. Этому стремлению было подчинено все ее детство, вся юность, молодость. А что же теперь? Системный администратор на фирме. Ничего выдающегося ни по статусу, ни по половому признаку, женщин на такой работе едва ли меньше, чем мужчин, а если и меньше, то ненамного. Неужели Анита Станиславовна смирилась с крушением собственного представления о себе самой? Она ведь не просто хотела быть уникальной, она искренне полагала себя таковой, а уж во вторую очередь стремилась к тому, чтобы это признали окружающие. Она с самого рождения была не такой, как все, потому что во времена «железного занавеса» носила имя, данное ей девушкой из далекой прекрасной недосягаемой страны, о которой можно было прочесть в романах, но которую невозможно было увидеть. Из науки Анита ушла пять лет назад, ей тогда было сорок. Долгое время сидела без работы, пыталась заниматься репетиторством, рассылала по крупным и мелким фирмам свои резюме, но ее никуда не брали, потому что знание компьютера на уровне пользователя вполне подходит двадцатилетней девочке со свежей мордашкой, которой можно платить не очень много, но совершенно недостаточно для сорокалетней серьезной дамы, которая хотела бы зарабатывать соответственно своей ученой степени доктора наук. Волкова пошла учиться, легко освоила программирование, поскольку была хоть и плохим физиком, но хорошим математиком, устроилась на работу, но ни работа, ни зарплата не были такими, чтобы резко выделить ее из всех остальных людей. Все стало самым обычным. Как к этому приспособилась Анита Станиславовна? Сорок лет жила с определенным представлением о себе и вдруг резко отказалась от него? Почему? Что произошло в ее жизни такого, что Анита Волкова согласилась быть такой, как все?

Или ничего не происходило? И она страдает и продолжает стремиться доказать себе самой и всем остальным собственную неповторимость? И если так, то что из этого следует?

А следует из этого много всякого непонятного... Только информации у Насти маловато, надо бы поподробнее расспросить Сережу Зарубина, который плотно занимался Анитой Волковой. Может быть, всплывут какие-то детали.

* * *

Филолог Самарин приехал в три часа. И, как обычно, первые пятнадцать минут потратил на извинения. На этот раз — за то, что явился не в пять, как договаривались, а раньше. Он сегодня слишком рано выехал из дому, накатался до умопомрачения и ужасно устал, спина затекла, поясницу ломит, плечи будто свинцом налиты, и сидеть за рулем уже нет никакой возможности.

— Вы не беспокойтесь, Настя, если вам недосуг мной заниматься, я не стану вам докучать, у меня и книга с собой есть, я посижу почитаю, мешать не буду.

— Да вы мне не мешаете, — улыбнулась Настя. — Только вот с едой у нас с вами проблема.

— Хотите, я в магазин схожу и все куплю? — тут же вызвался Самарин. — Здесь же недалеко.

— Не в этом дело. Я села на жесткую диету, у меня полно продуктов, но таких, какие мужчины обычно не едят. Замороженная цветная капуста, например, или капуста брокколи. Даже хлеба нет, не говоря уже о мясе, масле и колбасе.

— А сыр есть? — поинтересовался он.

— Есть.

— Можно приготовить цветную капусту с сыром, очень вкусно.

— Вы умеете? — удивилась Настя.

— Я — нет, что вы. Так моя жена делает. Если хотите, я позвоню и спрошу рецепт.

— Спросите, — согласилась Настя.

А что, это может оказаться очень даже ничего, вкусно. Кажется, Лешка тоже так готовил, и Насте нравилось. Но как он это делал, она не видела и не знала.

Валентин быстро поговорил по телефону, что-то записал в своей пухлой тетрадке и радостно обернулся к Насте.

— Оказывается, все очень просто. А если есть яйца, то совсем хорошо.

Яиц не было, решили, что попробуют обойтись без них.

— А почему вы на диете? Что-то с желудком? — спросил Самарин.

— С весом, — мрачно проинформировала его Настя. — Надо срочно худеть.

Разговор о полноте-худобе-лишнем весе в сочетании с присутствием филолога-автолюбителя и с недавними мыслями об Аните Волковой навел ее на воспоминания о режиссере Островском. Самарин сказал Лешке, что в жизни Островский выглядит не таким крупным и полным, как на телеэкране. Может быть, они знакомы или как-то общались? И вдруг ей повезет, и Валентин расскажет о режиссере что-нибудь стоящее внимания? Ведь убийство актрисы Халиповой так и висит, версия о причастности к нему Дронова и Багаева никак не подтверждается, а других версий как не было, так и нет.

— Вы хорошо знаете Островского? — спросила она, натирая сыр на мелкой терке.

— Кого?

— Островского Константина Федоровича, режиссера.

— Совсем не знаю, я с ним не знаком.

Что это? Ей почудилась или в речи филолога появились наполненные необъяснимым напряжением паузы?

— А где вы его видели? — продолжала спрашивать Настя, не глядя на Самарина.

Сыр почему-то вдруг начал застревать в ячейках терки и никак не хотел свободно двигаться вверх и вниз. Руки у нее дрожат, что ли?

— Я?

Тянет время, тянет, задает дурацкие вопросы. «Я?» Ну а кто же, не Настя ведь. Чего он так разволновался?

— Вы, Валентин. Вы же его видели?

— Н-ну... да, видел. А что?

— Где?

— Где?

Опять переспрашивает. И насчет магазина он не очень удачно выступил. Он ведь подъезжал к дому со стороны трассы, а магазин находится в совершенно другом конце поселка, и Самарин никак не мог проезжать мимо него. Значит, он бывал здесь раньше, гулял по Болотникам. Зачем? И почему ни разу не обмолвился об этом? Черт, где же на первом этаже тревожные кнопки? В спокойном состоянии Настя помнит их месторасположение, а как начинает нервничать, так все из головы долой. Ах да, одна кнопка прямо здесь, на кухне, под столом. Ладно, сядем к столу, закурим, устроим себе перерыв. К кнопочке поближе.

— Валентин Николаевич, давайте заканчивать с играми, — вполне миролюбиво предложила Настя. — Вы ведь не случайно оказались в этом доме. Вы поджидали моего мужа, стояли с колесом в руках, разыграли спектакль. Очень умело разыграли, отдаю вам должное. Вы своей цели достигли. Вы познакомились с нами, вы приезжаете сюда. Зачем? Что вам нужно?

Самарин сидел, опустив плечи и глядя куда-то в пол. Не хохочет над ее домыслами, не иронизирует над Настиной подозрительностью, не возмущается. Значит, все правда.

— Как вы догадались? — спустя некоторое время спросил он.

— Вы знаете, где у нас тут магазин, хотя знать не должны бы. И вы явно не хотите отвечать на вопрос, где вы видели режиссера Островского. Никаких гениальных прозрений с моей стороны не было, вы сами проговорились. Так я вас слушаю, Валентин Николаевич.

— У вас есть дети?

— Нет.

— А у меня есть. Сын, с которым мне не повезло. Но это мой сын, единственный, и я его люблю. И готов спасать его во что бы то ни стало. Вы должны понять меня...

— Я постараюсь, — Настя говорила мягко, но свободной рукой на всякий случай нащупала спасительную кнопку.

— Примерно три недели назад Сашка сильно переменился, стал нервным, психованным, начал кричать на мать. Запирался в своей комнате. Он и раньше не был подарочным сыном, с ним были проблемы... Но сейчас это выходило за всякие рамки. Мы с женой проявили настойчивость и вытрясли из него... Это было ужасно. Мы даже поверить не могли.

Самарин замолчал. Настя терпеливо выжидала, потом задала вопрос:

— Что вам рассказал ваш сын? Что он натворил?

— Он убил человека. Вернее, не он один... То есть я хочу сказать, что их было двое... Сашка и его дружок.

— Как это случилось?

— Их наняли.

— Что?!

— Да-да, их наняли. Им заплатили деньги, чтобы они убили какую-то женщину. Они даже не знали, за что. Про-

401

сто убили за деньги. Боже мой, как это отвратительно! Лучше бы в драке, случайно, тогда я хотя бы смог это понять.

— Кого они убили? Какую женщину?

Настя с трудом сдерживалась, чтобы сохранять спокойствие и мягкость. Только так можно было добиться от Самарина внятных ответов. Ей хотелось поторопить его, быть напористой, быстрой, но он может испугаться и замкнуться. Он рассказывает только до тех пор, пока это похоже на дружескую беседу. Для него Настя сейчас не милиционер, который немедленно кинется арестовывать сына Сашу, а человек, у которого можно спросить совета.

— Я не знаю. Сашка тоже не знает ни кто она, ни как ее зовут. Тот человек, который их нанял, дал адрес и фотографию.

— Адрес помните?

— У меня записан. — Он суетливо начал листать свою тетрадку.

— А фотография где?

— Дома. Что мне делать, Настя? Если Сашку арестуют, ему никто не поверит, что его использовали, все будут думать, что он убил с целью ограбления, а он ничего не брал у той женщины...

— Откуда вы знаете? Вы так безоговорочно верите своему сыну?

— Я не верю... То есть не во всем верю... Тот человек, который нанял мальчиков, сказал, что у женщины при себе будет крупная сумма денег, несколько тысяч долларов, что, дескать, она постоянно носит с собой эти деньги. И что мальчики могут взять их как плату за работу. Но у нее ничего не оказалось, кроме двух купюр по пятьсот рублей и мелочи. На ней даже украшений никаких не было.

— То есть тот человек, который их нанял, сам никаких денег им не платил? — уточнила Настя.

— В том-то и дело! Ему это ничего не стоило. Он втянул мальчиков, обманул их, а теперь, если Сашу арестуют, выйдет сухим из воды. И невозможно будет доказать, что он их нанял.

Ну и каша в голове у этого филолога! Ему не правоохранительную деятельность нужно изучать, а уголовное право. Его идиоту сыну вовсе не требуется доказывать, что его наняли, потому что убийство, совершенное по заказу, является куда более тяжким, чем убийство с целью ограбления. Ему выгоднее идти по более мягкой статье и молчать о заказчике. А несчастный папаша продолжает думать, что мальчика, бедненького, втянул, обманул, запутал плохой злой дядька, и если этого дядьку найти и привлечь к ответственности, то все сразу увидят, какой его сынок белый и пушистый.

Она посмотрела на раскрытую тетрадь. Адрес, где проживала жертва двух молодых придурков. Хороший адрес, знакомый. Примерно три недели назад. Значит, они убили Галину Васильевну Аничкову. И кто же их нанял, хотелось бы знать. Сын Самарина не врет, Аничкова, как правило, не имела при себе крупных сумм, во всяком случае, домой она их не приносила, а в момент убийства она именно возвращалась домой. И украшений мальчишки не брали, потому что их и в самом деле не было. Паша Дюжин объяснял Насте, что кинезиолог во время работы снимает с себя все металлические предметы: кольца, цепочки, браслеты, часы, серьги. А если работает много и постоянно, то без специальной надобности и не носит всего этого, чтобы не приходилось без конца снимать-надевать и снова снимать. Галина Васильевна в тот день ехала из клиники неврозов, где находилась на лечении ее пациентка.

— Ваш сын может указать человека, который его нанял?

— Нет... То есть да... То есть... Он его знает в лицо.

— А по имени не знает?

— Нет.

— То есть они не знакомы, — уточнила Настя.

— Нет. Тот человек подошел к мальчикам, когда они... у

403

них это называется тусоваться... В подземном переходе, он с дружком там часами торчит, не понимаю, что они там делают... Тот человек подошел, перекинулся с ними парой слов, предложил угостить пивом. Они поперлись за ним, как ослы за морковкой.

— И что было дальше?

— Было то, что было. И я подумал, что надо обязательно найти этого человека, чтобы, если Сашу арестуют, он не ушел от ответственности. Чтобы подтвердил, что это была его идея — убить ту женщину. Понимаете?

— Понимаю, — кивнула она. — И вы его нашли?

— Нашел.

— Каким образом?

— Я его выследил. Вернее, мы с сыном... Я подумал, что этот человек вряд ли подошел бы к первым попавшимся юношам, это же очень рискованно, а вдруг они окажутся порядочными и умными и сдадут его в милицию? Ведь такое могло быть, правда?

— Конечно.

— Значит, он присматривался к ребятам, он видел их неоднократно и заметил, что они бездельничают, шатаются, якшаются с подозрительными личностями, ругаются матом. Но если он видел их много раз, значит, он постоянно ходит через этот подземный переход. Или не постоянно, но часто. И обязательно пройдет там снова. Вот как я рассуждал.

— Разумно, — не могла не согласиться Настя.

Дурак он, конечно, этот филолог, но мозги у него работают, в этом ему не откажешь.

— Я заставил Сашу пойти туда вместе со мной и ждать. Мы нашли укромное местечко, откуда нас не видно, если специально не искать, и стали ждать. Стояли несколько дней, с утра до ночи. И наконец Саша его увидел. Мой расчет оказался правильным.

— Поздравляю, — Настя позволила себе слегка улыбнуться. — И что вы сделали? Пошли за ним?

— Да. Я его выследил. Но я не понимал: он пришел домой или в гости, мне нужно было дождаться, пока он выйдет, и посмотреть, куда пойдет потом. Я ждал всю ночь. Сидел на противоположной стороне улицы и ждал. Утром он вышел с газетой в руках, и я понял, что он там живет или, по крайней мере, регулярно ночует.

— И что вы сделали, Валя? Стали выяснять его личность?

— Я хотел... Но не успел. Я очень устал. Вы не представляете, как я устал. Особенно за ту ночь, которую провел на улице. Я решил поехать домой, помыться, поспать, поесть, а потом вернуться и на месте решить, как действовать дальше.

— Почему же вы не вернулись?

— Я вернулся. Но ничего не смог предпринять. Вернее, я побоялся. Возле дома стояли милицейские машины, а спустя некоторое время тот человек вышел из дома вместе с другим мужчиной, они еще о чем-то поговорили, и второй мужчина сел в милицейскую машину.

— А заказчик? Сел вместе с ним?

— Нет, он купил в киоске сигареты и вернулся в дом. Но я испугался. Сначала я подумал, что милиция уже знает, что этот человек заказал моему сыну убить женщину, и теперь он будет все валить на Сашу и снимать с себя всякую ответственность, а Саша и его дружок окажутся единственными виноватыми. Потом, когда я увидел, что его не арестовали и он вернулся домой, я испугался еще больше. Потому что если его отпустили, то, выходит, он сумел оправдаться. И вопрос только в том, как скоро придут за Сашей. Наверное, я поступил неправильно, но я так растерялся... Настя, вы меня понимаете?

— Понимаю, — снова успокоила она Самарина. — Рассказывайте, что вы сделали дальше.

— Я подумал, что мне нужно как-то познакомиться с тем милиционером, который отпустил заказчика.

— Зачем?

— Чтобы выведать, что там на самом деле происходит и кого подозревают в убийстве женщины. Я хотел ориентироваться в ситуации.

Бедный, бедный филолог! Начитался книжек, насмотрелся фильмов и думает, что можно вот так запросто познакомиться с сотрудником уголовного розыска или со следователем и все у него вызнать. Да познакомиться-то не фокус, только не станут они никому ничего рассказывать. А как только новый знакомец начнет проявлять повышенный интерес к делу, которое находится в работе, так моментально сам же и подпадет под подозрение. В жизни не всегда бывает так, как в кино.

— Я поехал следом за ним, выискивая подходящий случай познакомиться...

— А случая все не было и не было, — подсказала Настя.

— Не было, — подтвердил Самарин.

— И вы ехали за ним до тех пор, пока он не привел вас в Болотники, к этому дому.

— Откуда вы знаете?

— Это же очевидно, — Настя снова улыбнулась. — И тогда вы решили, что проще познакомиться со мной, а уж через меня — с ним. Так?

— Вы правы.

— И вы следили за домом, чтобы понять, как нужно действовать, увидели моего мужа, составили план и блестяще выполнили его. Вы ехали следом за Алексеем до Жуковского, выяснили, где он ставит машину, и вам оставалось только подождать, когда он поедет ко мне. Вы обогнали его на трассе и поджидали в удобном месте с колесом в руках. Вы даже подслушивали поздно вечером, когда я у открытого окна разговаривала по телефону. Было такое? А на сле-

406

дующий день мой муж попросил вас охранять меня по вечерам. От вас же самого. Вам не было смешно?

Она впервые за все время разговора дала злости прорваться и тут же укорила себя за неосмотрительность, но Самарин, казалось, этого не заметил. Он был так погружен в собственные переживания, что вообще мало что замечал.

— Не было, — очень серьезно ответил он, не заметив сарказма. — Мне не было смешно. Мне было страшно. Очень. Я понимал, что вот я познакомился с вами, и вы работаете в уголовном розыске, то есть вы коллега того милиционера, который отпустил заказчика. И вы наверняка знаете все то же, что и он. Я сначала думал, что он ваш любовник и приезжает к вам, когда мужа нет, и все гадал, как мне устроить знакомство сперва с вами, а затем с ним. Потом я понял свою ошибку и обрадовался, моя задача облегчалась. Но я очень быстро понял, что заблуждался. Вы ничего не рассказывали про то убийство, вы вообще ничего не рассказывали про преступления, над которыми работаете, а я не знал, как спросить, как начать этот разговор, как подобраться к тому, что меня интересует. Я придумал байку про то, что хочу писать детективы, но это не помогло. Вы мне все очень хорошо объясняли, но про убийство — ни слова. Вот и все, Настя. Что мне делать? Как мне спасти сына?

— Не знаю, — честно ответила она. — Боюсь, что спасти его невозможно. Я имею в виду, спасти от тюрьмы. Вы напрасно надеялись, Валентин, мне жаль вам это говорить, но все было напрасно. Если бы вы не затеяли этот цирк, все могло бы обойтись. А теперь вы сами все испортили, вы полезли в дурацкую авантюру и подставились. Вы филолог, педагог, а не сыщик и не шпион, и рано или поздно вы все равно совершили бы ошибку, а я ее заметила бы. Ваша затея была обречена на провал в тот самый момент, когда вы решили заняться самодеятельностью.

— И вы ничего мне не посоветуете?

Он цеплялся за Настю, как за соломинку, но по его обмякшей фигуре было видно, что он уже по́нял всю безнадежность своего положения.

— Валя, я могу посоветовать только одно.

— Что? — встрепенулся он.

— То, что всегда советуют преступникам в книжках и кинофильмах. Ваш сын должен прийти с повинной раньше, чем мы арестуем заказчика.

— И его не посадят?

— Скорее всего, посадят, но срок будет меньше. А если он будет вести себя правильно, то его могут даже до суда оставить на свободе. Этого я вам не гарантирую, но такое вполне может случиться.

— И никаких других вариантов? — упавшим голосом спросил Самарин.

— Никаких, Валя. Мне очень жаль. У нас с вами остались два непроясненных вопроса.

— Каких?

— Адрес и приметы того человека, который нанял вашего сына и его друга.

В общем, Настя представляла себе, какой адрес он сейчас назовет. Коротков приезжал к ней после убийства актрисы Халиповой и после того, как побеседовал с Кричевцом. Именно у дома, где живет Кричевец, филолог и увидел Юрку. И приметы, которые он назовет, наверняка окажутся приметами каскадера. И режиссера Островского Самарин как раз там и увидел.

Так и вышло.

— Про Островского, пожалуйста, поподробнее, — попросила она.

— Он приехал вечером, часов около десяти, вместе с молодой девушкой.

Все правильно, так и было, подумала Настя. Пока все сходится, так что Самарин не врет и ничего не путает.

— Около половины первого ночи они уехали.

— Кто это — они? — насторожилась Настя.

408

Около половины первого уехала Юлия. На машине Островского.

— Островский и девушка, — пояснил филолог. — Они вместе приехали и вместе уехали. На черном «Лексусе».

А вот это уже непорядок. По показаниям Кричевца, Островского и Волковой выходило совсем иначе.

— Вы уверены? Вы точно это видели?

— Да точно, Настя. У меня зрение очень хорошее, даже в темноте. Можете проверить.

— Может быть, вы видели только девушку, но решили, что раз они вместе приехали, то и уезжают вместе? Вспомните как следует, Валя, это важно.

— Да нет же, я отлично видел их обоих. Островский сел за руль, а девушка — рядом. Потом, примерно через час или, может, чуть меньше, из дома вышел тот человек, заказчик, и с ним была женщина. Они сели в машину и уехали. Я тогда ужасно расстроился.

— Почему?

— Я решил, что раз он оттуда уехал ночью, значит, он там был в гостях, и я его снова потерял. Понимаете, они так быстро вышли, буквально побежали к машине и рванули с места, а я не успел поехать за ними. Моя машина стояла чуть дальше, и я растерялся... В общем, я решил, что упустил его. Но выхода не было, и я стал ждать. А вдруг что-нибудь еще случится, что мне поможет? Мне не хотелось возвращаться домой с сообщением, что я провалил все дело. Мы с Сашкой так долго его выслеживали, и получается, что все впустую... Понимаете?

— Понимаю. Но ведь он вернулся, верно? Вы сказали, что утром он выходил из подъезда с газетой в руках.

— Да, он вернулся. Они втроем вернулись.

— Вот даже как?

Настя уже ничему не удивлялась. Вдвоем уехали — так вдвоем, втроем вернулись — так втроем. Все врали, все, кроме несчастного Самарина.

— Точно, втроем. Тот человек, женщина, которая с ним выходила, и Островский.

— А девушки с ними не было?

— Не было. Их было трое.

— И потом что?

— Больше ничего. Утром тот человек вышел, и я поехал домой.

— Как вам показалось, Островский был трезв, когда ночью уезжал с девушкой? Он твердо стоял на ногах?

— Он был сильно пьян, это даже мне было заметно. Я еще, помню, удивился, зачем он в таком состоянии садится за руль.

Уф-ф-ф, ну и денек... Все понятно. Островский сбивает женщину с ребенком и уезжает, не останавливаясь. Юля впадает в истерику. Островский звонит Кричевцу... Нет, зачем? Не станет Островский ему звонить. Он где-то останавливает машину и пытается успокоить актрису. У него ничего не получается. А время идет. И Кричевец, который видел, что Островский уезжает не в самом трезвом виде, названивает ему сам, чтобы убедиться, что тот благополучно доехал.

Но режиссер пока еще не доехал. По его голосу и по звукам Юлиной истерики становится понятно, что что-то произошло. Кричевец выясняет, где находится его патрон по будущим съемкам, и они с Анитой едут «разруливать» ситуацию. Вероятно, все оказывается куда хуже, чем они ожидают. Юля требует, чтобы они вернулись к месту наезда, вызвали милицию и «Скорую помощь» и во всем признались. Ей легко быть честной и порядочной, не ей же в тюрьму садиться, а Островскому. А допускать этого нельзя. Режиссера надо спасать во что бы то ни стало, не то Кричевец останется без работы.

Юлю уговаривают, успокаивают, обещают, что вернутся к месту происшествия. Едут. На двух машинах. Разумеется, Островского от руля отстраняют, он пьян, Юля тоже вести машину не может, она в слезах. Одну машину ведет Криче-вец, другую — Волкова. Они выезжают подальше, находят достаточно пустынное место и решают вопрос с Юлей кардинально. Она больше никому не скажет, что женщину и ребенка задавил великий режиссер Островский. И убийцу, насмерть сбившего пешеходов, тоже никто искать не станет, потому что убийца — Юлия Халипова. Вот и машина при ней, а на машине явные следы столкновения с людьми.

Вот почему Юля так спокойно вышла из машины и позволила себя убить. Она знала своих убийц. Всех троих. И доверяла им.

Они вернулись в дом Кричевца и выстроили свою версию случившегося. Так появилась история о телефонном звонке, который невозможно проверить, потому что звонили на городской номер. История о напившемся Островском, который одолжил любовнице свой автомобиль и заснул в гостях мертвым сном. История о том, как они волновались, звонили Юле домой, искали ее.

Они все продумали. Тщательно, аккуратно. Они не учли только несчастного отца, который в наивных попытках спасти беспутного сына несет вахту неподалеку и наблюдает все их передвижения. Они были уверены, что их никто не видит. Им просто не повезло.

* * *

Доценко решил начать издалека. Можно спокойно вести неспешную беседу, делая вид, что просто еще раз уточняешь детали и ничего плохого не подозреваешь. Усыпить бдительность, а потом бабахнуть из тяжелой артиллерии.

Островский был трезв и чем-то сильно раздражен. Мишу это более чем устраивало, раздраженный человек плохо контролирует то, что говорит, и, если ему есть что скрывать, обязательно допустит ошибку.

— Давайте начнем с самого начала, Константин Федорович. Зачем вы поехали в гости к Антону Кричевцу?

— А что, для этого нужен повод? — сердито огрызнулось светило кинематографии. — Люди ходят друг к другу в гости просто так, потому что они дружат.

— Раньше вы говорили, что поехали, чтобы отдать новый вариант сценария, — ненавязчиво напомнил Доценко.

— Ну да, так и было. Я привез сценарий. Седьмой вариант, черт бы ее побрал.

— Ее — это кого?

— Аниту. Все время ей что-то не нравится, придирается к каждому эпизоду.

— А при чем тут Анита Станиславовна? Раньше вы говорили, что сценарии читал Кричевец, потому что должен был выступать постановщиком трюков. Разве не так?

— Так, так. Но у Аниты свой интерес, поэтому сценарии читала в первую очередь она сама.

— Какой у нее может быть интерес? — вполне искренне удивился Михаил.

— Так она же собиралась сыграть главную роль, — Островский недоуменно посмотрел на сыщика, который не понимает таких элементарных вещей. — Вы что, не знали?

— Нет. Никто об этом не говорил. А что, Анита Станиславовна хорошая актриса? Надо же, сколько талантов у одной женщины!

— Да какая там она актриса! — махнул рукой режиссер. — Смех один. Но природные данные есть, так что в моих руках она бы справилась, это уж вы можете не сомневаться.

— Все-таки это большой риск — снимать непрофессиональную актрису, — Миша решил проявить знание вопроса. — Как правило, из таких затей ничего путного не выходило. И как вы не боитесь, Константин Федорович?

— А мне не все равно? За ее же деньги снимать, не за мои. Если она плохо сыграет, я ничего не теряю, потому что снято-то будет рукой мастера. То есть снято будет хорошо, и ко мне как к режиссеру претензий не возникнет, — повторил он, вероятно, опасаясь, что далекий от искусства милиционер пассаж про «руку мастера» может не оценить.

— Вы хотите сказать, что фильм будет сниматься на деньги Волковой? — Миша ушам своим не верил.

Откуда у нее такие деньги? Впрочем, он точно не знал, сколько нужно денег, чтобы снять фильм. Может, не так уж много?

— Именно это я и хочу сказать. Неудивительно, что Анита ничего вам про это не рассказала, она не хочет, чтобы информация раньше времени утекла в прессу. Она хочет, чтобы это была бомба. Неожиданное появление на экране доктора физико-математических наук, да еще в главной роли! И она там блеснет всеми своими талантами, и танцами, и гитарой, и саксофоном, и говорить будет по-испански. А если она платит, так я и сниму, как она хочет.

— И сколько стоит такое кино? — осторожно спросил Доценко.

— Пока мы запланировали бюджет в миллион долларов, — в голосе Островского слышалось нескрываемое самодовольство.

— Миллион?

Не хило. И откуда у Аниты Волковой миллион долларов? Собирается ограбить банк? Впрочем, у нее есть богатый брат, с которым, как все уверяют, она очень дружна. Наверное, он пообещал ей деньги. Да, скорее всего, так и есть.

Права оказалась Настя Пална, ой как права. Не смирилась Анита Станиславовна с потерей статуса. Вон чего удумала! Уникальная, ни на кого не похожая, единственная в своем роде.

А если не брат дает деньги на кино, тогда кто? Кто еще есть у Аниты Волковой?

А еще у нее есть сестра, которая ведет себя крайне подозрительно. Крутит какие-то темные делишки с немецкоговорящим иностранцем и впадает в транс, когда тот исчезает и она не может его найти. Было подозрение, что Люба Кабалкина проворачивала с ним финансовую аферу. Уж не для того ли, чтобы добыть денежки сестрице на съемки? Ради Аниты она на все готова, мать, Зоя Петровна, так и говорила, мол, Любочка Аните в рот смотрит и надышаться на нее не может — так сильно любит.

— Мне нужно позвонить, — Миша лучезарно улыбнулся Островскому. — Вы позволите, я выйду в другую комнату? Буквально на минуту.

* * *

— Я не хотел бы беспокоить вас на рабочем месте, — вежливо произнес в трубку Зарубин. — Может быть, вы можете покинуть офис? Я жду вас в кафе «Сирена», это совсем рядом с вами.

— Знаю, — ответила Кабалкина. — Я выйду к вам минут через десять.

Пришла она не через десять минут, а через двадцать, но ведь человек на службе, дела, текучка. Зарубин с Колей Селуяновым успели все проговорить и даже съесть по салатику и выпить по чашке кофе. Кабалкина выглядела уставшей и измученной. Видно, немец-то так и не нашелся пока.

— Люба, познакомьтесь, это мой коллега, он работает в Интерполе и может вам помочь с поисками вашего друга, — представил Сергей Селуянова.

Тот привстал и изобразил джентльменский поклон.

— Очень приятно. Николай.

— Люба. А вы правда можете помочь?

— Я могу постараться.

— Он может, может, — подхватил Зарубин. — Вы меня простите, Люба, я в тот раз был жесток и несправедлив к вам. Я потом долго думал над нашим разговором и понял, что был не прав. Сначала надо выяснить, что случилось с вашим другом, а потом уж судить о том, любит он вас или нет. Правильно?

— Спасибо вам, — почти прошептала Люба и снова собралась заплакать.

— Не плачьте, Люба, не надо, лучше скажите-ка нам имя и все данные на вашего жениха.

— Джавад Кезоглу...

— Как?! — воскликнули сыщики почти хором.

— Кезоглу, — повторила она. — Джавад. А почему вы так удивились?

— Нет-нет, все в порядке, — быстро сориентировался Селуянов. — Просто мне отчего-то казалось, что речь пойдет о европейце.

— Он турок.

— Чем он занимается?

— Он... не знаю. Сейчас, наверное, ничем.

— Что значит — сейчас? А раньше чем занимался?

— Летом он работает в отеле, дает водные мотоциклы напрокат. А когда не сезон, тогда у него нет работы.

— Вы давно знакомы?

— С прошлого года. Я летом отдыхала в Турции с детьми, как раз в том отеле, где он работал. Мы познакомились...

— Люба, — вступил Зарубин, — почему вы никому о нем не рассказывали? Ведь даже ваша мама не знает ничего. Почему?

— Мне... было стыдно. Ужасно стыдно... Я боялась, что со мной поступят так же, как когда-то с мамой.

— И поэтому вы разговаривали с ним по-немецки, чтобы мама ни о чем не догадалась?

— Да, конечно. Вообще-то он по-русски почти совсем не говорит, только чуть-чуть, я его учила. А немецкий знает, в Турции вся обслуга знает немецкий. Если бы я стала при маме говорить с ним по телефону по-русски, она бы сразу догадалась, что я говорю с любовником, да еще и с иностранцем.

— Все равно я не понимаю, почему вам было так стыдно, почему вы так его стеснялись, — упорствовал Зарубин. — Что плохого в том, что человек выдает технику напрокат?

Люба всхлипнула, вытерла слезы салфеткой и машинально скомкала ее.

— Вы знаете, что такое человек, который работает в прокате? Ему даже на территорию отельного пляжа заходить нельзя. Он сидит в десяти метрах от шезлонгов, под тентом, а пройти эти десять метров не имеет права. Его сразу же охрана выгонит, а потом и уволить могут. Он — пария, изгой. И все, кто хоть раз отдыхал в Турции, это прекрасно понимают.

— И в этом году... — начал подсказывать Селуянов.

— Да, я снова туда поехала. Мы были так счастливы! Мы собирались пожениться.

— И он бы приехал жить в Россию?

— Нет, я с детьми уехала бы к нему. Мы так решили.

— Любочка, — осторожно начал Зарубин, — не сердитесь на меня за то, что я сейчас скажу. Обещайте, что не рассердитесь.

— Обещаю.

— У вас много денег?

— У меня? — Она удивилась вопросу, потому что ожидала совсем другого продолжения разговора. — Много. Во-первых, последние восемь лет я очень хорошо зарабатываю. И во-вторых, отец моего младшего мальчика перевел на мой счет в банке большую сумму. Чтобы ребенок мог нормально расти и получил хорошее образование.

— Отец вашего мальчика состоятельный человек?

— Более чем. Он не просто состоятельный — он очень богатый человек. Только не требуйте, чтобы я назвала его имя.

416

— Что вы, что вы, — замахал руками Зарубин. — Нам это и не нужно. Скажите, вы знаете, что ваша сестра собирается начать проект с режиссером Островским?

— Да, конечно. А откуда вы знаете? — вдруг испугалась она. — Я дала слово Аните никому об этом не говорить. Она хочет, чтобы никто заранее ничего не узнал.

— Никто и не узнает, — пообещал Сергей. — Но ведь такой проект стоит очень дорого. Разве у Аниты Станиславовны есть такие средства?

— Нет. Но я пообещала ей помочь.

— В каких размерах?

— В больших. Я пообещала ей дать триста тысяч долларов. Такими средствами я располагаю.

— Просто подарить такую сумму? Невероятно! — не поверил Селуянов.

— Зачем же просто дарить? Мы с Анитой договорились, что она будет отдавать долг по мере поступления доходов. Фильм выйдет в прокат, его будут покупать телеканалы. Конечно, может быть, она вернет не все деньги, но я к этому готова. Она же моя сестра, а не чужой человек.

— Я это вот к чему веду, Любочка, — Зарубин вдруг стал очень серьезным. — Триста тысяч долларов — это сумма весьма значительная, особенно для безработного прокатчика. Не могло ли так получиться, что он узнал о вашем обещании дать деньги сестре и решил, что вы теперь останетесь ни с чем, что у вас больше нет средств и, таким образом, вы ему больше неинтересны? Вам это приходило в голову?

— Приходило, — по лицу Любы текли слезы, но она их не замечала. — И от этого мне было еще больнее. Разве я могла рассказать такое маме?

— Наверное, нет, — со вздохом согласился Сергей. — А кому вы рассказывали о том, что собираетесь замуж за Джавада?

— Только Аните. Она умная и добрая, она не стала бы

меня осуждать. Она же маму простила, значит, и меня простила бы.

— И о том, что Джавад исчез, вы тоже ей рассказали?

— Нет.

— Почему?

— Мне было стыдно... Анита предупреждала меня, что он может оказаться альфонсом, что ему нужны только мои деньги. А я так возмущалась... Даже поссорилась с ней.

— Потом-то помирились? — с улыбкой спросил Селуянов.

— Конечно. Анита никогда не дуется, она все понимает.

— Хорошо, Любочка. Вы мне вот на этом листочке напишите все данные, телефоны, какие знаете, название отеля, где Джавад работал, я постараюсь что-нибудь придумать.

— Спасибо вам.

Она быстро написала имя и фамилию Джавада, название отеля, название города, где жила его семья, и номер мобильного телефона.

Минут через десять после ее ухода сыщики вышли из кафе.

— Все ездят в Турцию отдыхать, — мечтательно произнес Селуянов. — Вот ты, Серега, был там хоть раз?

— Не-а. А ты?

— И я не был. У меня как отпуск — так к родителям на дачу, вкалывать, там работа никогда не кончается, все время что-то чинить надо, или полоть, или строить. А эти все по Турциям разъезжают.

— Кто все-то? — не понял Зарубин, который уже успел мысленно перенестись к своей любимой Гуле и мечтал о том, как они тоже, может быть, поедут к теплому морю и золотистому пляжу кататься на водных мотоциклах. Когда-нибудь...

— Ну вот Люба, например. И каскадер твой, ты же сам рассказывал. Он там девушку слегка попортил. Забыл?

— Забыл... Колян, с меня бутылка.

— За что?

— За то. Я все понял.

— Да что ты можешь понять-то, дитя природы? — усмехнулся Селуянов. — В твои годы еще ничего понимать не положено.

— Да иди ты! — отмахнулся Сергей. — Мы с тобой думали, что этот Джавад узнал про кино и решил, что Люба теперь совсем нищая и никакого интереса для него не представляет. А на самом деле все было наоборот. Это Анита узнала, что Люба собирается слинять замуж вместе со всеми денежками. И приняла меры.

— Думаешь? — недоверчиво поднял брови Николай.

— Точно тебе говорю. Смотри, как по срокам сходится! Люба говорила, что однажды Джавад уже пропадал. Это было летом, в августе. Скорее всего, именно тогда она Аните и сказала, что собирается замуж. Анита посылает каскадера поговорить с женихом. Ну, денег там предложить отступных, или попугать, или просто убедить. На какое-то время это помогает, Джавад перестает звонить Любе и меняет номер мобильника. Потом снова объявляется, у них любовь-морковь, и тут, как назло, Джавад звонит, когда Люба находится у матери в гостях. Но ведь там же и Анита находится, у них бабушкин юбилей. И Анита понимает, что пляжный работник снова у станка. И на следующий день в Турцию вылетает каскадер. Вот после второго визита Джавад и не объявляется.

— А ты уверен, что каскадер в августе летал в Турцию?

— Абсолютно. Я его загранпаспорт видел. И потом, это же часть его легенды, мол, ездил в августе, закрутил с девушкой, теперь надо исправлять положение. Понятно ведь, что никто эту историю не стал бы проверять. Ну, Анита Станиславовна, ну мастерица! Как в сестрины денежки-то вцепилась. По трупам идет.

— Это точно, по трупам, — поддакнул Селуянов. —

Актрису, бедняжку, не пожалела. Сестру до нервного срыва чуть не довела. Что еще там за ней числится?

— Психолог Аничкова. Твой труп, между прочим, а я о нем помнить должен, — укол его Сергей.

— Так Аничкову каскадер заказал, а не Анита.

— Слушай, ты что, всерьез думаешь, что этот безработный каскадер может хотя бы плюнуть без ее разрешения? Да она всех под себя подмяла, всеми помыкает, все под ее дудку пляшут. И убийство Аничковой было нужно Аните, а вовсе не каскадеру.

— Зачем?

— А вот это вопрос, — согласился Зарубин. — Но ответ мы на него все равно получим.

Он посмотрел на часы и с удовлетворением произнес:

— Если все шло по плану, то каскадера Кричевца и мадам Волкову Ольшанский уже часа полтора как допрашивает.

* * *

Прошло еще несколько дней, пока картина не выстроилась полностью. И теперь в ней уже не оставалось пробелов.

Да, Анита Станиславовна Волкова умела ждать, терпеть и планомерно идти к поставленной цели. После увольнения из научного института она два года мыкалась, пытаясь найти себе высокооплачиваемую и престижную работу. Но безуспешно. И тут умирает Станислав Оттович. С этого момента и начинается движение Аниты к новым вершинам.

Брат и сестра, эти сопляки, отнявшие у нее родителей и испоганившие ей детство и юность, эти сопляки теперь в полном шоколаде, денег — куры не клюют, а ей уже за сорок, и впереди — ничего. Никчемный Антон, которым уже нельзя гордиться, и жалкие гроши, получаемые за репетиторство. Нет, так не пойдет. Она снова взойдет на трон, станет королевой и засияет собственной неповторимостью и уникальностью, а брат и сестра ей в этом помогут.

Идея со съемками фильма, в котором она сыграет главную роль и который должен снять, разумеется, известный режиссер, родилась быстро. А вот задача добывания денег решалась медленно. Анита разыграет мудрую и любящую воссоединительницу семьи, она заставит их всех, и старшее поколение, и младшее, смотреть себе в рот. Она всегда умела не показывать своих истинных чувств и ловко притворяться, изображая послушание, дружелюбие, приязнь и даже любовь. Она была умной женщиной и очень неплохой актрисой, она точно знала, как нужно вести себя и как разговаривать с тем или иным человеком, чтобы ее любили. И всегда добивалась своего.

Мать легко поверила в спектакль под названием «Возвращение блудной дочери» и в то, что Анита простила ее. Старая маразматичка-бабка тоже ничего не заподозрила, хотя только одна Анита знала, каких нечеловеческих усилий стоило ей не завизжать и не убить глупую старуху, когда та называла ее «Нюточкой» и особенно «бобылкой». Дед и отчим не в счет, эти всегда, как считала Анита, готовы верить, что их любят, самодовольные тупые самцы.

И с Любой проблем не было, она, всегда готовая любить человека и не ждущая ни от кого подлости, мгновенно подпала под влияние старшей сестры. Правда, Любаша чуть было глупостей не наделала, замуж собралась за безработного турка, но тут Анита вовремя подсуетилась, незаметно проверила мобильник сестры. Конечно же, номер Джавада оказался в списке десяти последних номеров, ведь Любочка-дурочка названивала ему по два раза в день. Имея номер телефона, было совсем несложно разыскать новоявленного жениха и договориться с ним о встрече. Антон поехал в Турцию на неделю и вопрос решил. Потом, правда, оказалось, что не окончательно, пришлось ехать еще раз. Когда к уговорам и деньгам прибавляются мышечная сила и точность удара, оно как-то убедительнее получается.

А вот с братом Валерием были сплошные проблемы. Да, он готов был общаться с Анитой и даже дружить с ней, но на этом все и заканчивалось. Влиять на него не мог никто. Проект со съемками фильма он сразу же назвал бредом и глупостью и попросил Аниту больше с ним об этом не заговаривать. Более того, через полгода после смерти отца он женился на дурочке-свистушке-наркоманке, и отныне она была для него светом в окошке. Все для Лары, все мысли только о ней, и все деньги тратятся только на нее.

Анита употребляла все свое красноречие, чтобы убедить брата в необходимости лечения Ларисы, потому что понимала: если девчонку начнут лечить, то прекратится бесконечное вкладывание денег в ее раскрутку. Но Валерий ничего не хотел слушать. И в жесткой форме просил Аниту не вмешиваться в его дела.

Тогда она решила их развести. Или, по крайней мере, поссорить и отдалить друг от друга. Для этого была придумана и разыграна комбинация с постановкой спектакля «Лариса — лесбиянка». Звонки женскими голосами, когда Ларисы не было дома. Подловить нужный момент труда не составляло, достаточно было из разговора с Валерием узнать, что сегодня Лариса работает в мастерской, — и можно организовывать звонок, благо дурочек, желающих подзаработать, кругом полно. Одновременно была приготовлена история о том, как Лара делала Аните непристойные предложения. Анита перестала приходить к брату, когда его жена была дома, и выжидала наиболее благоприятный момент, чтобы довести до его сведения то, что нужно. И — как апофеоз всего — сцена с внезапно нагрянувшим в мастерскую мужем, когда Лариса спит в объятиях любовницы. Для этого была нанята девушка, которая познакомилась с Ларисой, напросилась к ней в гости в мастерскую посмотреть картины, подсыпала ей в чай сильное снотворное и проделала все прочие необходимые манипуляции, чтобы зашедший в прогнозируемое время муж мог увидеть то, что нужно. Он и зашел. Потому что его привела Анита, удачно и вовремя «стершая ноги» новыми ботинками. Ведь пообедать вместе в тот день предложила именно она, она же и ресторан выбирала. Дескать, все равно будет в районе Чистых прудов по делам. Все как по нотам.

О, Анита Станиславовна отлично изучила своего брата и могла легко предсказывать его поведение в тех или иных ситуациях. Она точно знала, что ничего выяснять у Ларисы он не станет. Тут она сыграла безошибочно. Но влиять на Валерия она все-таки не могла.

Еще в августе она зашла на работу к Любе и увидела на ее столе несколько визитных карточек Аничковой. Незнакомое слово «кинезиология» ее заинтересовало, она незаметно взяла карточку и навела справки. Оказалось, что кинезиология — довольно полезная штука, если уметь ею пользоваться. Вот он, реальный шанс заставить непокорного братца плясать под ту музыку, которую закажет Анита. Она позвонила Аничковой, назвалась сотрудницей холдинга «Планета» Любой Кабалкиной и договорилась о встрече. Собственно, мысль назваться чужим именем пришла ей в голову неожиданно, когда Аничкова стала спрашивать, где Анита взяла ее телефон. Ни на кого не сослаться она не могла, а Люба сказала, что всех сотрудников «Планеты» психолог будет обслуживать анонимно, то есть не разглашая их имена в трудовом коллективе. Вот и пусть Галина Васильевна думает, что работает с Кабалкиной, ведь сама Люба ни за что к ней не пойдет, в этом Анита была уверена.

Однако встреча с психологом повернулась неожиданно для Аниты. Галина Васильевна отказала ей, причем самым нелицеприятным образом.

— Научите меня кинезиологии, — потребовала Анита, привыкшая, что все ее желания исполняются беспрекословно.

— Зачем вам это нужно? — вполне доброжелательно поинтересовалась психолог Аничкова.

— Я не могу справиться со своим братом, он меня совершенно не слушается. — Аните даже в голову не приходило солгать, ей казалось, что ее желание влиять на брата более чем естественно.

— То есть вы хотите овладеть методом кинезиологии, чтобы заставить вашего брата делать то, что вы хотите? — прямо спросила Галина Васильевна. — Я сожалею, но вы напрасно пришли ко мне.

— Почему же? У моего брата проблемы, которые он не осознает, и я хочу помочь ему.

Анита почувствовала, что с размаху зашла слишком далеко, и попыталась отыграть назад. Но это не помогло.

— Если вы не можете справиться с братом и вас это беспокоит, то это у вас проблемы, а не у него. С вашими проблемами я готова работать, если хотите.

— У меня нет проблем, — резко ответила Анита. — А вот брату я хочу помочь.

— Не надо меня обманывать, — холодно ответила Аничкова. — У нас с вами ничего не получится, Любовь Григорьевна. Всего доброго. Счет за ваш визит я выставлять не буду.

Анита ушла совершенно обескураженной. Как ни пыталась, она не могла понять, почему кинезиолог ей отказала. Но с отказом она так или иначе смирилась. И все было бы хорошо, если бы от Любы она не узнала, что планируется прием в честь десятилетия «Планеты». На приеме будет Аничкова, будет сестричка Люба и, вероятнее всего, брат Валерий. Вот это уж совсем ни к чему. А ну как Люба вздумает познакомиться с Галиной Васильевной, представится ей, тут-то все и выплывет. И тогда уж Аните совершенно точно никогда не удастся заполучить строптивого брата со всеми потрохами и деньгами.

Нет, ни в коем случае допускать этого нельзя. Аничкова

не должна прийти на прием. И вообще нужно избежать любой возможности встречи психолога с Любой. Как же она раньше-то об этом не подумала? Ей казалось, что она все предусмотрела, что Люба ни за что не пойдет к психологу, что психолог не откажет Аните в ее просьбе... А оказалось все совсем не так. Все построение начало рушиться, как карточный домик, и необходимо было немедленно принять меры.

Анита их приняла. Вернее, она приняла решение, а осуществлял его Антон Кричевец с помощью каких-то безмозглых балбесов. Антон же позвонил племяннику Аничковой и сделал так, чтобы имя Любы Кабалкиной из ежедневника исчезло.

Вот такая выстроилась картина. Но чтобы сложить мозаику, следователю Ольшанскому пришлось несколько дней подряд вести многочасовые допросы и очные ставки, проводить опознания и следственные эксперименты, а оперативники мотались по всему городу в поисках информации, которую требовал следователь. Но с каждым днем заданий сыщикам поступало от Ольшанского все меньше и меньше, теперь основную работу предстояло проделать ему самому. А ребята с Петровки уже занимались другими убийствами, которые в Москве совершаются ежедневно, так что без дела им не сидеть.

* * *

В назначенный день Настя Каменская вышла на работу. И неожиданно поймала себя на том, что не думает, как раньше, как бы ей увильнуть от оперативки. Не то чтобы она с нетерпением ждала встречи с начальником, вовсе нет, но былого страха и нервозности не было. Она, как обычно, пришла на службу рано и к началу совещания успела выпить кофе с Коротковым и обсудить с Мишей Доценко преимущества и недостатки обоев, образцы которых он привез с ярмарки стройматериалов. И еще она успела созвониться с Женей Фроловым, который когда-то был старостой ее курса в университете, и уточнить время и место встречи выпускников: в этом году исполняется ровно двадцать лет с момента окончания университета. Да-да, с тем самым «дядей Женей», который, как оказалось, Настю и разыскивал, пока она жила в Болотниках.

Ровно в десять утра она вместе со всеми вошла в кабинет Афанасьева и заняла свое привычное место, на котором сидела все годы, пока начальником отдела был Колобок-Гордеев.

— Каменская! — В возгласе полковника было столько неподдельной радости, что все сотрудники, как один, в недоумении уставились на начальника. — Как же я рад, что ты наконец появилась! Мы тут без тебя как без рук, совсем зашиваемся. Ну, ты как? Окончательно выздоровела?

Настя почувствовала, как в груди нарастает и рвется наружу непонятно откуда взявшееся счастье. Как все, оказывается, просто. Ты перестаешь бояться человека и ненавидеть его, и он тут же реагирует на это открытостью и искренностью.

— Окончательно, Вячеслав Михайлович, — ответила она, с трудом борясь с дурацкой улыбкой, расплывающейся по лицу.

— Ты смотри, первое время не очень-то бегай, щади ногу. А вы, мужики, — он выразительно посмотрел на остальных, — имейте снисхождение, отнеситесь с пониманием. Вас много, а Каменская у нас одна. Приступаем к работе...

Добрых полдня Настя ходила под впечатлением от встречи с Афоней. Нет, так не бывает, так просто не может быть. Где-то в Болотниках она думала и бормотала какие-то фразы, а здесь, в центре Москвы, на Петровке, ее начальник... Нет. Или да?

Ближе к концу дня к ней заглянул Сережка Зарубин.

— Слышь, Пална, ты у нас самая умная...

— Я у вас самая больная, — перебила его Настя. — Слыхал, что начальник утром сказал? Поимей снисхождение и отнесись с пониманием.

— Ну ладно, ты у нас самая больная, поэтому объясни мне, тупому и необразованному, почему все-таки психолог Аничкова отказала Волковой? Вот я в этом деле все понимаю, а этого не понимаю.

— Что ж тут непонятного? Волкова хотела взять брата за руку и выискать все его слабые места, чтобы понимать, на что нужно давить, чтобы заставить его подчиниться.

— Это мы с тобой понимаем, но ведь Аничковой она сказала, что хочет помочь брату. Разве плохо научить человека каким-то приемам, чтобы он мог помогать другим?

— Сережа, помогать можно только тогда, когда тебя об этом просят. А Риттер сестру ни о какой помощи не просил. Разницу чувствуешь?

— А почему нельзя помогать, если не просят?

— Закон такой есть.

— Закон? Это что-то новенькое. Что за закон?

— Никогда не делай, не говори и не думай ничего, о чем тебя не просят.

— Впервые слышу, — фыркнул Зарубин. — Где ты этого набралась? Глупость какая-то! Как это не делать, если не просят? Нас, между прочим, преступники тоже не просят, чтобы мы их ловили, но мы же ловим, и ничего, даже зарплату за это получаем. Чего-то ты, Пална, перемудрила.

— Может быть, — она не стала спорить. — На первый взгляд это действительно звучит дико. Но чем больше думаешь над этим, тем лучше понимаешь, что это правильно.

Она вышла из здания ГУВД в девятом часу вечера и с удовольствием подумала о том, как приедет домой, в свою квартиру на «Щелковской». Родственники забрали из больницы удачно прооперированного сынишку и благополучно отбыли в родной город. Теперь она снова жила в привычной обстановке, ежедневно виделась с мужем и спала на любимом диване.

Но прежде чем она поедет на «Щелковскую», она сделает еще одно дело. Она чувствует, что сделать это просто необходимо. Это нужно не кому-то, а ей самой.

У входа в метро Настя купила огромный букет цветов и поехала на Леснорядскую улицу, где жил Павел Дюжин. Долго звонила в дверь, но ей никто не открыл. Можно было бы позвонить Павлу на мобильник, но зачем? Что это изменит? Она и так сделала то, что хотела.

Настя позвонила в соседнюю квартиру. Ей открыла молодая женщина с грудным ребенком на руках.

— Простите за беспокойство, я могу оставить у вас цветы для Павла Дюжина?

— Для Паши? — Женщина расцвела улыбкой. — Конечно, оставляйте. Они сегодня поздно придут, они в театр пошли.

Настя вытащила из сумки блокнот, вырвала листок, написала: «От благодарной ученицы» — и сунула в середину букета.

— Только посмотрите, чтобы записка не выпала, — попросила она молодую маму.

— Конечно, конечно. Я все ему передам.

Идя к метро, Настя мысленно твердила: «Спасибо тебе, Паша, за науку. Спасибо тебе за все, чему ты меня научил. Спасибо тебе за то, что ты есть».

И вдруг неожиданно поймала себя на мысли:

«Я абсолютно счастлива».

Да нет же, тут же одернула себя Настя, не может она быть абсолютно счастлива ни с того ни с сего, на ровном месте. Не может. Так не бывает.

Нет.

Или да?

Сентябрь 2002 г. — январь 2003 г.

Литературно-художественное издание

Маринина Александра Борисовна
ЗАКОН ТРЕХ ОТРИЦАНИЙ

Издано в авторской редакции
Ответственный редактор *О. Рубис*
Художественный редактор *В. Щербаков*
Художник *В. Федоров*
Технический редактор *Н. Носова*
Компьютерная верстка *И. Ковалева*
Корректоры *М. Мазалова, Г. Титова*

ООО «Издательство «Эксмо».
107078, Москва, Орликов пер., д. 6.
Интернет/Home page — www.eksmo.ru
Электронная почта (E-mail) — info@ eksmo.ru

По вопросам размещения рекламы в книгах издательства «Эксмо»
обращаться в рекламное агентство «Эксмо». Тел. 234-38-00

Книга — почтой: Книжный клуб «Эксмо»
101000, Москва, а/я 333. E-mail: bookclub@ eksmo.ru

Оптовая торговля:
109472, Москва, ул. Академика Скрябина, д. 21, этаж 2
Тел./факс: (095) 378-84-74, 378-82-61, 745-89-16
Многоканальный тел. 411-50-74. E-mail: reception@eksmo-sale.ru

Мелкооптовая торговля:
117192, Москва, Мичуринский пр-т, д. 12/1. Тел./факс: (095)932-74-71

ООО «Медиа группа «ЛОГОС».
103051, Москва, Цветной бульвар, 30, стр. 2
Единая справочная служба: (095) 974-21-31. E-mail: mgl@logosgroup.ru

ООО «КИФ «ДАКС». 140005, М. О., г. Люберцы, ул. Красноармейская, д. За.
Тел. 503-81-63,796-06-24. E-mail: kif_daks@mtu-net.ru

Книжные магазины издательства «Эксмо»:
Москва, ул. Маршала Бирюзова, 17 (рядом с м. «Октябрьское Поле»). Тел. 194-97-86.
Москва, Пролетарский пр-т, 20 (м. «Кантемировская»). Тел. 325-47-29.
Москва, Комсомольский пр-т, 28 (в здании МДМ, м. «Фрунзенская»). Тел. 782-88-26.
Москва, ул. Сходненская, д. 52 (м. «Сходненская»). Тел. 492-97-85.
Москва, ул. Митинская, д. 48 (м. «Тушинская»). Тел. 751-70-54.

Северо-Западная Компания представляет весь ассортимент книг издательства «Эксмо».
Санкт-Петербург, пр-т Обуховской Обороны, д. 84Е
Тел. отдела рекламы (812) 265-44-80/81/82/83.

Сеть магазинов «Книжный Клуб СНАРК» представляет
самый широкий ассортимент книг издательства «Эксмо».
Информация о магазинах и книгах в Санкт-Петербурге по тел. 050.

Вы получите настоящее удовольствие, покупая книги в магазинах ООО «Топ-книга»
Тел./факс в Новосибирске: (3832) 36-10-26. E-mail: office@top-kniga.ru

Всегда в ассортименте новинки издательства «Эксмо»:
ТД «Библио-Глобус», ТД «Москва», ТД «Молодая гвардия»,
«Московский дом книги», «Дом книги в Медведково», «Дом книги на ВДНХ».
Книги издательства «Эксмо» в Европе: www.atlant-shop.com

Подписано в печать с оригинал-макета 14.02.2003.
Формат 60x90 1/16. Гарнитура «Таймс». Печать офсетная.
Бум. газ. Усл. печ. л. 27,0. Уч.-изд. л. 19,9.
Тираж 300 000 экз. Заказ № 0302400.

Отпечатано на MBS в полном соответствии
с качеством предоставленного оригинал-макета
в ОАО «Ярославский полиграфкомбинат»
150049, Ярославль, ул. Свободы, 97.